N. F. POTAPOVA

RUSSIAN

AN ELEMENTARY COURSE

Book I

Published by

K. P. Schick Brooklyn N. Y.

New York — 1959

Printed in U. S. A. by Sephrograph Co.,
194 Elizabeth Street, New York 12, N. Y.

PREFACE

This elementary course of Russian is designed chiefly for adults studying Russian with a teacher. However, it may also serve the purpose of a self-instructor. It contains keys to most of the exercises as well as pronunciation keys; moreover, the contents of the book have been so arranged as to facilitate the student's unaided study of the language.

The aim of this book is to help students of Russian to acquire a practical knowledge of the spoken language and to learn to read and understand Russian newspapers as well as easy fiction. The choice of the material, the order in which it is arranged, the number and character of the exercises are all directed towards the achievement of this aim. The course of study covers the principal rules of Russian grammar and phonetics and contains a vocabulary of some 5,000 words as well as a large number of set phrases and idioms.

Russian, an Elementary Course is comprised of Book I and Book II (Book II is to be published shortly after Book I). Book I, in its turn, is divided into four parts. Each of the four parts covers about ten lessons and deals with a definite group of language phenomena, arranged in such a way as to ensure a gradual mastery of speech habits.

In compiling this elementary course of Russian much forethought was given to the relation of grammar and lexical material. Beginning with Lesson 12, after the student has already been made familiar with the rudiments of the language, the lessons are broken up into "a" and "b". In "a" the emphasis is on new grammar rules. These find their practical application in the extensive lexical material given in "b".

Russian, an Elementary Course is an improvement on the method employed in the text-book entitled "Russian" (Part I), by the same author, published in 1946. The principles underlying the method are further developed and the general structure of the book completely revised.

N. F. Potapova.

THE RUSSIAN ALPHABET

| No. | The letters | | Pronounced approximately as * | Names of the letters |
---	Printed	Written		
1	Аа	*A a*	*a* in "father"	а
2	Бб	*Б б*	*b* in "book"	бэ
3	Вв	*В в*	*v* in "vote"	вэ
4	Гг	*Г г*	*g* in "good"	гэ
5	Дд	*Д д*	*d* in "day" (cf. Lesson 1)	дэ
6	Ее	*Е е*	*ye* in "yes"	е (йэ)
7	Ёё	*Ё ё*	*yo* in "yolk"	ё (йо)
8	Жж	*Ж ж*	*s* in "pleasure"	жэ
9	Зз	*З з*	*z, s* in "zone, please"	зэ
10	Ии	*И и*	*ee* in "meet"	и
11	Йй	*Й й*	*y* in "boy"	и крáткое (short)
12	Кк	*К к*	*k* in "kind"	ка
13	Лл	*Л л*	*l* (hard) in "full, gold" (cf. Lesson 2)	эл (эль)
14	Мм	*М м*	*m* in "man"	эм
15	Нн	*Н н*	*n* in "note" (cf. Lesson 2)	эн
16	Оо	*О о*	*o* in "port"	о

* When there is a noticeable difference of pronunciation between the Russian sound and its English counterpart, the student is referred to the lesson where the difference is explained.

No.	The letters		Pronounced approximately as *	Names of the letters
	Printed	Written		
17	Пп	*П п*	*p* in "pen"	пэ
18	Рр	*Р р*	*r* (cf. Lesson 2)	эр
19	Сс	*С с*	*s* in "speak"	эс
20	Тт	*Т т*	*t* in "too" (cf. Lesson 1)	тэ
21	Уу	*У у*	*oo* in "book" (but longer)	у
22	Фф	*Ф ф*	*f* in "fire"	эф
23	Хх	*Х х*	*h* (cf. Lesson 3)	ха
24	Цц	*Ц ц*	*tz* in "quartz"	цэ
25	Чч	*Ч ч*	*ch* in "lunch" (but softer)	че
26	Шш	*Ш ш*	*sh* in "short"	ша
27	Щщ	*Щ щ*	*shch* in "tovarishch" (cf. Lesson 8)	ща
28	Ъъ	*ъ*	(cf. Lesson 9)	твёрдый знак ("hard" mark)
29	Ыы	*ы*	*i* in "it" (but harder) (cf. Lesson 7)	ы
30	Ьь	*ь*	(cf. Lessons 5, 9)	мягкий знак ("soft" mark)
31	Ээ	*Э э*	*e* in "men"	э
32	Юю	*Ю ю*	*yu* in "Yukon"	ю (йу)
33	Яя	*Я я*	*ya* in "yard"	я (йа)

* See footnote on page 4.

PART I

УРОК 1—LESSON 1

> Speech Sounds and Letters:
>   The Vowels **а, о, у, э**.
>   The Consonants **м, д, т, в, с**.
> Grammar.

SPEECH SOUNDS AND LETTERS

Russian sounds are unlike English sounds in many ways. In Russian, for example, there is no *th* sound and there are many sounds in Russian which have no counterpart in English. Most Russian sounds are pronounced differently from their English equivalents.

Do not confuse speech sounds with letters. Sounds we pronounce and hear. Letters we write and see.

The letters of the Russian alphabet differ considerably from those of the English alphabet.

1. Vowels

A

The Russian **a** is pronounced like the *a* in *ask, father, past*. However, it is not so deep as its English counterpart (the tongue is not moved so far backwards) and is shorter (it is pronounced in less time than required by the equivalent English sound).

O

The Russian **o** has approximately the same sound as the English *o* in *port, morning*.

However, to pronounce the Russian **o**, the lips must be rounded and protruded more than in the equivalent sound in the English words cited above. Moreover, the Russian **o** is shorter than the English *o* in the above examples.

У

The Russian **у** is pronounced as the English *oo*, but is not so short as the *oo* in *book* and not so long as the *oo* in *school*.

To pronounce the Russian **у**, the lips must be rounded and considerably advanced (almost in the same way as in pronouncing **о**), the tongue drawn back and raised (the back part) to the soft palate.

Э

The Russian **э** resembles the English *e* in *men, let*.

It is, however, a more open sound (the tongue is not raised so high to the roof of the mouth as in the English sound). Therefore in pronouncing the Russian **э** the mouth should be in a more open position than in the English *e* in *men* and *let*.

Summary

All Russian vowel sounds are of medium length.

In the Russian language the lengthening or shortening of the vowel sound does not affect the meaning of the word. Russian vowel sounds, however, may be lengthened to convey emotional shades. Hence, the tendency to lengthen the vowels in the interjections **а!** **о!** and **э!**

The names of the letters **Аа, Оо, Уу, Ээ** are identical with their pronunciation.

Pronounce:

а — у, а — о, а — э
о — а, о — у, о — э
у — а, у — о, у — э
э — а, э — о, э — у

2. Consonants

М

м is pronounced like the English *m* in *my*.
The letter **Мм** is called *эм*.

Pronounce:

ма — мо — му — мэ

Д, Т

The Russian **д** may be compared with the English *d*.
The Russian **т** may be compared with the English *t*.

However, the Russian **д** and **т** sounds differ greatly from the English *d* and *t*. To pronounce the Russian sounds, you must bring the tongue against the back of the upper teeth and see that the tip of the tongue points downwards. Do not raise the tip of the tongue to the alveoles or the upper gums as is the case when *d* and *t* are pronounced in English.

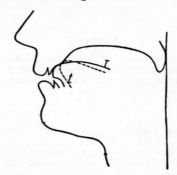

д is a voiced consonant, т is voiceless. Compare:

дом house and том volume

The letter Дд is called *дэ*; the letter Тт is called *тэ*.
Pronounce the following sound combinations from left to right and from the top down:

да — да, до — до, ду — ду, дэ — дэ
та — та, то — то, ту — ту, тэ — тэ
да yes, там there, тут here

В

The Russian в is pronounced almost like the English *v* in *voice*.
The slight distinction between the Russian and English pronunciation of this sound is that the Russian sound is pronounced with the upper teeth pressed against the back of the lower lip and not the front, as is the case in uttering the English *v*. Besides, the Russian в is pronounced with less energy than the English *v* (i. e. in producing the Russian sound the speech organs are in a less tense position).
The letter Вв is called *вэ*.

Pronounce:

ва — во — ву — вэ
вот here

9

C

The Russian **c** is pronounced like *s* in *soon, yes*.
The letter **Cc** is called *эс*.

мост   bridge

Summary

Russian consonants are pronounced less distinctly than English consonants, especially at the end of a word (i. e. at the moment of articulation the organs of speech are less tense).

GRAMMAR

1. The Russian language has no article. The noun **дом** may mean *the house, a house* or *house*, depending on the sense.
2. In Russian the link-verbs equivalent to the English *is, are*, etc., are not generally used. The sentence: **Дом там** corresponds to *The house is there*.
3. Interrogation in Russian may be denoted by the intonation of a question, the word order of the sentence remaining the same as in a statement: **Дом там?** *Is the house there?*

Read:

Вот дом.	Here is the house.
Вот мост.	Here is the bridge.
Дом там.	The house is there.
Мост тут.	The bridge is here.
Дом там?	Is the house there?
Да, дом там.	Yes, the house is there.
Мост тут?	Is the bridge here?
Да, мост тут.	Yes, the bridge is here.

Аа, Оо, Уу, Ээ

Вв, Дд, Мм, Тт, Сс

Дом. Мост. Вот дом.

Там мост., дом.

EXERCISES

1. Write each of the above letters three times.

2. Rewrite the sentences.

3. Give the names of the letters in the following words:

ВОТ, МОСТ, ДОМ, ТАМ

4. Translate into Russian:

1. The house is here.   2. The bridge is there.
3. Here is a house.   4. Here is a bridge.

УРОК 2—LESSON 2

Speech Sounds and Letters:
The Vowel и.
The Consonants: р, б, п, з, н, л, ф.
Syllables and Word Stress.

SPEECH SOUNDS AND LETTERS

1. The Vowel И

The Russian **и** resembles the English vowel sound in the words *eve, eat, each*.

However, in comparison with the English sound, the Russian **и** is shorter even in stressed syllables, but not so short as the *ĭ* in the English words *it* and *ill*:

и   and
и́ва   willow

> **Note:** The accent sign [´] over a vowel, as for example in the word и́ва, indicates that the syllable should be stressed and pronounced with greater force.

The name of the letter **Ии** is identical with its pronunciation.

2. Consonants

Р

For the Russian **р** there is no corresponding English sound. A sound somewhat resembling the Russian **р** is the rolled *r* of Scotland and Northern England. The *r* of current English usage is unlike the Russian **р**.

The Russian **р** is formed by the vibration of the tip of the tongue against the front of the palate. It is a distinct, trilling sound.

р is a voiced consonant.

The letter **Рр** is called *эр*.

Do not confuse the Russian letter **р** (*эр*) with the English letter *p*.

ра	ро	ру	рэ
ра-ра	ро-ро	ру-ру	рэ-рэ
ар	ор	ур	эр
ра́ма	frame	**р**от	mouth
Ира	(*a feminine name*)	аэродро́м	aerodrome
тра**в**а́	grass	дво**р**	courtyard

Вот дво**р**.	Here is a courtyard.
Там йва и трава́.	There are a willow and grass there.

N o t e : The combination аэ in the word аэродро́м should be pronounced as two separate sounds.

Б, П

б corresponds to the English *b* in *boy*.
п corresponds to the English *p* in *please*.
The slight aspiration audible in pronouncing the English *p* in *pen, pin,* etc., is completely absent in the Russian sound.
б is a voiced consonant, **п** is voiceless. Compare:

борт   side   and   **п**орт   port

The letter **Бб** is called *бэ*; the letter **Пп** is called *пэ*.

брат   brother   **п**а́рта   school-desk
рабо́та   work   **с**порт   sport

брат тут, ра́ма тут, па́рта там

З

з is pronounced like *z* in *zero*.
з is a voiced consonant. Its corresponding Russian voiceless consonant is **с**. Compare:

зуб tooth and **с**уп soup

N o t e : **б** at the end of the word зу**б** is pronounced like [п].

The letter **Зз** is called *зэ*.

ва́**з**а   vase
ро́**з**а   rose
и**з**ба́ cottage
заво́д plant, mill

N o t e : д at the end of the word заво**д** is pronounced like [т].

Вот ва́за и ро́за.
Вот завод. Тут рабо́та.
Вот изба́ и двор.

Н

н corresponds to the English *n*.

However, there is a difference between the pronunciation of the Russian **н** and that of its English counterpart. To pronounce the Russian **н**, thrust the tongue against the back of the upper teeth with the tip pointed downwards (as in pronouncing **д** and **т**). Do not raise the tongue tip upwards (to the alveoles), as is the case when the English *n* is pronounced.

н is a voiced consonant.

The letter **Нн** is called *эн*.

Pronounce:

на — на, но — но, ну — ну, нэ — нэ

нос	nose	он	he	страна́	country
но́та	note	Дон	the Don	сно́ва	again
Ива́н	*(a masculine name)*				

Вот Дон и мост.

Ива́н сно́ва тут. Вот он.

Л

The Russian **л** resembles the English *l* and even more so the American *l* in the words *full, table*, but is somewhat harder.

To articulate the Russian **л**, raise the back part of the tongue to the roof of the mouth as in **у**, and bring the front part of the tongue against the back of the upper teeth (as in the sounds **д, т, н**). See that the tip of the tongue points downwards (do not raise it to the alveoles, as is done in the articulation of the English *l*). This tongue position will ensure the correct pronunciation of the typical Russian hard **л**.

л is a voiced consonant.

The letter **Лл** is called *эл*.

Note that the Russian **л** is hard not only at the end of a word. Before the vowels **а, э, о,** and **у** it is also hard. This particularly distinguishes it from the English *l* before vowels: ло́тос and lotus, ла́мпа and lamp.

Pronounce:

л — ал	л — ол	ул — эл
ла — ла	ло — ло	лу — лу

мол	pier	зал	hall	ла́мпа	lamp
пол	floor	бал	ball	план	plan
стол	table	плот	raft	сла́ва	fame
стул	chair	слон	elephant	луна́	moon

14

Вот стул, стол, пол.
Вот ла́мпа, план.
Стол тут, ла́мпа там.
Вот зал. Тут бал.
Вот зал. Тут стул, стол и ла́мпа.

Ф

The Russian **ф** closely resembles the English *f* as in *farm.*

To pronounce the Russian **ф**, the upper teeth are pressed against the back of the lower lip and not the front, as in the pronunciation of the English *f*. The Russian **ф** is uttered with less vigour than the English *f*.

в is a voiced consonant, **ф** is voiceless. Compare:

ва́за vase and фа́за phase

The letter **Фф** is called *эф.*

фра́за phrase   флот   fleet
фо́рма form   футбо́л football

Вот порт. Тут флот.

3. Syllables and Word Stress

A great many words in the Russian language are made up:
1) of one syllable — дом
2) of two syllables — стра-на́ — страна́
3) of three syllables — ра-бо́-та — рабо́та

Words composed of more than three syllables are less common.

Word stress, that is the pronouncing of one syllable with greater vigour than another, is more emphatic in Russian than in English.

In some Russian words the stress falls on the first syllable:

ка́рта map,   ла́мпа lamp

In others the stress falls on the last syllable:

страна́ country,   футбо́л football

There are words in which the stress is on the middle syllable:

рабо́та work

In dictionaries and text-books of the Russian language, the stressed syllable is indicated by the sign ['']. Monosyllabic words rarely have the accent indicated.

In other books and also in newspapers the stress is marked only when the meaning of the word would otherwise not be clear.

The syllable on which the stress falls is called a stressed syllable. All other syllables are called unstressed syllables.

In Russian the stressed syllable, as compared with the unstressed, is articulated with much greater force and is therefore lengthened. Hence, the pronunciation of vowels is affected by stress:

1) Vowels on which the stress falls are pronounced clearly and distinctly (more time is required to pronounce the stressed vowel than the unstressed one and the organs of speech are more tense).

2) Unstressed vowels are fainter and less drawn out (less time is spent on their pronunciation and the organs of speech are less tense).

Note the pronunciation of the unstressed **a** in the words given in this lesson and try to pronounce it more faintly and shorter than the stressed **a**.

Read:

Вот стол, стул, ла́мпа.
Там стол, ва́за и ро́за.
Вот зал, пол, ла́мпа.
Там порт, там мол.
Там двор, дом и мост.
Тут ра́ма, стол и стул.
Вот заво́д. Тут рабо́та.

Ии, Бб, Пп, Ззз, Нн, Лл, Рр
Страна. Брат. Работа. Дом и двор.
Зал. План.

EXERCISES

1. Write each of the above letters and each of the above words three times.
2. Copy the above eight sentences.
3. Point out in the sentences the words which have two *a*'s. Determine which of the two letters *a* has a clear and distinct sound and which is pronounced more faintly.
4. Translate the following into Russian:

Here is a lamp, a chair, a table. There is a school-desk. Here is a plan.

УРОК 3—LESSON 3

> Speech Sounds and Letters:
> The Consonants г, к, х.
> The Unstressed Vowels а and о.
> Orthography:
> The Spelling of Unstressed Vowels.

SPEECH SOUNDS AND LETTERS

1. Consonants

Г, К

г is pronounced like *g* in the word *good*.
к is pronounced like *k* in the word *kind*.

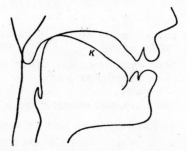

The Russian к is pronounced without the slight aspiration accompanying the pronunciation of the English *k* in the words *kind, Kate.*

г is a voiced consonant; к is voiceless. Compare:

густ thick and куст bush

The letter Гг is called *гэ*; the letter Кк is called *ка.*

грамм gram	класс class (room)	Баку́ Baku (*a city*)
гром thunder	уро́к lesson	замо́к lock
ваго́н carriage	ка́рта map	стано́к lathe
бума́га paper	кана́л canal	вокза́л station
нога́ foot	рука́ hand	нау́ка science

Вот ка́рта и бума́га.
Там вокза́л. Там ваго́н.
Вот заво́д. Тут стано́к.

X

There is no corresponding sound for this letter in English.
The sound **x** is close to the Scottish *ch* in *loch* and to the German *ch* in the words *Buch, hoch*.

The sound **x** is formed almost in the same way as **к**, except that at the moment of pronunciation the tongue does not touch the roof of the mouth, only coming close to it and leaving passage for the outgoing breath.

The sound **x** may be drawn out (x-x-x), whereas **к** is an instantaneous sound.

x is a voiceless consonant.

The name of the letter **Xx** is *xa*.

халáт smock	хор chorus	бýхта bay
сáхар sugar	холм hill	вáхта watch

Там хор. Тут урóк. Вот бýква *ка*.
Вот бýква *xa*.

2. The Unstressed Vowels *a* and *o*

Compare the two following words with the same spelling:

замóк *lock* — the stress is on the second syllable
зáмок *castle* — the stress is on the first syllable

In the above examples the meaning of the word depends on the position of the stress.

Words have stressed and unstressed syllables.

Unstressed syllables are divided into syllables preceding the stressed syllable and syllables following the stressed syllable. In the word **бумáга** there are three syllables. Of these:

1) **бу-** is an unstressed syllable preceding the stressed one ⎫
2) **-мá-** is a stressed syllable   ⎬ **бумáга**
3) **-га** is an unstressed syllable following the stressed one ⎭

In the previous lesson it was pointed out that all vowels in unstressed syllables are pronounced less distinctly than those in stressed syllables. The vowels **a** and **o** have their own peculiarities in pronunciation, depending on their position in a given word.

1) When the vowel **a** occurs in an unstressed syllable immediately before the stressed syllable, it is pronounced as a faint **a**

(as the vowel *u* in the English word *but*). This sound is indicated by the phonetic symbol [ʌ]. In the following words **a → [ʌ]**:

вагóн

канáл

2) When the vowel **o** occurs in an unstressed syllable immediately before the stressed syllable, it is also pronounced like [ʌ] (i. e. like a faint Russian **a**). In the following words **o → [ʌ]**:

Москвá	Moscow	горá	mountain
онá	she	водá	water
онó	it	фонтáн	fountain
окнó	window	доскá	(black)board

3) In all other syllables preceding the stressed syllable, with the exception of open initial syllables, the vowels **a** and **o** are pronounced like the second vowel in the English word *lemon*. This sound is represented by the phonetic symbol [ə]. In the following words **o → [ə]**:

головá   [гə-лʌ-вá]   head

потолóк   [пə-тʌ-лóк]   ceiling

When the vowels **a** or **o** occur in an open first syllable, even if it does not immediately precede the stressed syllable, they are pronounced like [ʌ]:

оборóна [ʌ-бʌ-рó-на] defence

4) In unstressed syllables following the stressed syllable the vowels **a** and **o** may be pronounced like [ə]. In the following words **a, o → [ə]**:

мóлот hammer

хлóпок cotton

N o t e : If **a** or **o** occur at the end of a word, they may be pronounced like [ʌ]:

э́то this	кóмната room
слóво word	фáбрика factory
Вóлга the Volga	дорóга road

Pay special attention to the pronunciation of the unstressed **o**.

3. Orthography

The Spelling of Unstressed Vowels

In Russian spelling no distinction is made between unstressed **vowels** and stressed ones in the root and ending of a word.

In words of the same root the stress may fall on different syllables:

óн — the stress is on the vowel of the root,

онá }
онó } — the stress is not on the vowel of the root but on the ending.

Although the vowel **o** in the words **онá, онó** is pronounced [ʌ], the letter **o**, i. e. the letter which is in the root under the stress (**óн**), is written.

In the word водá the ending is stressed, in the word кóмната it is unstressed. Yet both endings are denoted by the same letter. In this way uniformity of spelling is maintained in roots and endings.

ТЕХТ

1. Это кáрта. Тут Москвá. Это канáл. Там Дон, Вóлга, Урáл. Это Бакý. Тут бýхта.

2. Вот дом. Это завóд. Там рабóта. Там станóк.

3. Вот мост. Там водá. Это канáл. Вот хлóпок. Там фонтáн.

4. Это вокзáл. Тут вагóн.

5. Это кóмната. Тут урóк. Вот пол, потолóк и окнó. Вот стул, стол, лáмпа, кáрта и доскá.

6. Вот фрáза. Тут слóво «завóд» и слóво «хлóпок». Вот бýква «эф», бýква «зэ» и бýква «ха».

Фф, Гг, Кк, Хх.

Гудок. Фабрика. Урок. Буква.

Бумага. Карта. Вот буква эн.

Вот буква ха.

EXERCISES

1. Write each of the above letters three times. Copy the above words.
2. Copy the text.
3. Select from the text all the words with an unstressed *o*. Write and pronounce them.
4. Translate into Russian:

1. This is a map. Here is the Volga. Here is the canal. There is a bridge. Here is the bay. Here is Baku. 2. This is a classroom. There are a blackboard, a map and a lamp here. There is a lesson here. Here is the word "factory".

УРОК 4—LESSON 4

> Speech Sounds and Letters:
>> The Consonant **й**.
>> The Letters **я, е, ё, ю**.
>
> Grammar:
>> The Gender of the Noun.
>> The Verb Endings **-ю, -у** and **-ёт**.

SPEECH SOUNDS AND LETTERS

1. The Consonant **Й**

The sound **й** is close to the English *y*.

й is always used in combination with another vowel and may either precede or follow it.

The letter **й** is called *short i* (**и кра́ткое**).

й after Vowels

ай is pronounced like the English *y* in *by, my*
эй — „ — „ — „ — „ -- „ *ay* in *say*
ой — „ — „ — „ — „ — „ *oy* in *boy, toy*

However, the Russian sound combinations differ from the corresponding English ones in the following manner:

a) the **first** sound element (i. e. the vowel sounds **a, э, o**) is shorter **in the** Russian than in the English equivalent;

b) in pronouncing the second element (i. e. the Russian **й**) the back **of the tongue** is brought closer to the roof of the mouth than in the pronunciation of the *y* in *boy, toy*, etc.

Pronounce:

аи — ай
ои — ой
эи — эй

Note that the two vowel sounds in the first column are two separate syllables and should not be fused. In the second column the two vowel sounds are combined to produce one syllable.

май	May	**мой**	my
Алта́й	Altai	**твой**	your
Байка́л	(Lake) Baikal	**домо́й**	home

Э́то мой брат. Там твой брат.
Вот ка́рта. Тут Алта́й и Байка́л.

The sound **й** may be audible when it precedes the vowels **a,
э, o, y,** though much fainter than when it follows the same vowels.
These combinations of sounds are denoted by the letters:

Яя, Ее, Ёё, Юю.

2. Letters

Я

This letter has the sound value of two sounds (the faint й+a)
and is pronounced as *y+a* in the word *yard*.

я	I ~~ON FOOT~~	маяк	beacon
я иду́	I go, I am going	моя́	my
я́хта	yacht	твоя́	your
Ялта	Yalta	я́блоко	apple
я́сно	clear	я́года	berry

Вот бу́хта.   Вот бу́ква «я».
Тут я́хта и мая́к. Это я́сно.

Е

This letter has the sound value of two sounds (the faint й+э)
and is pronounced as the English *y+e* in *yes*:

Я е́ду.   I go, I am going. *LOCOMOTION, RIDIN*
Я е́ду домо́й.

E

This letter has the sound value of two sounds (the faint
й + o) and is pronounced as the English *y* + *o* in *yolk.*

ёлка fir-tree	он поёт he sings
моё my	он даёт he gives

Ива́н поёт. Мой брат даёт уро́к.
Вот зал.   Тут поёт хор.

Ю

This letter has the sound value of two sounds (the faint й + y)
and is pronounced as *y* + *u* in *Yukon.*

юг south	каю́та cabin
на юг to the south	я пою́ I sing
ю́нга (ship's) boy	я даю́ I give
Ю́ра (*diminutive of* Ю́рий, *a masculine name*)	

N o t e: At the end of a word г is pronounced like [k].

Ира́ даёт уро́к.
Ю́ра поёт.
Я éду на юг.

Summary

Thus, each of the letters я, е, ё, ю has the sound value of two
sounds. This is their function when they occur at the beginning
of a word or are preceded by a vowel (cf. examples). When these
letters are preceded by a consonant, their function is different and
will be discussed later.

The names of the letters **Яя** [йа], **Ее** [йэ], **Ёё** [йо], **Юю** [йу]
are identical with their pronunciation.

GRAMMAR

1. The Gender of the Noun

1. Russian nouns have three genders: m a s c u l i n e, f e m i -
n i n e and n e u t e r.* The gender of nouns which denote persons

---

* Later on in the Vocabulary and in the Grammar we shall indicate the
nouns *masculine, feminine* and *neuter* by the corresponding initial letters *m, f*
and *n.*

and certain animals is determined by sex. The noun **брат** *brother*, for example, is masculine. The gender of a noun can frequently be determined by the final letter of the word. This is important in discerning the gender of nouns not denoting persons or animals.

Thus all nouns ending in a consonant are masculine:

дом
стол
заво́д

Most nouns ending in **a** are feminine:

страна́
рука́

Only a few nouns ending in **a** are masculine. To this category belong masculine proper names, and mainly their diminutives, as:

Юра (*diminutive of* Юрий)

Almost all nouns ending in **o** are neuter:

окно́
сло́во

2. The possessive pronouns **мой** *my*, **твой** *your* in the singular are inflected to express gender:

Gender ╲ Person	1	2
Masculine	мой	твой
Feminine	моя́ } my	твоя́ } your
Neuter	моё	твоё

The above pronouns agree in gender with the noun they modify:

Gender ╲ Person	1	2
Masculine	мой брат	твой брат
Feminine	моя́ ла́мпа	твоя́ ла́мпа
Neuter	моё сло́во	твоё сло́во

2. The Verb Endings *-ю*, *-у* and *-ёт*

For the most part verbs in the present tense 1st person singular end in **-ю** (this is invariably so after a vowel):

я пою́;

in a few cases the ending is **-у** (after a consonant):

я иду́

24

In the 3rd person singular some verbs end in -ёт. The ending -ёт is always stressed:

он поёт, он даёт

TEXT

1. Это Ялта. Вот мол. Тут бу́хта и я́хта. Вот каю́та. Тут ю́нга.

2. Вот зал. Тут поёт хор. Я пою́ и Юра поёт.

3. Тут ка́рта. Вот Алта́й и Байка́л.

4. Вот фра́за: «Это мой брат». Тут сло́во «брат». Вот бу́ква «бэ» и бу́ква «тэ». Это я́сно.

5. Я е́ду домо́й. Вот дом. Это моё окно́. Там моя́ ко́мната, мой стол и моя́ рабо́та.

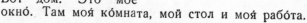

EXERCISES

1. Write each of the above letters and sentences three times.
2. Copy the text.
3. Give the gender of the following nouns:

страна́, сло́во, стул, ла́мпа, рот, рука́, ка́рта, я́блоко

4. Add the possessive pronoun *мой* my to the nouns given in the preceding exercise and make it agree in gender with the noun.

Example: мой брат, моя́ ко́мната, etc.

5. Translate into Russian:

It is a room. It is a classroom. I am giving a lesson here. There is a hall there. My brother Yura is singing there. This is a map. Here is the Volga, and there is the Don.

25

УРОК 5—LESSON 5

> Speech Sounds and Letters:
>   Soft Consonants.
>   How to Indicate Soft Consonants in Writing.
> Grammar:
>   The Verb Ending -ит.

SPEECH SOUNDS AND LETTERS

i. Soft Consonants

In the preceding lessons we took up the consonants:

б, п; в, ф; з, с; д, т; н, л, р, г, к, х

Because of the manner in which these consonants are pronounced they are called hard consonants.

In Russian there are corresponding soft consonants to the hard ones. (This is not the case in English.)

To pronounce a soft consonant, you assume the same position of the organs of speech as in the pronunciation of the corresponding hard sounds, plus an additional tongue movement. For example, in pronouncing a soft м the lips are pressed together in the same way as in the pronunciation of a hard м, but, in addition to this, the tongue is raised to the roof of the mouth in the same direction as is required for the vowel и (as in *eat*) or й (as the English *y* in *boy*). This additional movement of the tongue towards the roof of the mouth (or the palate) is called palatalization of consonants or the i-like position of the speech organs.

This gives the soft consonant a higher pitch of tone than in the case of the unpalatalized hard consonant.

Another example: to pronounce the Russian т sound, the tip of the tongue is pressed against the back of the upper teeth. To make the т soft, the tongue at the same time performs an additional movement — it is raised to the palate. There is a slight difference in the pronunciation of the English *t* in the words *taught* and *teacher*. In pronouncing *t* in *teacher* the tongue also performs an additional movement and is slightly raised against the palate. Hence the resultant sound is a palatalized one, but not to the extent it is in Russian.

Before you begin work on the pronunciation of the soft consonant, try first of all to train the tongue to pronounce the vowels и or й (pronounced as the *y* in *yes, boy*), and then keeping the tongue in the same position, add to the vowel consonants like т, з, н. The result will be a soft (or palatalized) consonant.

Try next to bring the tongue against the palate and to pronounce simultaneously the consonant sound. Avoid isolating й and pronouncing it as an independent sound. Do not by any means pronounce й after the consonant sound.

2. How to Indicate Soft Consonants in Writing

1) To indicate that a consonant is pronounced softly, there exists a special letter ь (*the "soft" mark* мягкий знак) placed after it:

мать   mother
де́ньги   money

The meaning of a word may depend upon whether we pronounce the consonant hard or softly. Compare:

брат brother and брать to take

After the letters г, к, х the "soft" mark is never used.

2) The letters е, ё, и, ю, я may also indicate that the consonant preceding the vowel is a soft one:

a) де, дё, ди, дю, дя

де́ти children   Ро́дина motherland
здесь here   дюйм inch
студе́нт student   дя́дя uncle
студе́нтка (girl) student   Воло́дя (*diminutive of* Влади́мир)

b) те, тё, ти, тю, тя

тётя aunt   костю́м suit
карти́на picture   Ви́тя (*diminutive of* Ви́ктор)

c) не, нё, ни, ню, ня

не́бо heaven, sky   колхо́зник collective farm member
нёбо palate   те́хник technician
кни́га book   Ню́ра (*diminutive of* Анна)
ня́ня nurse   Со́ня (*diminutive of* Со́фья)
                          Ва́ня (*diminutive of* Ива́н)

Note: к, when it precedes н (for example, in the word кни́га), is never silent as it is in English (knife).

d) ме, ми, зе, зи, ри, рю, ки

ме́сто place   фи́зик physicist
мел chalk   он говори́т he speaks
мир world; peace   я говорю́ I speak
хи́мик chemist   по-ру́сски Russian
газе́та newspaper   Ники́тин (*a Russian surname*)

27

The examples we have cited show that the function of the letters **e, ё, и, ю, я** changes, depending on whether they are preceded by a consonant or a vowel or occur at the beginning of a word (cf. Lesson 4).

GRAMMAR

The Verb Ending -*ит*

Many Russian verbs have the ending -**ит** in the 3rd person singular:

он говор**и**т

TEXT

1. Студе́нт Ви́тя Ники́тин говори́т: «Моя́ Ро́дина — СССР. Я студе́нт. Я фи́зик. Мой брат Воло́дя — хи́мик. Моя́ мать — профе́ссор. Мой дя́дя Ва́ня — колхо́зник. Я говорю́ по-ру́сски».

2. Там зал. Там ёлка и де́ти.

3. Тётя Со́ня здесь. Она́ даёт уро́к. Она́ говори́т по-ру́сски: «Это газе́та и кни́га. Там карти́на и ва́за. Здесь стол, ла́мпа и стул. Вот доска́ и мел».

4. Вот дом. Там двор и фонта́н. Здесь фа́брика. Здесь моя́ рабо́та. Моё ме́сто здесь. Я те́хник. Вот мой стано́к.

$$\boxed{b}$$

Здесь моя́ мать и мой дя́дя.

EXERCISES

1. Write the letter *ь* several times.
2. Copy the text.
3. Point out in the following words which of the consonants in bold type are hard and which are soft:

да — дя́дя; она́ — Со́ня; тётя — там; мир — мост; ва́за — газе́та; фа́брика — фи́зик; мост — ме́сто; страна́ — кни́га; здесь — нос; кана́л — Нюра

4. Point out in which words one and the same letter signifies *й* + vowel and in which it denotes the softness of a consonant:

ма́йк — зна́мя; Нюра — каю́та; мел — е́ду; ёлка — тётя

5. Write a dictation on the pairs of words given in Exercises 3 and 4.
6. Translate into Russian the following sentences:

Student Sonya says: "My uncle is a professor. My brother is a collective farmer. I am a student. I speak Russian."

УРОК 6—LESSON 6

Speech Sounds and Letters:
    Soft Consonants (continued).
    e Unstressed.
Grammar:
    The Gender of Nouns (continued).
    The Verb Ending **-ет.**
    The Structure of the Interrogative Sentence.

SPEECH SOUNDS AND LETTERS

1. Soft Consonants (continued)

[ЛЬ]

ль is a softer sound than the English *l* in the words *life, leaf, lamp.*

Pronounce:

ль — ля — ле — лё — ли — лю

ель fir	**самолёт** aeroplane
земля land	**и́ли** or
лес forest	**лю́ди** people

л — ль; ла — ля; лэ — ле; лу — лю

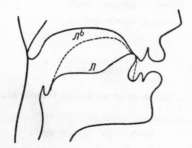

The meaning of a word will often depend on whether the л is pronounced hard or softly. Compare:

л		ль
мол pier	and	**моль** moth
мел chalk	and	**мель** shoal
лот lead	and	**слёт** rally
лук onion	and	**люк** hatch

дь	нь
где where	нет no
впереди́ in front of	внизу́ below

2. *e* Unstressed

When **e** occurs in an unstressed syllable preceding the stressed one, it is fainter and becomes more like **и**. The phonetic symbol [ɪ] will be used to denote this sound.

e → [ɪ] (after a soft consonant):

сестра́	[сɪ-стра́] sister
стена́	[стɪ-на́] wall
река́	[рɪ-ка́] river
он лети́т	[лɪ-ти́т] he is flying
земля́	[зɪ-мля́] earth

In other unstressed syllables **e** is pronounced like a very faint vowel indicated by the symbol [ə].

e → [ə] (after a soft consonant):

по́ле	[по́-лə] field
се́вер	[се́-вəр] north
впереди́	[впə-рɪ-ди́] in front of

GRAMMAR

1. The Gender of Nouns (continued)

a) Most nouns ending in **-я** are feminine:

тётя aunt, земля́ earth

This ending is found in some masculine nouns indicating persons or the diminutives of proper names:

дя́дя (uncle) Ва́ня

b) Nouns ending in **-e** are neuter:

по́ле field

30

2. The Verb Ending -*em*

Many Russian verbs in the 3rd person singular have the unstressed ending -**ет**:

он рабо́тает

3. The Structure of the Interrogative Sentence

a) With an interrogative word:

Кто э́то? { Это мой брат. It is my brother.
Who is it? { Мой брат. My brother.

Где он? { Он там. } He is there.
Where is he? { Там. } He is there.

In the above examples the questions are formed with the help of the interrogative pronoun **кто?** *who?* and the interrogative adverb **где?** *where?*

b) Without an interrogative word:

Это кни́га? { Да, э́то кни́га. Yes, it is a book.
Is it a book? { Да, кни́га. Yes, it is.

Это заво́д? { Нет, э́то фа́брика. } No, it is a factory.
Is it a works? { Нет, фа́брика. } No, it is a factory.

In the above examples interrogation is expressed by intonation. When this is the case, the word order of the sentence need not be changed. Compare:

Это кни́га. (*The intonation of a statement.*)

Это кни́га? (*The intonation of a question.*)

In Russian, as in English, the word to which the question refers is spoken with an emphatic rise in the tone of voice.

Punctuation: In Russian the question mark is put after a question (as in English).

In the answer to a question the words **да** *yes* and **нет** *no* are separated from the rest of the sentence by a comma.

ТЕКСТ

1. Вот лети́т самолёт. Внизу́ земля́. Внизу́ по́ле, лес и лю́ди. Вот река́. Это Во́лга. Самолёт лети́т на се́вер. Впереди́ Москва́.

2. Это самолёт? Да, это самолёт. Он летит на се́вер и́ли на юг? Самолёт лети́т на се́вер.

3. Вот ка́рта. Это Москва́? Да, это Москва́. Это река́? Нет, это кана́л. Это Во́лга? Нет, это Москва́-река́. А где Баку́? Баку́ здесь.

4. Это фа́брика? Да, это фа́брика. Здесь моя́ рабо́та. Вот мой стано́к. Кто это? Это моя́ сестра́. Она́ те́хник? Да, она́ те́хник.

5. Это кни́га? Да, это кни́га. Это моя́ кни́га. Здесь газе́та. Где бума́га: там и́ли здесь? Она́ здесь. Вот доска́ и мел.

6. Стол там? Да, стол там. Стул там и́ли здесь? Мой стул здесь. Ла́мпа там? Нет. Где ла́мпа? Она́ здесь. Где твоя́ кни́га? Вот она́.

EXERCISES

1. Copy the above text.
2. State the gender of the following nouns:

сестра́, самолёт, река́, по́ле, лес, стена́, мел

3. In the following sentences indicate the words:

a) with an unstressed o
b) with an unstressed e

1. Самолёт лети́т на се́вер. Впереди́ река́.
2. Где твоя́ сестра́? Она́ рабо́тает.

4. Write the above sentences from dictation and pay attention to the punctuation marks.

УРОК 7 — LESSON 7

> Speech Sounds and Letters:
> The Vowel ы.
> The Consonant ц.
> Orthography:
> Vowels и, ы after ц.

SPEECH SOUNDS AND LETTERS

1. The Vowel Ы

In English there is no vowel sound that quite resembles the Russian ы. Only to a certain degree does the *i* in *it* and *ill* sound

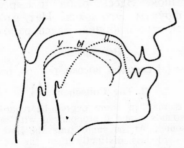

like ы. To pronounce ы, draw the tongue as far as possible backwards, do not allow it to go forwards nor raise it too high upwards as for the sound и.

ы and и are different sounds.

The meaning of a word often depends on whether we pronounce the sound ы or и. Compare:

> мы   we   and   ми   mi *(music. note)*
> мы́ло soap and   ми́ло nice, nicely

ы never appears at the beginning of a Russian word or after a vowel. It always follows a hard consonant.

The name of this letter is identical with its pronunciation.

ты	you	ры́нок	market
вы	you	ры́ба	fish
мы	we	сыр	cheese
сын	son	ды́ня	melon
высоко́	high	ты́ква	pumpkin
бы́стро	quickly	фру́кты	fruit

Compare:

о — ы

дом house   дым smoke
сон dream сын son

Где огóнь, там дым. Where there is fire, there is smoke.
Где дым, там огóнь. Where there is smoke, there is fire.

Compare:

а — ы

бал ball   был was
мáло little мы́ло soap

TEXT

1, Самолёт летит высокó. Самолёт летит бы́стро. Вот рекá Дон. Мой сын летит на юг.

2. Вáня и Витя, где вы? Мы здесь. Я здесь, ты там. Мой сын здесь.

3. Вот ры́нок. Здесь ры́ба и сыр. Вот ды́ня и ты́ква. Там фрýкты. Это ды́ня? Нет, э́то ты́ква.

4. Вот дом. Это фáбрика. Здесь рабóтает мой сын.

Pronounce:

о → [ʌ] самолёт, высокó, бы́стро, огóнь

2. The Consonant Ц

The sound **ц** may in some degree be regarded as a combination of the sounds **т** and **с** pronounced with one tongue movement as one sound. At the same time the first element of this sound — **т** is heard less distinctly than the second. This sound may graphically be rendered thus: **ц = ᵀС**.

The sound must not be drawn out. A similar sound is heard in the English sound combinations *ts*, *tz* (for example, in the words *lots*, *quartz*).

ц is voiceless and always hard. There is no corresponding soft sound in Russian.

The letter Цц is called *цэ*.

отéц   father   колхóзница collective farm woman
кузнéц smith   рабóтница working woman
столи́ца capital

3. Orthography

Vowels *и, ы* after *ц*

ц is more often followed by **и** than **ы**, though the sound is **ы**.

Pronounce:

ци → [цы] ци́фра figure
нáция nation

Whenever **ц** is followed by **е,** the combination is always pronounced as [цэ].

> **це → [цэ] центр** centre
> **цех** shop
> **офицéр** officer

In the root of a word the letter **ы** rarely follows **ц:**

> **цыгáн** gipsy

TEXT

1. Вот цех. Здесь рабóтает мой отéц. Мой отéц— кузнéц. Твой брат тóже кузнéц.

2. Ты кузнéц. Я студéнт. Кто твой брат? Мой брат — офицéр. Моя́ мать — колхóзница. Моя́ сестрá— рабóтница. Вот фáбрика. Здесь рабóтает моя́ сестрá.

3. Вот лети́т самолёт. Он лети́т высокó? Да, он лети́т высокó. Самолёт лети́т бы́стро. Впереди́ Москвá. Москвá — столи́ца СССР.

ы

Самолёт летит высоко и быстро.

Ц ц
Москва — столица СССР.

EXERCISES

1. Copy three times the written letters **ы** and **ц.** Copy the above sentences.

2. Copy the texts on pages 34 and 35.

3. Translate into Russian:

1. I am a technician. My mother is a worker. My brother is an officer. You are a student.

2. Here is the shop. My son works here. He is a smith.

3. An aeroplane is flying high over there. It is flying fast.

УРОК 8—LESSON 8

> Speech Sounds and Letters:
>   The Consonants **ж, ш, ч, щ.**
> Orthography:
>   Vowels after **ж, ш, ч, щ.**
> Grammar:
>   The Gender of the Possessive Pronouns
>   **наш** and **ваш.**
>   Nouns Ending in **-ь.**

SPEECH SOUNDS AND LETTERS

1. Consonants

Ж

ж is pronounced approximately like the English *s* in *vision, pleasure.*

However, the Russian sound is considerably harder than the English sound; the position of the tongue is lower (farther away from the palate).

The letter **Ж ж** is called *жэ.*

журна́л magazine	гражда́нка citizen(ess)
жизнь life	то́же also
инжене́р engineer	уже́ already
граждани́н citizen	жа́рко hot

Жи́лин (*Russian masculine surname*)
Же́ня (*diminutive of the name* Евге́ния *f and* Евге́ний *m*)

Вот журна́л «Нау́ка и жизнь».

Ш

ш is pronounced approximately like the English *sh* in *short.*
However, the Russian **ш** is harder than the English *sh* (the position of the tongue is lower).

The consonant **ж** is voiced, **ш** is voiceless. Compare:
                 жар fever   and   шар ball
The letter **Шш** is called *ша.*

на́ша our	де́вушка girl
ваш your	Ма́ша (*diminutive of* Мари́я)
ва́ша your	Ми́ша (*diminutive of* Михаи́л)
шко́ла school	хорошо́ good
шкаф cupboard	шуми́т rustles
ша́хта mine	пшени́ца wheat
каранда́ш pencil	маши́на machine
пи́шет writes	

Пшени́ца

Шуми́т пшени́ца.
Вот ваш каранда́ш.
Ма́ша хорошо́ пи́шет.

Ч

The sound **ч** closely resembles the English *ch* in *lunch, chair*. However, the Russian **ч**, unlike the corresponding English sound, is always soft.

Ч is a voiceless consonant.

The letter **Чч** is called *чэ*.

дочь daughter
учени́к pupil
учени́ца (girl)pupil
учи́тель schoolmaster
учи́тельница schoolmistress
уче́бник text-book
рабо́чий worker
врач doctor

ру́чка pen-holder
чай tea
часы́ clock, watch
я чита́ю I read
он чита́ет he reads
что what
что́ э́то? what is it?
о́чень very
сейча́с now

Учени́к сейча́с чита́ет.
Он чита́ет о́чень хорошо́.

N o t e: In the word **что**, **ч** is usually pronounced as **ш** [што].
Что́ э́то?   Э́то ру́чка.

Щ

In English there is no counterpart for this Russian sound.
щ is always soft. It is pronounced like a long soft **ш** [шьшь]
or like [шч]. **Щ** is a voiceless consonant.
The letter **Щщ** is called *ща*.

това́рищ comrade
Щу́кин (*a Russian masculine surname*)
вещь thing

щи cabbage soup
щётка brush
ещё still

Вот това́рищ Щу́кин.
Щётка — вещь.

2. Orthography

a) Vowels after *ж, ш*

Although **ж** and **ш** are hard sounds, they are never followed
by the letters **э** or **ы** but always by **е** or **и**. After **ж** and **ш** the
letter **е** (for example, in the words инжене́р, пшени́ца) is pronounced like [э], the letter **и** like [ы] (жизнь, маши́на). There are
only a few words, and these are of foreign origin, in which **ж**
and **ш** are pronounced softly. They will be discussed later.

b) Vowels after *ч, щ*

Though the letters **ч** and **щ** denote soft sounds, they are never
followed by the letters **я** and **ю** but instead by **а** or **у**:

чай tea
Щу́кин

Summary

Owing to their pronunciation the letters **ж, ч, ш, щ** are called
sibilants:

жук жужжи́т the beetle buzzes

шёлк шурши́т silk rustles

руче́й журчи́т the brook babbles

ще́пка трещи́т the chip crackles

Irrespective of the spelling rules relating to vowel sounds:

a) sibilants are pronounced hard:	b) sibilants are pronounced softly:
жа, жу, жи, же, жо	ча, чу, чи, че, чо
ша, шу, ши, ше, шо	ща, щу, щи, ще, що

GRAMMAR

1. The Gender of the Possessive Pronouns *наш* and *ваш*

The possessive pronouns **наш** *our* and **ваш** *your* in the singular have (in the same way as the pronoun **мой** *my*) three genders:

Gender \ Person	1	2
Masculine	наш брат	ваш брат
Feminine	на́ша сестра́	ва́ша мать
Neuter	на́ше ме́сто	ва́ше сло́во

It is obvious from the above examples that the pronouns agree in gender with the nouns they qualify.

The pronoun **ваш** *your*, as the polite form of address, is sometimes written with a capital letter:

Э́то Ва́ша кни́га. This is your book.

2. Nouns Ending in -ь

Nouns ending in the letter **ь** may either be of masculine or feminine gender:

учи́тель *m* — наш учи́тель
мать *f* — на́ша мать

Nouns ending in a sibilant + the letter **ь** are always feminine:

дочь — на́ша дочь
вещь — на́ша вещь

Nouns ending in sibilants **ж, ч, ш, щ** not followed by **ь** are of the masculine gender:

това́рищ — наш това́рищ
каранда́ш — ваш каранда́ш
врач — наш врач

The word **това́рищ** applies to persons of both sexes.

TEXT

1. Инжене́р Жи́лин — граждани́н СССР. Студе́нт Ми́ша — то́же граждани́н СССР. Рабо́тница Же́ня — гражда́нка СССР. Де́вушка Ма́ша то́же гражда́нка СССР.

2. Вот ша́хта. Здесь рабо́тает мой брат. Мой брат — рабо́чий. Мой оте́ц — врач. Моя́ дочь — учени́ца. Я инжене́р. Вот мой заво́д. Здесь я рабо́таю. Вот маши́на. Здесь рабо́тает това́рищ Жи́лин. Он рабо́чий? Нет, он инжене́р. Това́рищ Щу́кин — рабо́чий. Он хорошо́ рабо́тает? Да, он хорошо́ рабо́тает. Вот его́ учени́к Ми́ша и учени́ца Же́ня.

3. Вот кни́га. Э́то наш уче́бник. Здесь каранда́ш. Э́то ваш каранда́ш. Там ва́ша кни́га и газе́та. Вот журна́л «Нау́ка и жизнь». Э́то ва́ша кни́га? Да, моя́. Я чита́ю. Я чита́ю по-ру́сски. Я чита́ю уже́ хорошо́.

Ж ж, Ш ш, Щ щ, Ч ч

Вот наш журнал.

Товарищ Щукин-наш рабочий.

EXERCISES

1. Copy three times each of the above letters and sentences.

2. Copy the above text.

3. State the gender of the following words:

    а) шко́ла, шкаф, журна́л, уче́бник, цех, по́ле, уро́к

    б) кни́га, ру́чка, каранда́ш, ме́сто, вещь, врач

4. Make the pronoun *наш* agree with the nouns given in *a)* (Example: *на́ша* шко́ла) and the pronoun *ваш* with the nouns in *b)* (Example: *ва́ша* кни́га).

5. Translate into Russian:

1. Here is the school. Our mother is a schoolteacher.

2. Here is the mine. Your father is there. Your father is a worker.

3. Who is this? It is Comrade Shchukin. He is a citizen of the USSR.

4. My brother is still a pupil. Your brother is already an engineer.

УРОК 9—LESSON 9

Speech Sounds and Letters:
Voiced and Voiceless Consonants.
Devoicing of Consonants.
The Letters ъ and ь as Separation Marks.

SPEECH SOUNDS AND LETTERS

1. Voiced and Voiceless Consonants

All Russian consonants are divided into voiced and voiceless consonants.

Voiced consonants are pronounced by means of the voice.

Voiceless consonants are nearly always pronounced without voice.

Some voiced consonants in Russian have corresponding voiceless ones:

Voiced:	б	в	д	г	—	ж	—	—	з	—	л	м	н	р	й
Voiceless:	п	ф	т	к	х	ш	ч	щ	с	ц	—	—	—	—	—

The voiced consonants **л, м, н, р, й** have no corresponding voiceless ones.

The voiceless consonants **х, ц, ч, щ** have no corresponding voiced consonants.

2. Devoicing of Consonants

A special feature of Russian pronunciation is that the consonant at the end of a word is always a faint sound. This results in the devoicing of voiced consonants. Hence, at the end of a word a voiced consonant is pronounced like the corresponding voiceless one:

Pronounce:

б → [п]	клуб	club	**в → [ф]**	Иванóв	*(a masculine surname)*
	хлеб	bread		Кíев	Kiev
д → [т]	сад	garden	**ж → [ш]**	нож	knife
	завóд	plant		рожь	rye
г → [к], [х]	друг	friend	**з → [с]**	колхóз	kolkhoz
	юг	south		морóз	frost

41

Devoicing occurs irrespective of whether the final consonant is hard or soft.

Devoicing of consonants may also occur in the beginning or in the middle of a word, when a voiced consonant precedes a voiceless one.

In the word **всё** *all*, for example, **в** is pronounced like an [ф] because it precedes the voiceless consonant **с** [фсё].

In the word **за́втрак** *breakfast* **в** is pronounced like an [ф] because it precedes the voiceless consonant **т**.

In the word **ло́жка** *spoon* **ж** is pronounced like [ш] (before the voiceless consonant **к**).

TEXT

1. Вот хлеб, ма́сло и сыр. Там чай? Нет, там ко́фе и молоко́. Вот мёд и са́хар. Это за́втрак? Да, э́то за́втрак. Вот стака́н и ча́шка.

2. Здесь ры́ба, мя́со и о́вощи. Это обе́д? Нет, э́то наш у́жин. Вот ды́ня и фру́кты. Там фру́кты? Нет, там о́вощи. Вот ва́ша таре́лка, ло́жка, нож и ви́лка.

VOCABULARY

хлеб *m* bread	**ры́ба** *f* fish
ма́сло *n* butter	**мя́со** *n* meat
сыр *m* cheese	**о́вощи** *pl* vegetables
чай *m* tea	**обе́д** *m* dinner
ко́фе *m, n* coffee	**у́жин** *m* supper
молоко́ *n* milk	**ды́ня** *f* melon
мёд *m* honey	**фру́кты** *pl* fruit
са́хар *m* sugar	**таре́лка** *f* plate
за́втрак *m* breakfast	**ло́жка** *f* spoon
стака́н *m* glass	**нож** *m* knife
ча́шка *f* cup	**ви́лка** *f* fork

Pronunciation

обе́д [лбе́т], **молоко́** [мэллко́], **мя́со** [мя́сэ], **ма́сло** [ма́слэ], **мёд** [мёт], **хлеб** [хлеп], **нож** [нош], **ло́жка** [ло́шкэ]

3. The Letters ъ and ь as Separation Marks

The separation mark indicates the presence of the sound **й** (as the English *y* in the word *yes*) between a consonant and a vowel. To denote separation between the consonant and the vowel, the letters **ь** ("soft" mark) and **ъ** ("hard" mark) are used as separation marks.

Hence, the letter **ь**, or "soft" mark, is used not only to denote softness of consonants. When it appears before the vowels **я, е, ё, ю** (**семья́, статья́**), it denotes separation between the consonant and vowel and acts as a separation mark.

While acting as a separation mark, ь may at the same time denote softness in the preceding consonant:

> семья́ family
> статья́ article
> Татья́на (*a Russian feminine name*)
> Нью-Йо́рк New York

The "hard" mark ъ occurs chiefly after prefixes before the letters **я, е, ё, ю.** In the word съезд **с-** is the prefix, in the word объявле́ние **об-** is the prefix.

TEXT

1. Я е́ду на съезд. Вот клуб. Здесь объявле́ние. Здесь наш съезд. Я иду́ на съезд.

2. Вот моя́ семья́: мать, оте́ц, брат, сестра́. Вот мой сын Никола́й и моя́ дочь Татья́на.

3. Это журна́л. Здесь ва́ша статья́ «Нью-Йо́рк». Вот карти́на «Семья́».

ъ

Объявление. Съезд.

б

Статья. Семья.

EXERCISES

1. Write the letter ъ three times and copy the above words.

2. Indicate the voiced and voiceless consonants in the following words:

дом, газе́та, жизнь, шко́ла, фа́брика, ла́мпа

3. State how the final consonants in the following words are pronounced:

клуб, съезд, колхо́з, заво́д

4. State the gender of the following nouns:

хлеб, ма́сло, молоко́, ко́фе, мёд, мя́со, обе́д, у́жин, клуб, съезд, объявле́ние

5. Copy the two texts given above and underline all the final consonants which belong to the category of voiced consonants but are pronounced as voiceless ones.

УРОК 10—LESSON 10

> Speech Sounds and Letters:
>   Vowels and Consonants (Summary).
> Orthography:
> Vowels after Sibilants and ц.
> Words Spelt with э.

SPEECH SOUNDS AND LETTERS

1. Vowels (Summary)

1) There are six vowels in Russian:

а, о, у, э, ы, и

The sound combinations [йа], [йэ], [йо], [йу] are rendered by the letters **я, е, ё, ю.**

Each of the sound combinations is rendered by a single letter when that letter occurs at the beginning of a word or is preceded by a vowel:

я́хта	yacht	ю́нга	(ship's) boy
майк	beacon	каю́та	cabin

The same letters **я, е, ё, ю,** when they are used after consonants, represent the sounds [a], [э], [o], [у] and denote softness of the preceding consonants:

земля́	land	**дя́дя**	uncle
ме́сто	place	самолёт	aeroplane

Consonants are also pronounced softly before an **и:**

кни́га	book	лю́ди	people

2) All vowels, when they are stressed, are pronounced clearly and distinctly. They are pronounced as they are named.

In unstressed syllables they have a faint sound. Particular attention should be paid to the pronunciation of the unstressed vowels **o** and **a** as well as to sounds represented by the letters **e, я.**

When **o** or **a** precede the stressed syllable, or occur in any open initial syllable, they are pronounced like a faint **a** which is signified by the phonetic symbol [ʌ] (cf. Lesson 3):

оборо́на   defence

In all other unstressed syllables **a** and **o** are pronounced very faintly like the *o* in *lemon.* This sound is denoted by the symbol [ə]:

ка́рта	map	голова́	head
каранда́ш	pencil	я́блоко	apple

The vowels **e** and **я** preceding a stressed syllable change to a sound that is close to **и** [ı] (cf. Lesson 6):

сестра́	sister
язы́к	language
стена́	wall

In other unstressed syllables **e** and **я** are pronounced even more faintly and resemble the sound which is indicated by [ə] (cf. Lesson 6):

по́ле	field
тётя	aunt

2. Consonants (Summary)

There are hard and soft consonants.

In Russian there are fifteen pairs of corresponding hard and soft consonants.

There are three consonants which are generally hard and three only soft.

The letter **ь** denotes the softness of a consonant or the presence of the sound **й** between the consonant and the vowel (cf. Lesson 9).

Generally hard	Hard and soft		Always soft
ж ш ц	б	бь	ч щ й
	п	пь	
	д	дь	
	т	ть	
	в	вь	
	ф	фь	
	з	зь	
	с	сь	
	л	ль	
	м	мь	
	н	нь	
		рь	
	г к } х	soft before **e** and **и**	

The Russian sounds **ы, х, щ,** and all soft consonants, have no counterparts in English.

3. Orthography

Vowels after Sibilants and ц

1) The letters **а, э, о, у, ы** mostly occur after hard consonants, for example:

ла́мпа, дом

45

2) The letters **я, е, ё, ю, и** are mostly used after soft consonants, for example:

земля́, лю́ди

3) After **ж, ч, ш, щ** and **г, к, x** the letters **и, у, а** are always written, but never **ы, ю, я**, for example:

жить
Щу́кин

Exception: Several words of foreign origin, for example:

жюри́.

4) After **ц** either **и** or **ы** may be written. But the pronunciation is always [цы].

At the beginning of a word, **ы** is written after **ц** only in a few words, for example, in цыга́н.

In most words the letter **ц**, when it stands at the beginning of a word, is followed by **и** and not **ы** (this particularly refers to words of foreign origin):

цирк
ци́фра

We write **и** after **ц** in the suffix **-ция** corresponding to the English *-tion* in some words, for example:

на́ция   nation
револю́ция   revolution

In word endings **ы** is often written after **ц**.

5) The letters **о** and **е** after **ж, ч, ш, щ**.

In some words after **ж, ч, ш, щ**, when stressed, the letter **о** is written, in others — **е**. Examples:

шо́пот whisper   шепчу́ I whisper

In such cases the spelling of each word should be memorized.

Words Spelt with э

The letter **э** generally occurs at the beginning of a word or is preceded by a vowel:

эпо́ха   epoch
аэропла́н   aeroplane

The letter **э** is used in all forms of the word **э́тот** *this* and also in words of foreign origin.

It is very seldom written after a consonant. It occurs mostly in words of foreign origin which take two spellings, i. e. may be spelt either with an **э** or an **е**. Compare:

Мэ́ри and Ме́ри

TEXT

1. Зима́. Вот лес. Всю́ду снег. Снег блести́т. Он блести́т я́рко. Моро́з. Вот река́. Здесь лёд. Лёд то́же блести́т. Со́лнце све́тит и не гре́ет. Хо́лодно. Очень хо́лодно.

2. Ле́то. Вот по́ле. Как краси́во вокру́г! Как я́рко све́тит со́лнце! Оно́ све́тит и гре́ет. Шуми́т, шуми́т пшени́ца. Тепло́. Очень тепло́. Колхо́зница Ма́ша рабо́тает. Она́ рабо́тает хорошо́ и поёт то́же хорошо́.

VOCABULARY

зима́ *f* winter
лес *m* wood, forest
всю́ду everywhere
снег *m* snow
блести́т sparkles
я́рко brightly, bright
моро́з *m* frost
лёд *m* ice
со́лнце *n* sun

све́тит shines
гре́ет warms, gives out warmth
хо́лодно cold; it is cold
о́чень very
ле́то *n* summer
краси́во beautiful; it is beautiful
вокру́г around, round
тепло́ warm; it is warm

Pronunciation

г → [к]   снег
в → [ф]   всю́ду
з → [с]   моро́з
д → [т]   лёд
е → [I]   тепло́, блести́т, о́чень

The letter **л** is mute in the word **со́лнце.**

Зима. Мороз. Всюду снег и лёд.

Снег ярко блестит.

Это фабрика. Здесь молот и станок.

Здесь работает мой друг Миша Иванов.

Там наш съезд. Вот объявление:

Я еду на съезд.

Там карта. Тут план. Это наш план.

EXERCISES

1. State which consonants are pronounced softly in the following words and explain how their softness is denoted in writing:

мать, ро́дина, о́чень, лёд, снег, тепло́, дя́дя

2. Write out in two columns the words given below on the following principle:

a) Words in which the letters **е, ё, ю, я** represent a combination of the faint **й** with vowels: **юг, каю́та**

b) Words in which the letters **е, ё, ю, я** denote softness of the preceding consonant: **не́бо**

ма́як, самолёт, де́ти, лю́ди, он поёт, я зна́ю, моя́, е́ду, я́хта, ёлка

3. State in the words given below:

a) how the letter *o* is pronounced:

моя́, Москва́, това́рищ, колхо́зник, она́, моро́з, хорошо́, хо́лодно

b) how the letter *e* is pronounced:

лети́т, река́, ле́то, земля́, учени́к, де́ти

c) how the final consonants are pronounced:

клуб, колхо́з, сад, хлеб, Ивано́в, мёд, снег, съезд

4. What letter is required:

$$\text{ы or } и \qquad а \text{ or } я$$

ж...знь   ч...й

маш...на   ч...сы

5. Translate into Russian:

The sun shines brightly. There is a frost. The snow sparkles.

6. Learn the alphabet (the sequence and the names of all the letters) by heart. (Cf. the beginning of the book.)

УРОК 11—LESSON 11

Recapitulation of Part I

(from Lesson 1 to Lesson 10)

TEXT

Это ка́рта СССР. Вот се́вер, юг, восто́к и за́пад. Вот Ленингра́д и река́ Нева́. Здесь река́ Во́лга и река́

Ленинград

Дон. Вот го́род Улья́новск, го́род Сталингра́д и кана́л Во́лга-Дон.

Вот юг, здесь Кавка́з, го́род Тбили́си и гора́ Эльбру́с. Здесь тепло́. Я́рко све́тит со́лнце. Вот го́род и порт Оде́сса. Здесь то́же тепло́.

Там се́вер. Там го́род и порт Арха́нгельск. Там ещё зима́, хо́лодно. Всю́ду снег и лёд.

Вот столи́ца СССР. Столи́ца СССР — Москва́.

VOCABULARY

восто́к *m* east
за́пад *m* west
Ленингра́д *m* Leningrad
Нева́ *f* the Neva
го́род *m* city, town
Улья́новск *m* Ulyanovsk
Сталингра́д *m* Stalingrad

Кавка́з *m* the Caucasus
Тбили́си Tbilisi
Эльбру́с *m* Mt. Elbrus
Оде́сса *f* Odessa
Арха́нгельск *m* Arkhangelsk, Archangel

49

Count:

1 — оди́н, 2 — два, 3 — три, 4 — четы́ре, 5 — пять, 6 — шесть, 7 — семь, 8 — во́семь, 9 — де́вять, 10 — де́сять, 11 — оди́ннадцать, 12 — двена́дцать.

Pronunciation

о → [ʌ]   оди́н
я, е → [ə]   четы́ре, во́семь, де́вять, де́сять
е → [ɪ]   четы́ре

EXERCISES

1. Read the alphabet:

| а б в г д е ё ж з и й к л м н о п |
| р с т у ф х ц ч ш щ ъ ы ь э ю я |

2. Indicate the Russian letters which have no counterparts in English.

3. Point out the Russian letters that are pronounced differently from their English counterparts.

4. Copy out the following geographical names in alphabetical order:

Москва́, Ленингра́д, Сталингра́д, Улья́новск, Алта́й, Кавка́з, Во́лга, Байка́л, Дон, Баку́, Ура́л, Арха́нгельск, Оде́сса, Ялта, Пами́р, Эльбру́с, Ри́га, Тбили́си

5. Copy out the following proper names in alphabetical order:

Ю́рий, Ива́н, Ви́ктор, Михаи́л, Мари́я, Со́фья, Екатери́на, Анна

6. Name the Russian speech sounds known as sibilants.

7. Name the letters denoting vowels before which the sound й is heard.

8. State before which letters consonants (except ж, ш, ц) are pronounced softly.

9. Read the following sentences, translate them into English, and take a dictation of these sentences:

1. Вот дом, двор и сад. Это шко́ла. Вот ко́мната. Это класс. Здесь мой сын Ми́ша Ивано́в. Това́рищ Щу́кин — учи́тель. Он даёт уро́к.

2. Здесь кни́га, газе́та и журна́л. Там каранда́ш и бума́га. Вот ка́рта. Здесь го́род Москва́. Москва́ — столи́ца СССР.

3. Самолёт лети́т на юг. Там сейча́с ле́то. Ярко све́тит со́лнце. Там тепло́, о́чень тепло́. Впереди́ го́род и порт Оде́сса.

10. Write from memory the Russian alphabet in capital and small letters.

Example: А а

11. Name in Russian each of the numerals given below. Write out the word for each of them:

3, 7, 5, 2, 8, 6, 9, 4, 10, 12

PART II

УРОК 12ª

> Grammar:
> Nouns Denoting Animate Beings and In-
>   animate Objects.
> The Gender of Nouns (Summary).
> The Word Stem and Ending.
> Russian Surnames Ending in -ин and -ов.
> Constructions with нет and не.
> A Question Requiring an Affirmative or
>   Negative Reply.

ГРАММАТИКА GRAMMAR

1. Nouns Denoting Animate Beings and Inanimate Objects

In Russian grammar there are nouns a n i m a t e and i n a n i-
m a t e. Nouns animate refer to persons and animals:

> брат brother
> конь horse

Nouns inanimate refer to inanimate objects and abstract notions:

> книга book
> знание knowledge

When a question refers to human beings or animals, the interrogative pronoun кто? *who?* is used.

Кто это? Мой брат.   Who is this? It is my brother.

In a question referring to objects and sometimes to animals
the interrogative pronoun что? *what?* is used.

Что это? Книга.   What is this? It is a book.

2. The Gender of Nouns (Summary)

There are three genders in Russian: masculine, feminine and neuter.

The gender of most nouns denoting animate beings is determined by the sex of the persons and animals they denote, for example:

студе́нт *m* student   студе́нтка *f* (girl) student
акте́р   *m* actor   актри́са   *f* actress

It is also possible to tell the gender of a Russian noun by the final letter in the singular form. This is particularly important in the case of nouns denoting inanimate objects which have no other indication of gender.

Nouns are divided according to their endings into masculine, feminine and neuter as follows:

Masculine		Feminine		Neuter	
Ending in:		Ending in:		Ending in:	
1. a consonant		**-a**		**-o**	
студе́нт	student	страна́	country	окно́	window
стол	table	кни́га	book	сло́во	word
труд	labour	сестра́	sister	ме́сто	place
2. a consonant + ь		**-я**		**-e**	
учи́тель	teacher	земля́	land	по́ле	field
день	day	фами́лия	surname	зна́ние	knowledge
путь	path, way	семья́	family		
3. -й		**a consonant + ь**		**-мя**	
май	May	жизнь	life	и́мя	name
чай	tea	дочь	daughter	зна́мя	banner
геро́й	hero	но́вость	news	вре́мя	time

[handwritten notes: "SOMETIMES FEM.", "ПЛСМА→ТРIBE", "СТЬ - FEM.", "СЕМЯ SEED", "ПЛΛИД"]

1. Nouns ending in a **consonant + ь** may either be of the masculine or feminine gender. Commit to memory:

a) When the letter ь is preceded by a sibilant (ж, ч, ш, щ) the noun is in the feminine gender: ночь *night*, рожь *rye*, вещь *thing*, мышь *mouse*.

b) Nouns ending in **-сть** are almost always feminine: но́вость *news*, честь *honour* (an exception is гость *guest* which is masculine).

2. A few nouns denoting persons of the male sex end in **-a** or **-я**. The gender of such nouns is determined by the sex:

мужчи́на man
дя́дя   uncle

The proper names of persons of the male sex, especially their diminutives, also end in **-а** or **-я**:

> Мйша   (*diminutive of* Михайл)
> Кóля   (*diminutive of* Николáй)
> Волóдя (*diminutive of* Владймир)

In Russian there are ten neuter nouns ending in **-мя.** The more common of these are indicated in the table (p. 52).

Some Russian nouns may be either masculine or feminine. Thus, for example, depending on the context, the words **товáрищ, врач, агронóм** may refer equally to persons of either sex.

3. A personal pronoun of the 3rd person denoting inanimate objects contrary to English usage has three gender forms:

> **он, онá, онó.**

Вот **стол. Он** здесь (*masculine*). Here is the table. It is here.
Где **кнйга? Онá** там (*feminine*). Where is the book? It is there.
Где **перó?** Вот **онó** (*neuter*). Where is the nib? Here it is.

Almost all neuter nouns with very few exceptions denote inanimate objects.

Nouns in the masculine and feminine gender may denote both animate beings and inanimate objects.

3. The Word Stem and Ending

The student of Russian must be able to distinguish between the stem and the ending of a word.

The final part of a word which gives it grammatical identity and which may be inflected is called the ending. For example, the vowels **a** and **o** at the end of nouns are endings.

The ending **-a** may show that the noun **кнйга** is in the feminine gender, singular number; the ending **-o** may show that the noun **слóво** is in the neuter gender, singular number. The absence of an ending in nouns also helps to identify them grammatically. It may show that the given noun **дом** is in the masculine gender.

Thus, the ending of a word determines its grammatical form and shows its relation to other words in the sentence.

The stem of a word is the whole word without the ending. For example, in the words **кнйга, слóво** the stems are **кнйг-, слóв-**. The word **дом** has no ending — hence the whole word is the stem.

4. Russian Surnames Ending in -*ин* and -*ов*

Surnames ending in -ин and -ов (they are extremely common in Russian) have different forms for the masculine and feminine: the feminine is formed by adding to the masculine form the ending -а:

Masculine form	Feminine form
Ники́тин, Ивано́в	Ники́тина, Ивано́ва

5. Constructions with *нет* and *не*

нет corresponds to the English *no*
не corresponds to the English *not*.

The word **нет** is opposite in meaning to the word **да**. Compare:

Это кни́га?	Is it a book?
Да, э́то кни́га.	Yes, it is a book.
Нет, э́то не кни́га.	No, it is not a book.
Это не кни́га, а журна́л.	It is not a book, it is a magazine.

In the answer to a negative question the word **нет** may correspond to the English *yes*. For example:

Вы не студе́нт?	Aren't you a student?
Нет, я студе́нт.	Yes, I am a student.

6. A Question Requiring an Affirmative or Negative Reply

A question which requires an affirmative or negative reply may be expressed in Russian by intonation, the order of words remaining unchanged. Compare:

Это клуб. (*The intonation of a statement.*)
and
Это клуб? (*The intonation of a question.*)

A change in the word order of the sentence is possible but not essential. The same question with the word order reversed:

Клуб э́то?

Произношение Pronunciation

Pronounce softly the consonants д, т and н:

д → [дь] дя́дя, Воло́дя, день
т → [ть] путь, гость, но́вость
н → [нь] конь, день, жизнь, зна́ние

54

СЛОВАРЬ VOCABULARY

12 двена́дцать twelve	**и́мя** *n* name
конь *m* horse	**зна́мя** *n* banner
зна́ние *n* knowledge	**вре́мя** *n* time
день *m* day	**гость** *m* guest
труд *m* labour	**геро́й** *m* hero
путь *m* path, way	**Ивано́в** *m* Ivanov
фами́лия *f* surname	**Ивано́ва** *f* Ivanova
ночь *f* night	**Ники́тин** *m* Nikitin
но́вость *f* news	**Ники́тина** *f* Nikitina

Замечание к словарю Vocabulary Note

Do not confuse:

1. **флаг** *flag* and **зна́мя** *banner*

УПРАЖНЕНИЯ EXERCISES

1. Translate the following words into English. Indicate the nouns referring to people, animals, things and abstract notions.

учени́к, ша́хта, ры́ба, ды́ня, ме́сто, самолёт, по́ле, лес, река́, клуб, колхо́зница, страна́, нау́ка, не́бо, земля́, оте́ц, де́вушка, фа́брика, заво́д, сло́во, хлеб, ма́сло, чай, са́хар, ко́фе, молоко́, кни́га, бума́га, зна́ние, план, уро́к, бу́ква, сын, столи́ца, това́рищ, объявле́ние, дя́дя, жизнь, ночь, врач, журна́л, каранда́ш, рожь, карти́на, мать, зима́, ле́то, май, Мари́я, статья́, студе́нтка, бу́хта, пол, стена́, потоло́к

2. Group the nouns given in Exercise 1 according to gender.

Example:

Masculine (он — he)	Feminine (она — she)	Neuter (оно — it)
дом	ко́мната	окно́

3. Translate into Russian:

1. Is this a school? Yes, it is. 2. Is this a factory? No, it is not. It is not a factory, but a school. 3. Comrade Shchukin is not a worker, is he? Yes, he is a worker. 4. This is not a magazine, is it? Yes, it is. 5. Are you a teacher? No, I am not a teacher, I am an engineer.

4. Fill in the blanks with the masculine or feminine forms of the surnames *Ивано́в, Ники́тин* **as required by the sense:**

1. Това́рищ ... —инжене́р. 2. Ве́ра ... —студе́нтка. 3. Вот мой брат Никола́й ... . 4. Со́ня ... —рабо́тница. 5. Ви́тя ... — мой това́рищ.

УРОК 12б

Word-Building:
    The Word-Root.
    The Suffix.
    Noun Suffixes of the Masculine and Feminine
    Gender -ец, -ник, -ист, -анин; -иц-, -к-.

ТЕКСТ

I

Вот граждани́н Ивано́в. Он ру́сский. Там гражда́нка Ивано́ва. Она́ то́же ру́сская. Кто́ э́то? Это това́рищ Луки́н. Он учи́тель? Нет, он инжене́р. Кто́ э́то? Это това́рищ Лукина́. Она́ врач? Нет, она́ агроно́м. Где она́? Она́ до́ма. Това́рищ Луки́н не ру́сский? Нет, он ру́сский. Он коммуни́ст. Това́рищ Лукина́ то́же коммуни́стка. Студе́нт Ми́ша—комсомо́лец. Студе́нтка Та́ня—комсомо́лка.

II

Джон Смит—студе́нт. Он англича́нин. Мэ́ри Бра́ун—англича́нка. Она́ студе́нтка? Нет, она́ журнали́стка. Она́ до́ма? Нет, она́ здесь. Рабо́чий Бернс—америка́нец. Рабо́тница Мэ́ри—америка́нка. Ли Сюн—кита́ец? Да, он кита́ец. Он журнали́ст? Нет, он инжене́р. Он изуча́ет ру́сский язы́к.

III

Вот ко́мната. Пря́мо окно́. Нале́во дверь. Напра́во стои́т дива́н. Шкаф стои́т то́же напра́во. Посереди́не стои́т стол. Где стои́т дива́н? Он стои́т напра́во. Где стои́т шкаф? Он стои́т то́же напра́во. Где стои́т стол? Он стои́т посереди́не.

IV

Вот стол. Посереди́не стои́т ла́мпа. Напра́во лежи́т журна́л «Зна́ние». Нале́во лежи́т журна́л «Нау́ка и жизнь». Где газе́та «Пра́вда»? Вот она́. Где газе́та «Труд»? Она́ там. Где письмо́? Вот оно́. Это уче́бник?

Нет, это рома́н «Сча́стье». А э́то то́же рома́н? Нет, э́то не рома́н, э́то по́весть. Это по́весть «Сталингра́д». Кни́га лежи́т и́ли стои́т? Она́ стои́т. Журна́л лежи́т и́ли стои́т? Он лежи́т. Ещё здесь лежи́т письмо́ и тетра́дь. Там лежи́т уче́бник.

СЛОВА́РЬ VOCABULARY

Луки́н *m* Lukin *(Russian surname)*
Лукина́ *f* Lukina *(Russian surname)*
агроно́м *m* agronomist
до́ма *adv* at home
коммуни́ст *m* Communist
коммуни́стка *f* Communist
комсомо́лец *m* Komsomol member
комсомо́лка *f* Komsomol member
журнали́ст *m* journalist
журнали́стка *f* journalist
Ли Сюн Li Syun *(Chinese masculine name)*
кита́ец *m* Chinese
изуча́ть to learn, to study
пря́мо in front of, direct, straight
нале́во to (on) the left
дверь *f* door
стои́т stands, is standing
напра́во to (on) the right
посереди́не in the middle
лежи́т lies, is lying
«Зна́ние» *n* "Knowledge" *(the name of a Soviet magazine)*
«Пра́вда» *f* "Pravda" *(the name of a Soviet newspaper)*
письмо́ *n* letter
уче́бник *m* text-book
рома́н *m* novel
«Сча́стье» *n* "Happiness"
по́весть *f* story, novel

СЛОВООБРАЗОВА́НИЕ WORD-BUILDING

1. The Word-Root

In Russian, as in English, the word-root is that part of a word which contains its lexical meaning. Several words may have a common root. Thus, in the following words, **уч-** stands out as the root:

учи́ть to teach; **уче́ние** study, knowledge; **учи́тель** teacher; **учени́к** pupil; **уче́бник** text-book; **изуча́ю** I study.

There is a difference between the root of a word and the stem (cf. Lesson 12a).

2. The Suffix

The part of the word between the root and the ending (if there is no ending then the part appended to the root) is called the suffix. Each suffix supplements the meaning of the root of the word.

For example, the suffixes given below impart a new shade of meaning to the nouns. They are instrumental in identifying the calling, social status, party affiliation, occupation, nationality, etc., of the person for which the noun stands.

3. Noun Suffixes of the Masculine Gender

-ец америка́нец American, кита́ец Chinese, комсомо́лец Komsomol member
-ник колхо́зник collective farmer, учени́к pupil
-ист коммуни́ст Communist, журнали́ст journalist
-анин граждани́н citizen, англича́нин Englishman

4. Noun Suffixes of the Feminine Gender

-иц-а рабо́тница working woman, колхо́зница collective farm woman, учени́ца girl pupil, учи́тельница schoolteacher
-к-а комсомо́лка Komsomol member, гражда́нка citizen(ess), америка́нка American woman, журнали́стка woman journalist, англича́нка Englishwoman

УПРАЖНЕНИЯ EXERCISES

1. **Give the feminine of the following masculine nouns. Underline the suffixes of the nouns which indicate forms of the masculine or feminine gender.**

    Example: граждани́н — гражда́нка

    англича́нин, америка́нец, кита́ец, не́мец, коммуни́ст, комсо́молец, пионе́р, учени́к, крестья́нин, колхо́зник, журнали́ст

2. **Indicate the gender of the nouns in Texts No. III and IV of this lesson.**

3. **Translate into Russian:**

    1. Who is it? It is Comrade Ivanov. What is it? It is our text-book.

    2. Is this a magazine? { Yes, it is.
    No, it is a text-book.
    It is not a magazine, but a text-book.

    3. What is your name? What is your surname? My name is John. My surname is Smith.

4. **Copy the following words and write out their root.**

    Example: учу́, учени́к — уч-

    1) сло́во, слова́рь; 2) дом, до́ма, домо́й; 3) уче́бник, изуча́ю.

58

УРОК 13ª

Grammar:
The Plural of Nouns.
The Plural of Russian Surnames Ending
in -ов and -ин.

ГРАММАТИКА GRAMMAR

1. The Plural of Nouns

How the Plural is Formed

Nouns in the plural take the following endings:

Masculine	Feminine	Neuter
-ы	**-ы**	**-а**
студе́нт — студе́нты	газе́та — газе́ты	сло́во — слова́ (*hard vowel*)
заво́д — заво́ды	страна́ — стра́ны	окно́ — о́кна
мужчи́на — мужчи́ны	сестра́ — сёстры	ме́сто — места́
-и	**-и**	**-я**
а) уро́к — уро́ки	кни́га — кни́ги	по́ле — поля́ (*soft vowel*)
нож — ножи́	кры́ша — кры́ши	мо́ре — моря́
б) дя́дя — дя́ди	земля́ — зе́мли	зна́ние — зна́ния
в) геро́й — геро́и	фами́лия — фами́лии	
г) гость — го́сти	статья́ — статьи́	
автомоби́ль — автомо-	но́вость — но́вости	
би́ли	ночь — но́чи	
	вещь — ве́щи	

The above table shows that Russian nouns in the plural end in
-ы, -и, or -а, -я:

a) Nouns of the masculine gender ending in a consonant (except
г, к, х and ж, ч, ш, щ) take the plural ending -ы: заво́д — заво́ды.
Nouns of the feminine gender ending in -а change the -а to -ы in
the plural, thus also taking the plural ending -ы (except when the
letters г, к, х and ж, ч, ш, щ occur in the last syllable): газе́та —
газе́ты.

Note: The student must remember that the letter ы is never written
after г, к, х and ж, ч, ш, щ (cf. Lesson 10).

b) All other nouns of the masculine and feminine gender take
the ending -и in the plural.

Nouns of the masculine gender which end in г, к, х and ж, ч, ш, щ take the ending -и in the plural (урóк — урóки); nouns of the masculine and feminine gender which in the singular end in -я, -й, -ь to form the plural, change the letters я, й, ь to и (земля́ — зéмли, дя́дя — дя́ди, герóй — герóи, нóвость — нóвости, etc.).

c) Neuter nouns ending in -o in the singular change the -o to -a in the plural: слóво — словá. Neuter nouns ending in -e change the -e to -я: пóле — поля́ (the consonants ж, ч, ш, щ, ц are never followed by the letter я).

Special Forms of the Plural of Masculine Nouns

a) Some masculine nouns take the ending -a in the plural: дом — домá, гóрод — городá, лес — лесá, or the ending -я: учи́тель — учителя́ (also учи́тели), край — края́.

The endings -a and -я of plural masculine nouns are stressed.

b) Most masculine nouns with the suffix -ец (отéц) form the plural by dropping the vowel e of the suffix (отцы́).

c) Masculine nouns with the suffixes -анин, -янин (граждани́н, крестья́нин), as a rule, form the plural by changing the final syllable -ин to -e: граждани́н — гра́ждане, крестья́нин — крестья́не.

d) The nouns рýсский, рабóчий have the plural form рýсские, рабóчие. Instead of a plural noun the pronoun они́ *they* may be used for all three genders:

Товáрищи Ивáнов иНики́тин рýсские.	Comrades Ivanov and Nikitin are Russians.
Моя́ сестрá тóже рýсская.	My sister is also Russian.
Они́ рýсские.	They are Russian.

The Position of the Stress in Plural Nouns

In the plural of some nouns the stress remains the same as in the singular, in that of others it is shifted.

a) When in the singular noun the stress does not fall on the first or last syllable of the noun, it remains unchanged in the plural:

товáрищ — товáрищи	comrade — comrades
газéта — газéты	newspaper — newspapers
студéнт — студéнты	student — students

In all other cases the stress is usually shifted.

There are a few exceptions when the stress remains unchanged in the plural, though in the singular of the noun it falls on the first or last syllable.

кни́га — кни́ги	book — books

b) In a number of monosyllabic masculine nouns the stress is shifted to the final syllable when the plural is formed:

стол — столы́   table — tables
мост — мосты́   bridge — bridges

In a number of masculine and neuter non-monosyllabic nouns the stress is also shifted to the final syllable:

каранда́ш — карандаши́   pencil — pencils
сло́во — слова́   word — words

When nouns of the masculine gender take the plural endings **-a, -я,** the stress is invariably shifted to the final syllable:

дом — дома́   house — houses
край — края́   edge — edges; territory — territories

c) In some nouns of the masculine, feminine and neuter gender the stress is shifted to the first syllable:

рука́ — ру́ки   hand — hands
стена́ — сте́ны   wall — walls
окно́ — о́кна   window — windows

2. The Plural of Russian Surnames Ending in *-ов* and *-ин*

Russian surnames ending in **-ов** and **-ин** (such as Ивано́в and Ники́тин) take the ending **-ы** in the plural:

сёстры Ивано́вы   the Ivanov sisters
брат и сестра́ Ники́тины   the Nikitin brother and sister

СЛОВАРЬ VOCABULARY

13 трина́дцать thirteen
мужчи́на *m* man
автомоби́ль *m* automobile
кры́ша *f* roof
мо́ре *n* sea

Произношение Pronunciation

Note the pronunciation of:
a) **ы** in the following words:

студе́нты, заво́ды, газе́ты, стра́ны

b) soft consonants before **и** and **я:**

дожди́, автомоби́ли, но́вости, ды́ни, поля́, моря́

61

УПРАЖНЕНИЯ EXERCISES

1. Write the plural of the nouns given below and indicate the position of the stress.

a) Stress remains unchanged:

Example: ка́рта — ка́рты

столи́ца, план, самолёт, колхо́з, шко́ла, маши́на, пионе́р, кни́га, нау́ка, фа́брика, уро́к, зна́ние, но́вость, ночь, ла́мпа, фами́лия

b) Stress is shifted to the end of the word:

Example: сто́л — столы́

учени́к, сад, двор, мост, сло́во, ме́сто, по́ле, мо́ре, лес, дом

c) Stress is shifted to the first syllable:

Example: страна́ — стра́ны

река́, земля́, гора́, окно́

2. Indicate the vowel which is dropped in the following nouns with the suffix -ец when the plural is formed:

америка́нец — америка́нцы; кита́ец — кита́йцы; комсомо́лец — комсомо́льцы; оте́ц — отцы́

3. Form the plural of the words:

Example: граждани́н — гра́ждане

англича́нин, крестья́нин

4. Fill in the blanks with the Russian surnames in the sentences on the left:

1. Влади́мир **Ивано́в** — студе́нт.　Влади́мир и Никола́й ... — студе́нты.

2. Та́ня **Ники́тина** — комсомо́лка.　Та́ня и Ве́ра ... — комсомо́лки.

3. Това́рищ **Щу́кин** — рабо́чий.　Брат и сестра́ ... — рабо́чие.

4. Инжене́р **Жи́лин** — ру́сский.　Оте́ц и мать ... — ру́сские.

УРОК 13б

ТЕКСТ

I

Это ка́рта СССР, вот го́род Москва́. Москва́ — столи́ца СССР.

Здесь фа́брики и заво́ды, институ́ты и шко́лы, теа́тры и музе́и, у́лицы и пло́щади.

Вот Сталингра́д. Вот Ленингра́д, Севасто́поль и Оде́сса. Это — города́-геро́и. Там моря́. Вот ре́ки: Во́лга и Дон.

Вот Кавка́з и Ура́л. Здесь го́ры и доли́ны, ре́ки и озёра, поля́ и леса́. Здесь города́ и колхо́зы, фа́брики, заво́ды и ша́хты.

II

Это ко́мната. Напра́во о́кна, нале́во две́ри, посереди́не стои́т стол. Вот кни́ги, тетра́ди, ру́чки.

Это уче́бник. Здесь те́ксты, грамма́тика, слова́ и упражне́ния.

Мы студе́нты. Сёстры Ивано́вы — учи́тельницы. Брат и сестра́ Па́вловы — колхо́зники.

СЛОВАРЬ VOCABULARY

институ́т *m* institute
шко́ла *f* school
теа́тр *m* theatre
у́лица *f* street
пло́щадь *f* square
доли́на *f* valley

текст *m* text
грамма́тика *f* grammar
слова́рь *m* vocabulary, dictionary
упражне́ние *n* exercise
Па́влов, -а; -ы Pavlov, Pavlova, the Pavlovs *(Russian surname)*

Произношение Pronunciation

Note the pronunciation of the following sound combinations:

hard consonant + ы   soft consonant + и

заво́ды   пло́щади
те́ксты   пути́
столы́   автомоби́ли
го́ры   две́ри

УПРАЖНЕНИЯ EXERCISES

1. **Copy out all the plural nouns in the text and put them into the singular. State their gender.**

    Example: студе́нты — студе́нт *m*

2. **Put the nouns and personal pronouns in the following sentences into the singular:**

    Где уче́бники? Они́ здесь.

    Где пи́сьма? Они́ там.

    Где газе́ты? Вот они́.

3. **Fill in the blanks with suitable nouns logically related.**

    Example: газе́ты и журна́лы

    заво́ды и ..., институ́ты и ..., теа́тры и ..., ре́ки и ..., города́ и ..., леса́ и ..., у́лицы и ..., кни́ги и ..., те́ксты и ..., брат и ...

УРОК 14ᵃ

ГРАММАТИКА GRAMMAR

1. Personal Pronouns

In Russian, as in English, pronouns of the 1st person **я, мы** stand for the speaker or speakers. Pronouns of the 2nd person **ты, вы** stand for the person or persons spoken to. Pronouns of the 3rd person stand for the person or object spoken about. Pronouns of the 3rd person singular have three gender forms: **он, она́, оно́.**

Person	Singular		Plural	
1st	я	I	мы	we
2nd	ты*	you	вы	you
3rd	он	he		
	она́	she	они́	they
	оно́	it		

The pronoun **вы** is used both in addressing one person and more than one person:

Това́рищ Ивано́в, что **вы** де́лаете?
Comrade Ivanov, what are you doing?

Това́рищи Ивано́в и Ла́пин, что **вы** де́лаете?
Comrades Ivanov and Lapin, what are you doing?

The pronoun **вы** as a polite form of address may be written with a capital letter in the middle of a sentence.

---

* **Ты** is the equivalent of the English **thou.** The pronoun **ты** is in Russian in common use.

As distinct from English usage, the Russian pronoun of the 1st person singular **я** is written with a capital letter only at the beginning of a sentence.

2. The Infinitive

Most Russian verbs end in **-ть** in the infinitive:

чита́ть	to read
петь	to sing
говори́ть	to speak

3. The Present Tense of the Verb

In Russian there is only one form of the present tense which corresponds to the two forms existing in English — Present Continuous and Present Indefinite:

Сейча́с он чита́ет.	He is reading now.
Он чита́ет по-ру́сски хорошо́ (= уме́ет чита́ть).	He reads Russian well (= he can read).

In Russian verb endings in the present tense are inflected for person and number. For each person in the singular and plural there are corresponding verb endings. In accordance with these endings, Russian verbs are divided into two conjugations: Conjugation I and Conjugation II. (There are several verbs with mixed endings.)

Conjugation I

Infinitive: **чита́ть** *to read*

Present Tense			
Person	Singular		Plural
1st	я чита́ю	I read, am reading	мы чита́ем — we read, are reading
2nd	ты чита́ешь	you read, are reading	вы чита́ете — you read, are reading
3rd	он она́ оно́ } чита́ет	he she it } reads, is reading	они́ чита́ют — they read, are reading
Endings: -ю, -ешь, -ет, -ем, -ете, -ют			

Infinitive: **петь** *to sing*

Present Tense		
Person	**Singular**	**Plural**
1st	я пою — I sing, am singing	мы поём — we sing, are singing
2nd	ты поёшь — you sing, are singing	вы поёте — you sing, are singing
3rd	он она оно } поёт — he she it } sings, is singing	они поют — they sing, are singing
Endings: -ю, -ёшь, -ёт, -ём, -ёте, -ют		

Conjugation II

Infinitive: **говорить** *to speak*

Present Tense		
Person	**Singular**	**Plural**
1st	я говорю — I speak, am speaking	мы говорим — we speak, are speaking
2nd	ты говоришь — you speak, are speaking	вы говорите — you speak, are speaking
3rd	он она оно } говорит — he she it } speaks, is speaking	они говорят — they speak, are speaking
Endings: -ю, -ишь, -ит, -им, -ите, -ят		

N o t e: We can tell to what conjugation a verb belongs by the endings of the 2nd and 3rd person. Memorize the endings of the 3rd person plural, which in the first conjugation is **-ют** and in the second **-ят**.

The Stem in the Infinitive and the Stem in the Present Tense

The stem of the infinitive is obtained by dropping the ending:

говори-ть — говори-

The stem of the present tense is obtained by dropping the ending:

говор-ю — говор-

3•

As seen from the above examples, the stem of the infinitive and the stem of the present tense may not be the same. It is important to remember this; for, as will be seen later on, some verb forms are obtained from the stem of the infinitive, others from the stem of the present tense.

Question Referring to the Verb

A question may be put to the verb in the present tense by using the verb **де́лать** *to do* (as an independent verb):

Что ты де́лаешь?	What are you doing?
Что он де́лает?	What is he doing?
Что де́лают Ве́ра и Ко́ля?	What are Vera and Kolya doing?
Что вы де́лаете?	What are you doing?

4. Omission of the Verb and the Personal Pronoun in Short Answers

a) In short answers to questions referring to the subject, the verb may be omitted:

Кто говори́т по-ру́сски? — Я (= я говорю́).
Кто понима́ет по-англи́йски? — Мы (= мы понима́ем).
Кто рабо́тает хорошо́? — Ве́ра (= Ве́ра рабо́тает хорошо́).

б) When the question refers to the verb, the personal pronoun may be omitted in a short reply (this is not permissible in English). In such cases the person referred to is denoted by the verb ending:

Вы говори́те по-ру́сски? — Говорю́ (= я говорю́).
Что он де́лает? — Чита́ет (= он чита́ет).

In the above examples the pronouns **я, он** are omitted.

5. The Interrogative Sentence with a Verb

A question which refers to the verb, in Russian, as well as in English, is expressed with the help of intonation (the word order may be changed, but this is not essential).

Вы чита́ете. (*The intonation of a statement.*)

Вы чита́ете? (*The intonation of a question.*)

The form Чита́ете вы? is rare.

6. The Verb with a Negative

In negative sentences **не** is placed before the verb:

> Он **не** читáет. He does not read.
> Я **не** понимáю. I do not understand.

In antithesis the verb need not be repeated a second time but may be replaced by the word **нет.**

> Он читáет, а я — **нет** (= я не читáю).
> He reads but I do not (= I do not read).

7. The Conjunctions *но* and *a*

The conjunction **но** is used to express antithesis. The conjunction **a** also expresses antithesis. However, in some cases its function is that of a connective, and it is close in meaning to the conjunction **и** *and*:

> Я не говорю́ по-рýсски, **но** I do not speak Russian, but
> понимáю.   I understand it.
> Вы поёте, **а** я читаю. You are singing, and I am
>   reading.

8. Adverbs Ending in *-о, -ски, -ому*

Such adverbs as **хорошó** *well,* **бы́стро** *quickly (rapidly)* as well as **по-нóвому** *in a new way* indicate the manner in which an action is performed. They answer the question **как?** *how?*

> Он хорошó читáет (как он читáет?).
> Вы говори́те бы́стро (как вы говори́те?).

Such adverbs, as a rule, stand in front of the verb. However, for emphasis they may be placed after the verb, for example:

> Как он читáет? — Он читáет хорошó.
> Как вы говори́те? — Я говорю́ бы́стро.
> Как он рабóтает? How does he work?
> Он рабóтает по-нóвому. He works in a new way.

Such adverbs as **по-рýсски** *Russian, in Russian,* **по-англи́йски** *English, in English* denote the language which is spoken.

> Он говори́т по-рýсски. He speaks Russian.
> Мы говори́м по-англи́йски. We speak English.

69

Such adverbs are generally put after the verb. However, when the adverb needs to be stressed, it is put before the verb:

По-ру́сски она́ уме́ет чита́ть, а по-англи́йски нет.

Words with the prefix **по-** are generally spelt with a hyphen. Most Russian adverbs are formed by adding the suffixes **-о**, **-ски**, **-ому**.

СЛОВА́РЬ VOCABULARY

14 четы́рнадцать fourteen
чита́ть *I* to read
петь (пою́, поёшь) *I* to sing
говори́ть *II* to speak
де́лать *I* to do
понима́ть *I* to understand
уме́ть (уме́ю, уме́ешь) *I* to be able, can

но but, and
а but
по-ру́сски Russian, in Russian
по-англи́йски English, in English
по-но́вому in a new way, along new lines

Произноше́ние Pronunciation

Note the pronunciation of the vowels and consonants in bold type:

е → [ə] чита́ешь, чита́ет, чита́ем, чита́ете
изуча́ешь, изуча́ет, изуча́ем, изуча́ете

е → [ı] не чита́ю, не понима́ю, не уме́ю

о → [ʌ] говорю́, хорошо́, понима́ю, по-ру́сски, по-англи́йски
(pronounce together **по-** and the word next to it)

ш → [ʃ] говори́шь, понима́ешь, пи́шешь, чита́ешь

Note: In the endings **-ешь, -ишь** the letter **ь** does not denote that the consonant is pronounced softly.

The words in a sentence should be pronounced in liaison:

Я уме́ю говори́ть по-ру́сски.
Мы хорошо́ понима́ем по-англи́йски.

УПРАЖНЕ́НИЯ EXERCISES

1. Read the following sentences. Translate them into English. Indicate the person and gender of the verbs in the present tense:

1. Вы чита́ете по-ру́сски. 2. Мы говори́м по-англи́йски. 3. Ве́ра и Ко́ля говоря́т по-англи́йски. 4. Вы уме́ете петь? 5. Да, уме́ю. 6. Что де́лает това́рищ Ивано́в? 7. Он рабо́тает. 8. Что ты де́лаешь? 9. Я чита́ю. 10. Кто здесь хорошо́ понима́ет по-ру́сски? 11. Мы понима́ем хорошо́. 12. Я понима́ю по-ру́сски,

а он нет. 13. Как **рабо́тают** това́рищ Ивано́в и това́рищ Ники́-
тин? 14. Они́ **рабо́тают** хорошо́. 15. Что вы де́лаете? 16. Мы
чита́ем.

2. Read the following sentences first with the intonation of a statement
(left column) and then with the intonation of a question (right column);
translate them into English:

1. Вы понима́ете по-ру́сски.   Вы понима́ете по-ру́сски?
2. Това́рищ Ивано́в чита́ет.   Това́рищ Ивано́в чита́ет?
3. Вы уме́ете петь.   Вы уме́ете петь?

3. Put the above sentences into the negative and read them:

Example: Вы чита́ете. — Вы не чита́ете.

4. Fill in the blanks with the verb *уме́ть*, using the correct forms of the
verb:

Я ... чита́ть. Ты ... петь. Мы ... чита́ть. Вы ... петь. Они́ ...
говори́ть по-ру́сски.

5. Conjugate the verb *рабо́тать* (Conjugation I) *to work* and the verb
говори́ть (Conjugation II) *to speak*.

6. Translate into Russian:

1. What are you doing? We are working. 2. What is Comrade
Ivanov doing? He is reading. 3. Is he reading Russian? No, he is
reading English. 4. Can Kolya and Vera sing? Kolya can, but
Vera cannot. 5. Who understands English here? Comrade Nikitin
and I do.

УРОК 14б

ТЕКСТ

I

Я англичанин. Я говорю́ по-англи́йски. Тепе́рь я изуча́ю ру́сский язы́к. Я уже́ немно́го понима́ю и говорю́ по-ру́сски.

Ты то́же изуча́ешь ру́сский язы́к. Тепе́рь ты то́же немно́го понима́ешь и говори́шь по-ру́сски.

Мой брат хорошо́ говори́т по-францу́зски, он уме́ет чита́ть по-неме́цки. Сестра́ Мэ́ри то́же уме́ет говори́ть по-францу́зски.

— А вы говори́те по-францу́зски?—Нет, не говорю́, но понима́ю.

II

— Това́рищи, что вы сейча́с де́лаете?
— Чита́ем.
— Вы чита́ете по-англи́йски?
— Нет, по-ру́сски. Мы изуча́ем ру́сский язы́к.
— Вы уже́ понима́ете по-ру́сски?
— Да, немно́жко.
— Вы зна́ете, как по-ру́сски сло́во "Fatherland"?
— Зна́ю. Это «ро́дина» и́ли «оте́чество».
— А как по-ру́сски сло́во "comrade"?
— По-ру́сски это «това́рищ».

III

Вот фа́брика. Здесь рабо́тает това́рищ Ивано́в. Он рабо́тает по-но́вому.

Рабо́тница Ники́тина то́же рабо́тает по-но́вому. Това́рищи Ивано́в и Ники́тина рабо́тают по-но́вому.

СЛОВАРЬ VOCABULARY

изуча́ть *I* to study
немно́го, немно́жко a little
по-францу́зски French, in French

по-неме́цки German, in German
оте́чество *n* fatherland

72

УПРАЖНЕНИЯ EXERCISES

1. Copy the verbs with the endings in **bold** type from the text of Lesson 14°. State their person, number and conjugation.

2. Copy the sentences, filling in the blank spaces with personal pronouns in the required form:

1. ... понима́ешь по-ру́сски. 2. ... рабо́таем. 3. ... чита́ют. 4. ... понима́ете по-англи́йски. 5. ... зна́ете, как по-ру́сски сло́во "language"? 6. ... зна́ете, как по-англи́йски сло́во «страна́»?

3. Rewrite the following sentences, adding the correct endings:

1. Я понима́- по-ру́сски. 2. Мы говор- по-англи́йски. 3. Мои́ това́рищи уме́- чита́ть по-ру́сски. 4. Моя́ сестра́ хорошо́ понима́- по-францу́зски. 5. Что де́ла- сейча́с де́ти?

4. Conjugate the verb *понима́ть* in the following sentence:

Я понима́ю по-ру́сски.

5. Conjugate the verb *говори́ть* in the following sentence:

Я говорю́ по-англи́йски.

6. Translate the following sentences into Russian:

1. My sister speaks Russian. 2. We are studying Russian. 3. The students Burns and Brown speak German well. 4. You can read Russian and French. 5. The students Pavlov and Nikitin understand English.

УРОК 15ᵃ

Grammar:
The Present Tense of the Verb (continued).
The Imperative Mood.
The Interrogative Adverbs где? and куда?

ГРАММАТИКА GRAMMAR

1. The Present Tense of the Verb (continued)

a) A number of verbs of Conjugation I take the ending **-у** in the present tense for the 1st person singular: Я иду́ *I go, am going,* and the ending **-ут** for the 3rd person plural: Они́ иду́т *They go, are going.*

Infinitive: **идти́** I *to go, to walk*

	Present Tense	
Person	**Singular**	**Plural**
1st	я иду́ — I go, am going	мы идём — we go, are going
2nd	ты идёшь — you go, are going	вы идёте — you go, are going
3rd	он она́ } идёт — he she } goes, is going оно́ — it	они́ иду́т — they go, are going

After the sibilants **ж, ч, ш, щ,** the ending is always **-у** for the 1st person singular: пишу́; in the 3rd person plural it is **-ут** (cf. orthography of vowels after sibilants).

Infinitive: **писа́ть** I *to write*

	Present Tense	
Person	**Singular**	**Plural**
1st	я пишу́ — I write, am writing	мы пи́шем — we write, are writing
2nd	ты пи́шешь — you write, are writing	вы пи́шете — you write, are writing
3rd	он она́ } пи́шет — he she } writes, is writing оно́ — it	они́ пи́шут — they write, are writing

In the stem of the infinitive of this verb, we find the consonant **с** — пис**а́**ть, in the stem of the present tense, the consonant **ш** — пиш**у́**. There are a few verbs in the conjugating of which the consonants **с** and **ш** alternate.

Thus, verbs of Conjugation I have the following endings: **-у (-ю), -ёшь, -ёт, -ём, -ёте, -ут (-ют)** (the ending is stressed), or **-у (-ю), -ешь, -ет, -ем, -ете, -ут (-ют)** (the ending is not stressed).

b) Some verbs of Conjugation II also take the ending **-у** in the 1st person singular: я уч**у́** *I learn, am learning,* and in the 3rd person plural the ending **-ат**: он**и́** у́чат *they learn, are learning.*

Infinitive: **учи́ть** II *to learn*

Present Tense		
Person	**Singular**	**Plural**
1st	я учу́ — I learn, am learning	мы у́чим we learn, are learning
2nd	ты у́чишь — you learn, are learning	вы у́чите you learn, are learning
3rd	он / она́ / оно́ } у́чит — he / she / it } learns, is learning	они́ у́чат they learn, are learning

Infinitive: **сиде́ть** II *to sit*

Present Tense		
Person	**Singular**	**Plural**
1st	я сижу́ — I sit, am sitting	мы сиди́м we sit, are sitting
2nd	ты сиди́шь — you sit, are sitting	вы сиди́те you sit, are sitting
3rd	он / она́ / оно́ } сиди́т — he / she / it } sits, is sitting	они́ сидя́т they sit, are sitting

The stem of the infinitive of the above verb has the consonant **д** сиде́-ть, but the stem of the present tense has both **ж** and **д**: сиж-у́, сид-и́шь. This alternation of consonants **д — ж — д** occurs in the conjugation of some Russian verbs.

Thus, verbs of Conjugation II may have the following endings: **-у (-ю), -ишь, -ит, -им, -ите, -ат (-ят)**.

2. The Imperative Mood

In Russian, the most common forms of the imperative mood are the forms of the 2nd person singular and plural.

Singular		Plural	
чита́й	read	чита́йте	read
пой	sing	по́йте	sing
иди́	go	иди́те	go
говори́	speak	говори́те	speak

The imperative is formed from the stem of the present tense. To obtain the imperative singular, drop the ending of the 2nd person singular, present tense, and add the following letters to the stem of the present tense:

a) after vowels — the letter **-й:**

$$\text{чита́-ешь} + \text{й} — \text{чита́й} \qquad \text{read}$$
$$\text{по-ёшь} + \text{й} — \text{пой} \qquad \text{sing}$$

b) after consonants (in most cases) the ending **-и:**

$$\text{ид-ёшь} + \text{и} — \text{иди́} \qquad \text{go}$$
$$\text{говор-и́шь} + \text{и} — \text{говори́} \qquad \text{speak}$$
$$\text{у́ч-ишь} + \text{и} — \text{учи́} \qquad \text{study}$$

Most verbs take the above forms in the imperative singular irrespective of their conjugation.

For the plural form of the imperative, the ending **-те** is added to the singular imperative:

$$\text{чита́й} + \text{те} — \text{чита́йте}$$
$$\text{пой} + \text{те} — \text{по́йте}$$
$$\text{иди́} + \text{те} — \text{иди́те}$$
$$\text{говори́} + \text{те} — \text{говори́те}$$
$$\text{учи́} + \text{те} — \text{учи́те}$$

3. The Interrogative Adverbs *где?* and *куда?*

The two Russian adverbs **где?** and **куда́?** have one equivalent in English — *where?* For example:

Где вы рабо́таете?　　Where are you working?
Куда́ вы идёте?　　Where are you going?

However, the two Russian adverbs have quite different functions.

Где? is used in questions relating to the place where an object is located.

A question with the word **где?** may be answered by the words **здесь** *here*, **там** *there:*

> **Где** он сиди́т? Where is he sitting?
> Он сиди́т **там.** He is sitting there.

Куда́? is used in questions relating to the direction of the action.
A question with the word **куда́?** may be answered by the words **туда́** *there*, **сюда́** *here:*

> **Куда́** он идёт? Where is he going?
> Он идёт **туда́.** He is going there.

Где, куда́, туда́, сюда́, здесь, там are adverbs of place.

СЛОВАРЬ VOCABULARY

15 пятна́дцать fifteen
идти́ (иду́, идёшь) *I* to go
писа́ть (пишу́, пи́шешь) *I* to write
учи́ть (учу́, у́чишь) *II* to teach, to study, to learn
сиде́ть (сижу́, сиди́шь) *II* to sit

куда́ *adv* where
туда́ *adv* there
сюда́ *adv* here

УПРАЖНЕНИЯ EXERCISES

1. Read the following sentences and translate them into English. State the person, number and conjugation of the verbs:

1. Я иду́ домо́й. 2. Това́рищи Ивано́в и Па́влов **рабо́тают** здесь. 3. Вы хорошо́ **пи́шете** по-ру́сски. 4. Мы **чита́ем.** 5. Я немно́го **понима́ю** и **говорю́** по-ру́сски. 6. Что вы **у́чите?** 7. Кто зна́ет, как по-ру́сски сло́во "town"? 8. Что ты **де́лаешь?**

2, Put the following verbs into the plural:

Example: он чита́ет — они́ чита́ют

1. Я пишу́ по-ру́сски. Мы ... по-ру́сски.
2. Он идёт домо́й. Они́ ... домо́й.
3. Ты поёшь хорошо́. Вы ... хорошо́.
4. Я сижу́ и чита́ю. Мы ... и ... .
5. Куда́ ты идёшь? Куда́ вы ... ?
6. Что она́ де́лает? Что они́ ... ?
7. Ма́ша говори́т по-англи́йски. Ма́ша и Та́ня ... по-англи́йски.
8. Он сиди́т и пи́шет. Они́ ... и ... .
9. Я понима́ю по-ру́сски. Мы ... по-ру́сски.
10. Това́рищ идёт и поёт. Това́рищи ... и ... .

3. Give the imperative singular and plural of the following verbs:

Example: чита́й — чита́йте

ты рабо́таешь, ты у́чишь, ты сиди́шь, ты пи́шешь

4. Translate into Russian:

1. Here is a book, read please. 2. Here is a pen and paper, write please. 3. Where are you going? 4. Sit here. 5. What are you doing there? Come here!

УРОК 15б

УРОК

Здесь идёт уро́к. Мы изуча́ем ру́сский язы́к. Мы чита́ем, пи́шем и говори́м по-ру́сски. Наш преподава́тель спра́шивает уро́к. Това́рищ Бра́ун отвеча́ет хорошо́. Мы все отвеча́ем хорошо́. Пото́м преподава́тель объясня́ет пра́вило. Он говори́т ме́дленно, гро́мко и я́сно. Все студе́нты сидя́т и внима́тельно слу́шают. Я уже́ хорошо́ понима́ю по-ру́сски. Мои́ това́рищи то́же хорошо́ понима́ют по-русски.

— Това́рищ Смит, чита́йте, пожа́луйста!—говори́т преподава́тель. Това́рищ Смит чита́ет бы́стро, но о́чень ти́хо.

Преподава́тель говори́т:

— Чита́йте, пожа́луйста, гро́мко и не так бы́стро.

Наш това́рищ чита́ет ещё раз с нача́ла. Тепе́рь он чита́ет гро́мко и ме́дленно. Пото́м чита́ю я.

—Дово́льно!— говори́т преподава́тель.— Тепе́рь вы все чита́ете хорошо́. Вы де́лаете успе́хи. Пиши́те, пожа́луйста, дикта́нт.

Мы пи́шем дикта́нт. Преподава́тель дикту́ет гро́мко и я́сно. Все внима́тельно слу́шают и пи́шут. Пото́м преподава́тель говори́т:

— Да́йте, пожа́луйста, все тетра́ди сюда́.

Он задаёт уро́к и говори́т:

— Гото́вьте уро́ки до́ма. Повторя́йте всё. Тепе́рь мо́жно идти́ домо́й. Уже́ вре́мя. До свида́ния.

S a y i n g : Уче́нье — свет, неуче́нье — тьма.

Knowledge is light, ignorance — gloom.

СЛОВАРЬ VOCABULARY

идёт уро́к a lesson is going on
преподава́тель *m* teacher
спра́шивать *I* to ask
отвеча́ть *I* to answer, to reply
все all, everybody
ме́дленно slowly
гро́мко loud, loudly
внима́тельно attentively
пожа́луйста please
ти́хо softly
раз once

ещё раз once more
с нача́ла from the beginning
дово́льно that'll do, that's enough
успе́х *m* progress, success
дикта́нт *m* dictation
диктова́ть (дикту́ю, дикту́ешь) *I* to dictate
задава́ть уро́к (задаю́, задаёшь) *I* to give homework
повторя́ть *I* to repeat, to review
до свида́ния good-bye

78

РАЗГОВОР

— Здра́вствуйте, това́рищ Ивано́в!
— Здра́вствуй, Ко́ля!
— Как вы пожива́ете?
— Спаси́бо, хорошо́. А ты? Как ты пожива́ешь?
— Благодарю́, я то́же хорошо́.
— Ты идёшь домо́й?
— Нет, я иду́ на уро́к.
— Будь здоро́в! Извини́, я спешу́.
— До свида́ния.

СЛОВАРЬ VOCABULARY

разгово́р *m* conversation
здра́вствуй; -те How do you do!
Hallo! (lit.: Be well!)
пожива́ть (пожива́ю, пожива́ешь) *I*
to live, to be, to get on
спаси́бо thank you
благодари́ть *II* to thank; **благодарю́**
thank you

на уро́к to the lesson
будь здоро́в, бу́дьте здоро́вы good-
bye (lit.: Farewell)
извини́, извини́те excuse me; pardon
me, I am sorry
спеши́ть *II* to hurry

Замечание к словарю Vocabulary Note

Do not confuse the verbs **изуча́ть** and **учи́ть**. Both the verbs **изуча́ть**
and **учи́ть** are used in the sense of *to learn* and *to study*. The verb **учи́ть**
also means *to teach*.

Выражения Expressions

Как ты пожива́ешь?
Как вы пожива́ете? } How are you?

Произношение Pronunciation

Note the pronunciation of the vowels and consonants in **bold**
type:

й → [й] чита́й, стой, дай, чита́йте, по́йте, рабо́тайте
в → [ф] всё, все
о → [л] бы́стро, гро́мко, ти́хо, ме́дленно
н → [нь] до свида́ния

УПРАЖНЕНИЯ EXERCISES

1. Read and translate into English:

1. Я иду́ на уро́к. 2. Мы изуча́ем ру́сский язы́к. 3. Учи́-
тель дикту́ет. 4. Он говори́т ме́дленно. 5. Мы слу́шаем внима́-
тельно. 6. Я всё понима́ю. 7. Все де́ти сидя́т и пи́шут. 8. Ты
пи́шешь хорошо́. 9. Мы уме́ем чита́ть и писа́ть по-ру́сски.

2. In the preceding exercise analyse the verbs in bold type as follows:

Verb	Ending	Person	Number	Conjugation
изуча́ем	-ем	1	pl	I

3. Rewrite the following sentences and fill in the blank spaces with adverbs of the opposite meaning to those in the left column:

1. Я чита́ю гро́мко.   Ты чита́ешь ... .
2. Вы идёте бы́стро.   Он идёт ... .
3. Мы пи́шем хорошо́.   Они́ пи́шут ... .

4. Write thirty sentences, using various forms of the present tense of the verbs given below and also using the adverbs.

Example: Я понима́ю по-ру́сски.

О́н чита́ет хорошо́ (хорошо́ чита́ет).

Ко́ля идёт домо́й.

Verbs: рабо́тать, чита́ть, понима́ть, уме́ть, идти́, стоя́ть, сиде́ть, говори́ть, спра́шивать, отвеча́ть, петь, писа́ть

Adverbs: хорошо́, гро́мко, ти́хо, ме́дленно, бы́стро, там, туда́, домо́й, по-кита́йски, по-францу́зски

5. 1) Give the imperative form of the following verbs:

a) Example: чита́й — чита́йте
чита́ешь, отвеча́ешь, стои́шь, рабо́таешь, слу́шаешь, поёшь

b) Example: говори́ — говори́те
говори́шь, сиди́шь, пи́шешь, идёшь

2) Explain why in a) the imperative singular ends in й, and in b) the imperative singular ends in и.
3) Put an accent to show where the stress is in the imperative form of the verbs you have written for Exercise 5.

6. Translate into Russian:
1. You sing softly. Sing loudly! 2. You are walking slowly. Walk fast! 3. You read Chinese well. Now read Russian!

7. Which of the questions indicated in the brackets (кто?, что?, как?, где?, куда́?, что он де́лает?, что они́ де́лают?) can refer to the words in bold type in the following sentences:

Example:

Э́то мой **брат**.   Кто́ э́то?
Он **рабо́тает**.   Что́ он де́лает?

1. Э́то **ко́мната**. 2. Здесь **учи́тель** даёт уро́к. 3. Он говори́т **ме́дленно** и **гро́мко**. 4. Ученики́ **слу́шают**. 5. Они́ слу́шают **внима́тельно**. 6. **Мой това́рищ** пи́шет. 7. **Доска́** стои́т там. 8. Мы сиди́м **здесь**. 9. Смит и Бра́ун иду́т **домо́й**. 10. Мой брат **рабо́тает**.

УРОК 16ª

Grammar:

Possessive Pronouns.
The Interrogative Pronoun чей?

ГРАММАТИКА GRAMMAR

1. Possessive Pronouns

1) The possessive pronouns of the 1st and 2nd persons — **мой** *my*, **твой** *your*, **наш** *our*, **ваш** *your* — change according to gender and number. They have three gender forms in the singular and one, common to all the three genders, in the plural:

Masculine	Feminine	Neuter	Plural (for all three genders)
мой *my*	моя *my*	моё *my*	мои *my*
твой *your*	твоя *your*	твоё *your*	твои *your*
наш *our*	наша *our*	наше *our*	наши *our*
ваш *your*	ваша *your*	ваше *your*	ваши *your*

The possessive pronouns **мой, твой, наш, ваш** agree in gender and number with the noun they qualify, i. e. take the gender and number form of that noun.

Masculine	Feminine	Neuter	Plural (for all three genders)
мой брат	моя сестра	моё слово	мои книги
твой отец	твоя книга	твоё место	твои тетради
наш город	наша учительница	наше письмо	наши письма
ваш сад	ваша дочь	ваше перо	ваши журналы

The gender and number of a noun may also be determined by the form of the possessive pronoun which qualifies it.

The pronoun **ваш**, like the English pronoun *your*, may stand for one or more persons. In Russian correspondence, it is customary to write the pronoun **ваш** with a capital letter — Ваш.

2) Possessive pronouns in the 3rd person do not change for gender and number, each having only one form:

Masculine	Feminine	Neuter	Plural
eró his	eё her	eró its	их their

As in English, so in Russian, the possessive pronoun of the 3rd person is dependent on the noun denoting the person to whom the object belongs and not on the noun denoting that object.

Masculine	Feminine	Plural
мой брат	моя сестра	мои товарищи
его стол его книга его письмо его газеты	её стол её книга её письмо её газеты	их стол их книга их письмо их газеты

The possessive pronoun in the 3rd person takes the same form in the neuter as in the masculine gender: **его.**

The Position of the Possessive Pronoun in the Sentence

The possessive pronoun usually stands before the noun it qualifies:

моя книга

In such sentences the function of the possessive pronoun is that of an attribute.

The possessive pronoun may stand after a noun. It may serve as a predicate (if pronounced after a pause with correct intonation) and corresponds to the English pronouns "my" and "mine".

Это **моя** книга (*attribute*). This is my book.
Книга **моя** там (*attribute*). My book is there.
Книга — **моя** (*predicative*). The book is mine.

Possessive Pronouns in Short Answers

In short answers the possessive pronoun may stand by itself without a noun:
Это твоя книга? — Моя. Is it your book? It is mine.
In the above reply the word **книга** is understood, for this reason, the pronoun **моя** is of feminine gender.

2. The Interrogative Pronoun чей?

The interrogative pronoun **чей?** *whose?* in the singular has three gender forms and in the plural one form for all three genders:

Masculine	Feminine	Neuter	Plural
чей whose	чья whose	чьё whose	чьи whose

The interrogative pronoun **чей?** agrees in gender and number with the noun to which it refers. In interrogative sentences the pronoun **чей?** may be accompanied by the word **э́то**:

Masculine	Feminine	Neuter	Plural
Чей э́то журна́л? Whose magazine is it?	**Чья э́то кни́га?** Whose book is it?	**Чьё э́то перо́?** Whose nib is it?	**Чьи э́то кни́ги?** Whose books are these?

СЛОВАРЬ VOCABULARY

16 шестна́дцать sixteen
его́ his
её her, hers
их their, theirs
чей? whose?

Произношение Pronunciation

Note the pronunciation of the sounds and sound combinations:

й [й] мой, твой, чей
я [йа] моя́, твоя́, чья [мл̥йа́, твл̥йа́, чйа]
ё [йо] моё, твоё, чьё [мл̥йо́, твл̥йо́, чйо]

Pronounce the word его́ like [йиво́]

    „   „   „   её   „   [йийо́]
    „   „   „   их   „   [йих]

УПРАЖНЕНИЯ EXERCISES

1. **Read and translate into English. Indicate in what gender the possessive pronoun should stand to agree with the noun:**

1. Это на́ша шко́ла. 2. Это наш класс. 3. Это на́ша учи́тельница. 4. Это на́ше ме́сто. 5. Это мой каранда́ш. 6. Это твоё перо́. 7. Это ва́ша па́рта. 8. Это твой журна́л. 9. Это моя́ кни́га. 10. Это на́ша рабо́та.

2. Put questions using *чей э́то?*, *чья э́то?*, *чьё э́то?* to which the possessive pronouns in Exercise 1 are answers.

3. Translate the following sentences into English and explain the use of the pronouns *его́*, *её*, *их:*

1. Ми́ша Ивано́в — мой това́рищ. **Его́** сестра́ хорошо́ говори́т по-англи́йски. 2. Студе́нты Ивано́в и Ники́тин чита́ют. Что де́лает **их** това́рищ? Он пи́шет. 3. Вот на́ша учи́тельница. **Её** брат— инжене́р.

4. Translate into English. Explain the forms of the interrogative pronoun *чей?*

1. **Чьи** э́то кни́ги? Мои́. 2. **Чья** э́то тетра́дь? Твоя́. 3. **Чьё** э́то ме́сто? Ва́ше. 4. **Чей** э́то журна́л? Наш.

5. Fill in the blank spaces in the first column with the pronoun *мой* and in the second column with the pronoun *ваш*, making the pronouns agree in gender with the nouns.

I	II
1. ... брат — врач.	1. Воло́дя — ... това́рищ.
2. ... сестра́ — студе́нтка.	2. Вот ... кни́га.
3. Вот ... журна́л.	3. Где ... оте́ц?
4. Ве́ра — ... учени́ца.	4. Вот ... ка́рта.
5. Вот ... перо́.	5. Здесь ... ме́сто.
6. ... и́мя Ни́на.	6. Как ... фами́лия?

6. Fill in the blank spaces first with the pronoun *его́* then with *её* and *их:*

Вот ... кни́га. Там ... газе́ты. Здесь ... това́рищи. Где ... письмо́?

7. Fill in the blank spaces with the pronoun *чей?* and make it agree with the noun:

1. ... э́то стол?
2. ... э́то перо́?
3. ... э́то газе́ты?
4. ... э́то ка́рта?
5. ... э́то уче́бник?
6. ... э́то карандаши́?

8. Put the nouns and pronouns in the following interrogative sentences into the singular:

1. Чьи э́то тетра́ди? — Мои́.
2. Чьи э́то пи́сьма? — На́ши.
3. Чьи э́то словари́? — Ва́ши.

УРОК 16ᵇ

ДОМА

Сегодня наша семья дома. Все отдыхают. Мой отец и его брат Миша сидят вместе, беседуют и курят. Дядя Миша — техник. Его жена — врач. Их дети — школьники.

Дядя Миша, его жена, их сын и дочь — сегодня наши гости. Моя сестра Вера и её муж смотрят телевизор. Дети весело играют.

Моя мать говорит: «Сегодня мы обедаем все вместе. Это очень хорошо. Таня, накрывай, пожалуйста, на стол. Обед готов».

РАЗГОВОР

— Вы англичанин?

— Да, моя родина — Англия.

— Как ваше имя?

— Моё имя Джон, моя фамилия Смит. А вы — русский?

— Да, я русский. Моё имя Михаил. Моя фамилия Никитин.

— И ваша жена тоже русская?

— Нет, она армянка.

СЛОВАРЬ VOCABULARY

сегодня to-day
вместе together
беседовать (беседую беседуешь) *I* to talk, to converse
жена *f* wife
муж *m* husband
смотреть (смотрю, смотришь) *II* to look
весело merrily, gaily
смотреть телевизор to teleview

играть *I* to play
обедать *I* to dine
накрывать *I* to cover
накрывать на стол to set the table
готов is ready
Англия *f* England
имя *n* first name
армянин *m* an Armenian (man)
армянка *f* an Armenian (woman)

Замечания к словарю Vocabulary Notes

Do not confuse the words:

1. **дома** *houses* and **дома** *at home*
2. **семья** *family* and **фамилия** *surname*

УПРАЖНЕНИЯ EXERCISES

1. Put into the plural the words in bold type:

1. Это **мой каранда́ш**. 2. Где **твоя́ кни́га?** 3. Вот **на́ша маши́на**. 4. **Чьё** э́то **письмо́?** 5. **Чей** э́то **учени́к?** 6. Где **ваш това́рищ?** 7. Это наш сад. 8. **Чья** э́то **тетра́дь?** 9. Это **на́ше ме́сто**. 10. Это **ва́ша газе́та?**

2. Put suitable possessive pronouns in the blank spaces and make them agree with the noun in gender and number:

1. Кто ... оте́ц? Он инжене́р. 2. Кто ... сестра́? Она́ учи́тельница. 3. Где ... каранда́ш? Он здесь. 4. Где ... кни́га? Она́ там. 5. Где ... перо́? Вот оно́. 6. ... брат врач? Нет, он студе́нт. 7. ... мать агроно́м? Нет, она́ врач. 8. Где ... объявле́ние? Вот оно́.

3. Translate into Russian:

1. I am an Englishwoman. 2. My name is Mary. 3. My surname is Smith. 4. My brother is a student. His name is John. 5. Our mother is a schoolteacher. 6. Her name is Mary.

4. Translate into Russian:

1. Where are your books? They are lying there. 2. Who are these? These are our pupils. 3. What are these? These are your pencils. 4. Whose exercise-books are these? Ours.

УРОК 17ª

ГРАММАТИКА GRAMMAR

1. Qualitative and Relative Adjectives

An adjective is a part of speech which qualifies a noun. Russian adjectives are divided into q u a l i t a t i v e and r e l a t i v e adjectives.

Q u a l i t a t i v e adjectives denote the attribute of an object directly, without any relation to other objects:

> молодо́й това́рищ a young comrade
> но́вый журна́л a new magazine
> интере́сный уро́к an interesting lesson

R e l a t i v e adjectives denote the attribute of an object through its relation to other objects:

ру́сский язы́к *(relation to nationality — Russian)*
моско́вский заво́д *(relation to place — Moscow)*
стально́й мост *(relation to material — steel)*

Qualitative and relative adjectives usually answer to the question **какой?, какой (э́то)?** *what?*

2. The Gender and Number of Adjectives

Unlike English adjectives, Russian adjectives agree with nouns, that is, they take the same gender and number as the nouns they qualify. In the singular they have three gender forms, in the plural — one which is common to all three genders.

Adjective endings are divided into "hard" and "soft".

Adjectives with "Hard" Endings

Adjectives with "hard" endings, before the final letter, take **а, о, ы** (-ой, -ый, -ая, -ое, -ые).

Masculine	Feminine	Neuter	Plural
-ой, -ый	-ая	-ое	-ые (for all the genders)
молодо́й челове́к a young man но́вый дом a new house	молода́я де́вушка a young girl но́вая кни́га a new book	молодо́е расте́ние a young plant но́вое сло́во a new word	молоды́е лю́ди young people но́вые газе́ты fresh newspapers

N o t e : The masculine ending -ой is always stressed.
The masculine ending -ый is never stressed.

Adjectives with "Soft" Endings (having и, я, е after a soft н)

Masculine	Feminine	Neuter	Plural
-ий	-яя	-ее	-ие (for all the genders)
си́ний каранда́ш blue pencil	си́няя ва́за blue vase	си́нее не́бо blue sky	си́ние карандаши́ blue pencils

Adjectives with Mixed Endings (after г, к, х)

Adjectives with their stem ending in г, к, х have mixed endings, that is, partly "hard" and partly "soft" (in accordance with the general rule for orthography given in Lesson 10):

городско́й urban; ру́сский Russian; ти́хий quiet;
дорого́й dear, expensive; стро́гий strict

Masculine	Feminine	Neuter	Plural
-ой, -ий	-ая	-ое	-ие (for all the genders)
дорого́й друг dear friend ру́сский язы́к Russian language	дорога́я кни́га expensive book ру́сская газе́та Russian newspaper	дорого́е перо́ expensive nib ру́сское сло́во Russian word	дороги́е кни́ги expensive books ру́сские слова́ Russian words

N o t e : The ending -ой is always stressed.
The ending -ий is never stressed.

The Position of the Adjective in the Sentence

In Russian the adjective usually stands before the noun and serves to qualify it, e. g. но́вый журна́л

However, in order to add emphasis to the meaning, the adjective can stand after the noun. Given the right intonation, it becomes the predicate. Compare the translation of the following examples:

Интере́сная кни́га (*attributive*). An interesting book.
Кни́га — интере́сная (*predicative*). The book is interesting.

3. Adjectives Used as Nouns

There are some adjectives which may be used as nouns. Compare:

Вот наш **рабо́чий** (*adj*) стол.	This is our **work** table.
Това́рищ Ивано́в — **рабо́чий** (*noun*).	Comrade Ivanov is a **worker.**
Мы изуча́ем **ру́сский** (*adj*) язы́к.	We study the **Russian** language.
Наш учи́тель — **ру́сский** (*noun*).	Our teacher is **Russian.**

4. The Interrogative Pronoun *како́й?*

A question referring to the adjective may be formed with the pronoun **како́й?** *what?* This pronoun, like the adjective, agrees in number and gender with the noun it qualifies:

Masculine	Feminine	Neuter	Plural
Како́й дом? What house?	Кака́я у́лица? What street?	Како́е зда́ние? What building?	Каки́е города́? What towns?

The Pronoun *како́й* in an Exclamation

The pronoun **како́й** may occur in exclamations:

Кака́я больша́я река́! What a big river!

5. The Demonstrative Pronoun *э́тот*

The demonstrative pronoun **э́тот** *this* takes the three gender forms in the singular and one in the plural:

Masculine	Feminine	Neuter	Plural (for all the genders)
э́тот каранда́ш this pencil	**э́та** кни́га this book	**э́то** перо́ this nib	**э́ти** тетра́ди these exercise-books

The given examples show that the demonstrative pronoun этот agrees in gender and number with the noun it qualifies.

The neuter form of the demonstrative pronoun это may be used for *this is, it is*, irrespective of the gender and number of the noun to which it refers.

Note the use of the word это meaning *this* and the word это meaning *this is, it is*. Compare the translation of:

Это перо.	This is a nib.
Это перо здесь.	This nib is here.

СЛОВАРЬ VOCABULARY

17 семнадцать seventeen
молод∥ой, -ая, -ое; -ые young
нов∥ый, -ая, -ое; -ые new
интересн∥ый, -ая, -ое; -ые interesting
син∥ий, -яя, -ее; -ие blue
русск∥ий, -ая, -ое; -ие Russian
тих∥ий, -ая, -ое; -ие quiet
дорог∥ой, -ая, -ое; -ие dear; expensive
городск∥ой, -ая, -ое; -ие urban
стро́г∥ий, -ая, -ое; -ие strict, severe

московск∥ий, -ая, -ое; -ие Moscow
сталь *f* steel
как∥ой, -ая, -ое; -ие what
человек *m* person
девушка *f* girl
растение *n* plant
люди *pl* people
этот *m*, **эта** *f*, **это** *n*; **эти** *pl* this; these
лежать *II* to lie

Замечание к словарю Vocabulary Note

Do not confuse the adjectives **русский, английский** and others (qualifying nouns) with the adverbs **по-русски, по-английски**, etc. (qualifying verbs). Вот русский (*adj*) журнал. Here is a Russian magazine. Я читаю по-русски (*adv*). I read Russian.

Произношение Pronunciation

The vowel ы has a very faint sound in adjective endings:

новый, интересный   новые, интересные

УПРАЖНЕНИЯ EXERCISES

1. Copy the sentences given below. Underline the adjectives and the pronoun *какой* together with the nouns to which they refer. Indicate their gender and number:

1. Это наша русская книга. 2. Читайте: здесь интересные статьи. 3. Сюда идёт наш новый учитель. 4. Что делает этот молодой инженер? Он читает. 5. Мы изучаем русский язык. 6. Вера — молодая учительница. 7. Киев — советский город. 8. Волга — русская река. 9. Ваше новое перо лежит здесь. 10. Вот наши новые машины. 11. Какие это газеты? 12. Где лежат новые газеты? 13. Куда идут эти молодые люди? 14. Какое это слово? 15. Это русское слово «Родина».

2. Fill the blank spaces in the first column with the word *молодой* and in the second column with the word *новый*. See that the adjectives agree with the nouns in number and gender.

I	II
1. Вот ... врач.	1. Вот ... газе́та.
2. Это ... учи́тельница.	2. Там ... текст.
3. Здесь ... рабо́чие.	3. Здесь ... журна́лы.
4. Это ... де́рево.	4. Это ... сло́во.

3. Fill in the blank spaces with the required form of the word *какой?*

1. ... э́то дом? 5. ... здесь класс?
2. ... э́то река́? 6. ... э́то го́род?
3. ... там кни́ги? 7. ... э́то сло́во?
4. ... там шко́ла? 8. ... здесь газе́ты?

4. Translate into English:

1. Это но́вый журна́л. Этот журна́л но́вый.
2. Это ма́ленькая ко́мната. Эта ко́мната ма́ленькая.
3. Это интере́сное письмо́. Это письмо́ интере́сное.

5. Fill in the blank spaces with the required form of the demonstrative pronoun *этот*:

1. ... това́рищ изуча́ет ру́сский язы́к. 2. ... де́вушка хорошо́ говори́т по-ру́сски. 3. Как ... сло́во по-англи́йски? 4. Что де́лают сейча́с ... ученики́? 5. Куда́ идёт ... инжене́р? 6. ... газе́ты лежа́т здесь. 7. ... фа́брика но́вая.

6. Group the adjectives into qualitative and relative:

но́вый, интере́сный, моско́вский, дорого́й, си́ний, городско́й, молодо́й, ти́хий

7. Add suitable nouns to the above adjectives.

8. Translate into Russian:

1. What house is it? It is a new house. This house is new.
2. What books are these? These are interesting books. These books are interesting.
3. What machine is it? It is a new machine. The machine is new.
4. What nib is this? It is a steel nib.

УРОК 17^б

ТЕКСТ

I

Вот мой но́вый кра́сный каранда́ш. Вот на́ша но́вая чёрная ру́чка. Здесь но́вое золото́е перо́. Там на́ши но́вые чёрные, си́ние и кра́сные карандаши́.

Како́й э́то каранда́ш? Кра́сный.

Кака́я э́та ру́чка? Чёрная.

Како́е э́то перо́? Но́вое золото́е.

Каки́е э́то карандаши́? Но́вые кра́сные и чёрные.

Вот си́няя ва́за. Здесь стоя́т ро́зы и ли́лии. Э́та ро́за кра́сная.

Э́тот цвето́к голубо́й. Э́то голубо́й цвето́к.

Э́та ро́за кра́сная. Э́то кра́сная ро́за.

Э́то расте́ние зелёное. Э́то зелёное расте́ние.

Э́ти цветы́ бе́лые. Э́то бе́лые цветы́.

Весно́й цвету́т ра́зные цветы́: кра́сные и жёлтые тюльпа́ны, ма́ки, голубы́е незабу́дки, бе́лые ла́ндыши, лило́вые фиа́лки.

II

«Пра́вда» — ру́сская газе́та. «Таймс» — англи́йская газе́та.

«Но́вый мир» и «Но́вое вре́мя» — ру́сские журна́лы.

Това́рищ Ивано́в — молодо́й ру́сский рабо́чий. Он говори́т по-ру́сски. Това́рищ Смит — ста́рый америка́нский шахтёр. Он говори́т по-англи́йски. Мэ́ри — молода́я англи́йская рабо́тница. Она́ говори́т по-англи́йски.

92

Вот ру́сско-англи́йский слова́рь и а́нгло-ру́сский слова́рь.

Здесь ру́сские и англи́йские слова́. «Сове́т» — ру́сское сло́во. "Town" — англи́йское.

Во́лга — ру́сская река́. Москва́ — сове́тская столи́ца. Это ста́рый ру́сский го́род.

Ло́ндон — ста́рый англи́йский го́род. Де́ли — ста́рый инди́йский го́род.

СЛОВА́РЬ VOCABULARY

I

кра́сн‖ый, -ая, -ое; -ые red
чёрн‖ый, -ая, -ое; -ые black
золот‖о́й, -а́я, -о́е; -ы́е gold, golden
ро́за f rose
ли́лия f lily
жёлт‖ый, -ая, -ое; -ые yellow
цвето́к m flower; цветы́ pl
голуб‖о́й, -а́я, -о́е; -ы́е blue
зелён‖ый, -ая, -ое; -ые green

весно́й adv in spring
цвести́ (цвету́, цветёшь) I to bloom
тюльпа́н m tulip
мак m poppy; poppy-seed
незабу́дка f forget-me-not
ла́ндыш m lily of the valley
лило́в‖ый, -ая, -ое; -ые lilac-coloured
фиа́лка f violet

II

«Таймс» "The Times"
ста́р‖ый, -ая, -ое; -ые old
америка́нск‖ий, -ая, -ое; -ие American
англи́йск‖ий, -ая, -ое; -ие English
ру́сско-англи́йск‖ий -ая, -ое; -ие Russian-English

а́нгло-ру́сск‖ий, -ая, -ое; -ие English-Russian
слова́рь m dictionary
Ло́ндон m London
Де́ли Delhi
инди́йск‖ий, -ая, -ое; -ие Indian

СЛОВООБРАЗОВА́НИЕ WORD-BUILDING

The Adjectival Suffixes -ск- and -н-

The suffixes -ск- and -н- are used to form adjectives.

1) The Suffix -ск-:

ру́сский Russian
сове́тский Soviet
инди́йский Indian
кита́йский Chinese
англи́йский English
америка́нский American

2) The Suffix -н-:

интере́сный interesting
кра́сный red
стально́й steel

Произноше́ние Pronunciation

Note the pronunciation of the faint unstressed sounds ы, и:

ы → [ə] зелёные, чёрные, но́вые, ста́рые, кра́сные, жёлтые
ы → [ʌ] жёлтый, чёрный, зелёный, кра́сный
и → [ʌ] ру́сский, сове́тский, англи́йский, америка́нский, инди́йский

УПРАЖНЕНИЯ EXERCISES

1. Group the following combinations of noun and adjective according to gender:

Example:

Singular			Plural for all three genders
Masculine	Feminine	Neuter	
но́вый дом	но́вая фа́брика	но́вое расте́ние	но́вые заво́ды

а) кра́сный каранда́ш, чёрная ру́чка, но́вые газе́ты, золото́е перо́, кра́сная ро́за, голубы́е незабу́дки, бе́лый ла́ндыш, лило́вые фиа́лки, си́няя ва́за

б) ру́сский рабо́чий, англи́йские журна́лы, ру́сско-англи́йский слова́рь, инди́йский го́род, ста́рый шахтёр, молода́я учи́тельница, ру́сские слова́, но́вая жизнь

2. Add the required form of the word э́том to the following combinations of words:

ру́сское сло́во, сове́тский заво́д, молодо́й кузне́ц, англи́йская газе́та, но́вый журна́л, ста́рая кни́га, си́нее не́бо

3. Put into the plural the word combinations you have formed in the previous exercise.

4. Translate into English:

1. Э́то голубо́й цвето́к.   Э́тот цвето́к голубо́й.
2. Э́то жёлтый тюльпа́н.   Э́тот тюльпа́н жёлтый.
3. Э́то зелёное расте́ние.   Э́то расте́ние зелёное.
4. Э́то бе́лые цветы́.   Э́ти цветы́ бе́лые.

5. Complete each of the following lines with suitable combinations of adjective and noun:

Example: Голуба́я незабу́дка и жёлтый тюльпа́н.

Ста́рый журна́л и но́вая кни́га и т. д.

Молодо́й рабо́чий и . . . .   Бе́лый ла́ндыш и . . . .
Но́вая фа́брика и . . . .   Голуба́я ре́ка и . . . .
Зелёное расте́ние и . . . .   Лило́вые фиа́лки и . . . .

6. Translate into Russian:

1. Here is a pencil. It is red. It is not a new pencil but an old one. Here is the paper. It is white. It is not yellow paper but white.

2. My table stands here. Here are my new books. They are Russian books. Where is your Russian-English dictionary?

3. Our garden is green there. There is green grass and red, yellow, and white flowers there. They bloom in spring and summer.

7. Indicate the person, number and conjugation of the verbs in the text of the lesson.

УРОК 18а

> Grammar:
> The Gender and Number of Adjectives
> (continued).

ГРАММАТИКА GRAMMAR

The Gender and Number of Adjectives (continued)

Adjectives with Mixed Endings (after ж, ч, ш, щ)

Adjectives with the stem ending in ж, ч, ш, щ (чужо́й, све́-жий, горя́чий, большо́й, хоро́ший, настоя́щий) have mixed endings (some "hard", some "soft"). In accordance with the rule for orthography (given in Lesson 10), the letter и is written after ж, ч, ш, щ instead of ы:

Masculine	Feminine	Neuter	Plural
-ой, -ий	**-ая**	**-ое, -ее**	**-ие,** (for all the genders)
большо́й колхо́з large collective farm хоро́ший день fine day	больша́я страна́ big country хоро́шая кни́га good book	большо́е по́ле big field хоро́шее ме́сто good place	больши́е колхо́зы large collective farms хоро́шие поля́ fine fields

N o t e : After ж, ч, ш, щ the ending -о́й is stressed.
               "   "   -ий is unstressed.
               "   "   -о́е is stressed.
               "   "   -ее is unstressed.

СЛОВА́РЬ VOCABULARY

18 восемна́дцать eighteen
чужо́й, -а́я, -о́е; -и́е strange, foreign
све́жий, -ая, -ее; -ие fresh
горя́чий, -ая, -ее; -ие hot
большо́й, -а́я, -о́е; -и́е big, large
хоро́ший, -ая, -ее; -ие good, fine

настоя́щий, -ая, -ее; -ие real; present
ме́сто n place
не́бо n sky
весе́нний, -яя, -ее; -ие spring
день m day; дни pl

Замеча́ния к словарю́ Vocabulary Notes

хоро́ший (adj) good   хорошо́ (adv) well
хоро́ший това́рищ good comrade
Он хорошо́ говори́т. He speaks well.

Произношение Pronunciation

Note the pronunciation of the "soft" н in the following words:

н → [нь] день, не́бо, си́ний, весе́нний, си́няя, весе́нняя, си́нее, весе́ннее, си́ние, весе́нние

Do not forget that the unstressed vowels in adjective endings are pronounced faintly.

In the word со́лнце the letter л is not pronounced: [со́нцэ].

УПРАЖНЕНИЯ EXERCISES

1. Indicate the "soft" and "hard" endings of the adjectives given below. Give the reasons for the use of "soft" endings:

1. Интере́сные ру́сские кни́ги. 2. Хоро́шие весе́нние дни. 3. Большо́е зелёное по́ле. 4. Но́вые сове́тские города́. 5. Голубо́й весе́нний цвето́к. 6. Больша́я си́няя кни́га. 7. Хоро́шее весе́ннее со́лнце. 8. Но́вые англи́йские слова́.

2. Fill in the blank spaces with suitable adjectives on the right. Make these adjectives agree with the nouns in gender and number. Underline the "soft" endings of the adjectives.

Example: но́вый самолёт

| ... самолёт, ... го́род, ... река́, ... по́ле, ...цветы́, ... мост, ... трава́, ... сады́, ... день, ... пого́да, ... колхо́зы, ... не́бо, ... расте́ния, ... гора́, ... со́лнце, ... учи́тельница, ... студе́нты, ... челове́к, ... колхо́зница, ... това́рищи | большо́й, ру́сский, но́вый, молодо́й, кра́сный, зелёный, си́ний, голубо́й, англи́йский, весе́нний, хоро́ший, интере́сный |

3. Translate into English:

1. Э́тот студе́нт хорошо́ говори́т по-ру́сски. 2. Здесь лежи́т но́вый ру́сский журна́л. 3. Там стои́т си́няя ва́за. 4. Ваш но́вый учени́к отвеча́ет хорошо́. 5. Э́та но́вая кни́га о́чень интере́сная. 6. Мой това́рищ изуча́ет ру́сский язы́к. 7. Э́та молода́я де́вушка хорошо́ поёт. 8. Куда́ идёт э́тот молодо́й челове́к? 9. Что де́лает ваш ста́рый това́рищ?

4. Put in the plural the words given in bold type in Exercise 3 and change other words in the sentence to agree with them.

Example: Э́тот учени́к хорошо́ чита́ет. Э́ти ученики́ хорошо́ чита́ют.

5. Insert according to the sense the adjective *хоро́ший* or the adverb *хорошо́*:

1. Това́рищ Ивано́в ... рабо́чий. Он рабо́тает ... .
2. Вот ... перо́. Оно́ ... пи́шет.
3. Э́ти цветы́ ... па́хнут. Э́то ... цветы́.
4. Мой брат ... говори́т по-ру́сски. Он ... студе́нт.
5. Ва́ши ученики́ ... отвеча́ют. Э́то ... ученики́.

УРОК 18⁶

ВЕСЕННИЙ ДЕНЬ

Весна́. Све́тит я́ркое со́лнце. Не́бо си́нее. Стои́т хоро́шая весе́нняя пого́да.

Вот больша́я ру́сская дере́вня. Ря́дом фе́рма и но́вая краси́вая шко́ла. Здесь колхо́з «Но́вый путь».

Како́е большо́е по́ле вдали́! Это колхо́зная земля́. Колхо́зники стара́тельно рабо́тают. Они́ па́шут и се́ют.

Здесь и там стуча́т но́вые тра́кторы. Хорошо́ рабо́тает колхо́зная гидроста́нция.

Звучи́т бо́драя пе́сня.

Но вот идёт больша́я чёрная ту́ча. Греми́т пе́рвый весе́нний гром. Идёт си́льный дождь.

Ско́ро гроза́ прохо́дит. Опя́ть не́бо си́нее. Как хорошо́ све́тит я́ркое весе́ннее со́лнце! Колхо́зники рабо́тают. Всю́ду звуча́т бо́дрые пе́сни. Како́й хоро́ший весе́нний день!

СЛОВАРЬ VOCABULARY

весна́ *f* spring
свети́ть (свечу́, све́тишь) *II* to shine
я́рк‖ий, -ая, -ое; -ие bright
со́лнце *n* sun

пого́да *f* weather
дере́вня *f* village
фе́рма *f* farm
путь *m* way, path

вдали *adv* in the distance
колхóзн‖ый, -ая, -ое; -ые collective farm
стара́тельно *adv* perseveringly, assiduously
паха́ть (пашу́, па́шешь) *I* to plough, to till
се́ять (се́ю, се́ешь) *I* to sow
стуча́ть *II* to rattle, to knock
тра́ктор *m* tractor
звуча́ть *II* to sound
бо́др‖ый, -ая, -ое; -ые cheerful, bracing
пе́сня *f* song

чёрн‖ый, -ая, -ое; -ые black
ту́ча *f* cloud
греме́ть (гремлю́, греми́шь) *II* to thunder
перв‖ый, -ая, -ое; -ые first
гром *m* thunder
си́льн‖ый, -ая, -ое; -ые strong
дождь *m* rain
ско́ро *adv* soon
гроза́ *f* thunderstorm
проходи́ть (прохожу́, прохо́дишь) *II* to pass
опя́ть *adv* again
день *m* day

Замечание к словарю Vocabulary Note

Do not confuse весна́ (*noun*) *spring*, with весе́нний (*adj*) *spring* and весно́й (*adv*) *in spring*:

Весна́. It is spring.
Весе́нний день. A spring day.
Весно́й хорошо́. It is fine in spring.

УПРАЖНЕНИЯ EXERCISES

1. Pick out the adjectives in the text. Indicate the noun they qualify and state its gender and number.

2. a) Give the plural of the following nouns, verbs and adjectives:
Хоро́ший весе́нний день. Вдали́ зелёный лес. Вот большо́е колхо́зное по́ле. Здесь рабо́тает но́вый тра́ктор. Хорошо́ па́шет но́вый плуг. Хорошо́ рабо́тает но́вая гидроста́нция.
b) Underline the "soft" endings of the adjectives.

3. Indicate the person, number and conjugation of the verbs in the text «Весе́нний день».

4. Translate into Russian:
It is a fine winter day. There is white snow all round. In the distance there are a big forest and a wide river. The sun shines brightly, the ice sparkles.

5. State with which letter, ы or и, the blank spaces should be filled in:
1. Здесь стоя́т больш...е дома́. 2. Как...е хоро́ш...е сады́ вокру́г! 3. Вот но́в...е сове́тск...е маши́ны. 4. Стоя́т хоро́ш...е лётн...е дни.

6. Put the plural form into the singular (in the sentences given in Exercise 5).

7. Translate into Russian. State to what part of speech each of the words in bold type belongs:
1. Here is a **Russian** book. The student Nikitin is **Russian**.
2. These are **Russian** students. **Russians** work here.
3. The working woman Ivanova is a **Russian**. Here is a **Russian** collective farm woman.
4. We speak **Russian** well.
5. My father is a **worker**. Here are Russian **workers**.
6. This is our **work**-room.
7. You are an **Englishman**. Your wife is an **Englishwoman**.
8. I am studying the **English** language.

8. Underline the suffixes in the following adjectives:
колхо́зный, си́льный, ра́достный, весе́нний

УРОК 19ª

Grammar:

    The Short Form of Adjectives.
    Formation of Adverbs Ending in -o from
       Qualitative Adjectives.
    The Verb **есть.**
    The Expressions **у меня, у меня есть.**

ГРАММАТИКА GRAMMAR

1. The Short Form of Adjectives

The forms of the adjective explained in the previous lessons, for example, **молодой, интересный** are called the complete forms, as distinct from the short forms **молод, интересен.** The complete form of the adjective may be either attributive or predicative. The short form can only be predicative.

Complete form: Молодой рабочий. Young worker.
Short form: Рабочий мо́лод (= молодой). The worker is young.
Complete form: Интересные книги. Interesting books.
Short form: Книги интересны (= интересные). The books are interesting.

Formation of the Short Form of Adjectives

The short form of adjectives is obtained from the complete form of qualitative adjectives. To obtain the short form of an adjective in the masculine singular, the ending should be dropped from the complete form of the corresponding qualitative adjective.

The short form of adjectives in the masculine singular has no ending and is the same as the stem.

For the short form of adjectives in the feminine singular, the ending -a is added to the stem of the word; for the short form of adjectives in the neuter singular, the ending -o is added to the stem of the word.

Gender and number	Complete form		Short form
Masculine	молодо́й		мо́лод
Feminine	молода́я	young	молод+á
Neuter	молодо́е		мо́лод+о
Plural	молоды́е		мо́лод+ы

4•

Whenever the complete form of adjectives has two consonants before the ending, for the short form of adjectives in the masculine singular the vowels **o, e,** or **ё** are usually put between the consonants (this facilitates the pronunciation).

Since the adjectives **ло́вкий (-вк-)** *deft*, **интере́сный (-сн-)** *interesting* and **у́мный (-мн-)** *clever* have two consonants before the ending, the short form of these adjectives is formed in the manner indicated above.

Gender and number	Complete form		Short form
Masculine Feminine Neuter Plural	ло́вкий ло́вкая ло́вкое ло́вкие	} deft	ло́вок ловк+а́ ло́вк+о ло́вк+и
Masculine Feminine Neuter Plural	у́мный у́мная у́мное у́мные	} clever	умён умн+а́ умн+о́ умн+ы
Masculine Feminine Neuter Plural	интере́сный интере́сная интере́сное интере́сные	} interesting	интере́сен интере́сн+а интере́сн+о интере́сн+ы

Agreement of Short Adjectives and Nouns

In the singular, the short adjective agrees in gender with the noun to which it refers. In the plural, there is one form for all three genders.

Masculine:	Этот спортсме́н ло́вок.	This sportsman is deft.
Feminine:	Его́ сестра́ умна́ и краси́ва.	His sister is clever and beautiful.
Neuter:	Это упражне́ние интере́сно.	This exercise is interesting.
Plural:	Мои́ това́рищи ещё мо́лоды.	My comrades are still young.

The Position of the Short Form of the Adjective and its Function in the Sentence

The short adjective may stand either before or after the noun. For example:

Как ещё мо́лоды ва́ши това́рищи! Как ва́ши това́рищи ещё мо́лоды!	How young your comrades still are!

In most cases the short adjective stands after the noun to which it refers. When the sense requires that emphasis be laid on the short adjective, it is put before the noun it qualifies.

Irrespective of whether the short adjective stands before or after the noun it qualifies, it is always predicative.

2. Formation of Adverbs Ending in *-o* from Qualitative Adjectives

Adverbs such as **хорошо́, бы́стро, краси́во** are derived from qualitative adjectives by adding the suffix **-o** to the stem of the word:

хоро́ш-ий	good	хорош + **ó** — хорошо́	well
бы́стр-ый	quick	бы́стр + о — бы́стро	quickly, fast
краси́в-ый	beautiful	краси́в + о — краси́во	beautifully

This adverb form coincides with the short adjective in the singular neuter.

It should not be forgotten that the adjective goes with the noun and the adverb with the verb (cf. examples):

Не́бо **краси́во** (*adj*). The sky is **beautiful.**

Он говори́т **краси́во** (*adv*). He speaks **beautifully.**

Adjectives (or adverbs) ending in **-o** can be used as impersonal sentences:

хорошо́	it is well
тепло́	it is warm
интере́сно	it is interesting

3. The Verb *есть*

The verb **есть** (is, are) is not generally used as a link-verb. It is used in certain Russian phrases to signify *there is, there are:*

Здесь **есть** лес. There is a wood here.

Есть здесь и река́. There is also a river here.

> N o t e: The verb **есть** is the form of the present tense third person singular of the verb **быть** *to be* (present tense). The other forms of this verb are not used.

4. The Expressions *у меня́, у меня́ есть*

The expressions **у меня́, у меня́ есть** correspond to the English *I have* (they cannot be translated literally). The verb **есть** is used in this expression when it is necessary to emphasize the possession of a certain object by somebody:

У меня́ есть каранда́ш. I have a pencil.

У меня́ есть кра́сный каранда́ш. I have a red pencil.

When the possession of the object by somebody is known and it is only necessary to emphasize some feature of the object, the verb **есть** is generally omitted.

У меня́ кра́сный каранда́ш. I have a red pencil.

The expressions **у меня́** and **у меня́ есть** answer to the question **у кого́ (есть)?** *who has?*

У кого́ (есть) ру́сская газе́та? Who has a Russian newspaper?
    У меня́.   I have.

The Personal Pronoun in the Expressions *у меня́, у меня́ есть*

In the expression **у меня́** the personal pronoun has a definite form for each person.

у кого́?		
У меня́ (у меня́ есть) У тебя́ (у тебя́ есть) У него́ (у него́ есть) } хоро́шая кни́га, У неё (у неё есть) У него́ (у него́ есть) } хоро́шие кни́ги.		У нас (у нас есть) У вас (у вас есть) } хоро́шая кни́га, У них (у них есть) } хоро́шие кни́ги.

The expression **у вас** may refer to one or more persons:

Това́рищ, каки́е у вас кни́ги? Comrade, what books have you?
Това́рищи, каки́е у вас кни́ги? Comrades, what books have you?

The expression **у меня́** may mean *at my home* or *with me*:

Това́рищ Ивано́в сейча́с у меня́. Comrade Ivanov is with me (at my house).

Сего́дня у нас го́сти. There are guests at our home to-day.

СЛОВА́РЬ VOCABULARY

19 девятна́дцать nineteen
ло́вк‖ий, -ая, -ое; -ие deft
у́мн‖ый, -ая, -ое; -ые clever

есть is, are; there is, there are
у меня́ есть I have (cf. Grammar)
у кого́ есть? who has?
быть to be

УПРАЖНЕ́НИЯ EXERCISES

1. Read, translate into English and indicate the difference in the translation of each pair of sentences:

1. Вот мой ста́рый оте́ц. Мой оте́ц стар. 2. Чита́йте! Это интере́сная кни́га. Эта кни́га интере́сна. 3. Вот но́вые журна́лы.

102

Эти журна́лы не но́вы. 4. Каки́е хоро́шие весе́нние цветы́! Как хоро́ши весе́нние цветы́. 5. Во́лга — широ́кая река́. Река́ Во́лга широка́. 6. Бума́га о́чень бе́лая. Бума́га о́чень бела́.

2. Translate the following sentences into English. Indicate the instances in which one and the same word occurs as an adverb and in which it occurs as a short adjective in the neuter singular:

1. Не́бо я́сно. Вы говори́те я́сно. 2. Э́то сло́во но́во. Э́то звучи́т не но́во. 3. Хорошо́ в по́ле ле́том. Колхо́зники рабо́тают хорошо́. 4. Всё я́рко вокру́г. Со́лнце све́тит я́рко.

3. Copy out from Exercise 1 all the complete and short adjectives together with the nouns they qualify and state their gender and number.

Example: ста́рый оте́ц, оте́ц стар *m, sing*

4. Translate into English:

1. У вас есть уче́бник. 2. У вас но́вый уче́бник. 3. У меня́ газе́та «Пра́вда». 4. Сего́дня у нас уро́к. 5. У тебя́ хоро́шая тетра́дь. 6. Колхо́зники па́шут, у них но́вые маши́ны. 7. Где Ве́ра? У неё моя́ тетра́дь. 8. У кого́ есть ру́сско-англи́йский слова́рь? У меня́.

5. Fill in the blank spaces with the Russian phrase which corresponds to the English *I have,* bearing in mind the person indicated in the first part of the sentence:

Example: **Мы** чита́ем по-ру́сски, **у нас** ру́сская кни́га.

1. Я изуча́ю ру́сский язы́к, у … есть но́вый уче́бник. 2. Де́ти пи́шут, у … но́вые ру́чки и тетра́ди. 3. Моя́ сестра́ учи́тельница, у … интере́сная рабо́та. 4. Мы говори́м по-ру́сски, сейча́с у … уро́к. 5. Мой това́рищ де́лает успе́хи, у … хоро́ший учи́тель.

УРОК 19ᵍ

МОЙ БРАТ И СЕСТРА

Я студе́нт. У меня́ есть брат и сестра́. Мой брат Ви́ктор и сестра́ Ве́ра то́же студе́нты. Мой брат гео́лог, я фи́зик, а моя́ сестра́ — фило́лог. Заня́тия у нас иду́т успе́шно.

Мы все спортсме́ны. Брат мой — альпини́ст. Он ло́вок, силён и смел. Моя́ сестра́ хорошо́ игра́ет в те́ннис, хорошо́ пла́вает и бе́гает. Я же игра́ю в футбо́л. Футбо́л — мой люби́мый спорт. Кро́ме того́, я и брат игра́ем в ша́хматы.

Мой брат о́чень высо́кий, у него́ тёмные во́лосы, а глаза́ се́рые, как у меня́. У него́ у́мное энерги́чное лицо́. Сестра́ на́ша краси́ва, остроу́мна и весела́, у неё све́тлые во́лосы и больши́е си́ние глаза́. Ве́ра хорошо́ поёт. У неё хоро́ший го́лос.

Мой брат и моя́ сестра́ — хоро́шие студе́нты. Заня́тия у них, как и у меня́, — гла́вная цель. Мы мно́го чита́ем. У нас всегда́ есть но́вые кни́ги и журна́лы.

Мой брат, моя́ сестра́ и я о́чень дружны́.

СЛОВА́РЬ VOCABULARY

гео́лог *m* geologist
фи́зик *m* physicist
фило́лог *m* philologist
заня́тие *n* study, occupation
успе́шно *adv* successfully
альпини́ст *m* Alpinist
игра́ть *I* to play
те́ннис *m* tennis
пла́вать *I* to swim
бе́гать *I* to run
футбо́л *m* football
люби́м||ый, -ая, -ое; -ые favourite
спорт *m* sport
кро́ме того́ besides
ша́хматы *pl* chess
   игра́ть в ша́хматы to play chess
высо́к||ий, -ая, -ое; -ие tall
тёмн||ый, -ая, -ое; -ые dark

во́лосы *pl* hair
глаз *m* eye; глаза́ *pl*
у́мн||ый, -ая, -ое; -ые clever, intelligent
энерги́чн||ый, -ая, -ое; -ые energetic
лицо́ *n* face
остроу́мн||ый, -ая, -ое; -ые witty
весёл||ый, -ая, -ое; -ые jolly
све́тл||ый, -ая, -ое; -ые light; све́тлые во́лосы fair hair
петь (пою́, поёшь) *I* to sing
го́лос *m* voice
гла́вн||ый, -ая, -ое; -ые main, principal, chief
цель *f* aim
всегда́ *adv* always
дру́жен, дружна́; дружны́ friendly

Выраже́ния Expressions

игра́ть в ша́хматы to play chess
игра́ть в футбо́л to play football
игра́ть в те́ннис to play tennis

104

Произношение Pronunciation

в → [ф] всегда, все

л "hard" ло́вок, смел, футбо́л, журна́л, фило́лог, гео́лог, го́лос, глаза́, во́лосы, весела́, смела́

УПРАЖНЕНИЯ EXERCISES

1. Indicate what does not correspond to the text in the following statements:

Мой брат — футболи́ст. Он невысо́кий, у него́ све́тлые во́лосы и си́ние глаза́. Он фи́зик. Моя́ сестра́ — альпини́стка. Она́ хорошо́ игра́ет в ша́хматы. У неё чёрные во́лосы и се́рые глаза́. Я фило́лог и альпини́ст.

2. Give the short form of the adjectives from the following words:

Example: а) молодо́й — мо́лод, молода́, мо́лодо; мо́лоды

краси́вый, но́вый, высо́кий, хоро́ший, широ́кий, зелёный, весёлый

Example: б) кра́сный — кра́сен, красна́, красно́; красны́

я́сный, све́тлый, тёмный, чёрный, остроу́мный, энерги́чный, дру́жный, серьёзный

3. Fill in the blank spaces with suitable adjectives selected from the words given below:

я́сно, мо́лод, остроу́мен, зе́лен, умна́, широка́, широко́, высо́к, смелы́, краси́ва, хоро́ш

1. Мой брат ... . 2. Моя́ сестра́ ... . 3. Сего́дня не́бо ... . 4. Наш сад ... . 5. Река́ Во́лга о́чень ... . 6. Этот дом ... . 7. Колхо́зное по́ле ... . 8. Мой това́рищ ещё ... . 9. Эти лю́ди ... . 10. Весе́нний день ... .

4. Substitute the complete form of the adjective for the short form as follows:

Его́ сестра́ умна́. Его́ сестра́ у́мная.

1. Това́рищ Ивано́в — спортсме́н, он ло́вок и смел. 2. Де́ти сего́дня ве́селы. 3. Эта кни́га о́чень интере́сна. 4. Ро́за о́чень краси́ва. 5. Мой брат о́чень энерги́чен.

5. Translate into Russian:

1. We have interesting Russian books. 2. There is the magazine "Science and Life" here. 3. What dictionary have you? 4. I have a Russian-English dictionary. 5. We are having a lesson now. 6. Victor and Nikolai read a great deal; they always have fresh newspapers and magazines. 7. Vera is an engineer; she has interesting work.

УРОК 20ª

Grammar:
Words Expressing Modality: до́лжен,
мо́жно, ну́жно, нельзя́, мочь, хо-
те́ть.

ГРАММАТИКА GRAMMAR

Words Expressing Modality

The words до́лжен, мо́жно, ну́жно, нельзя́, мочь, хоте́ть
express possibility, necessity, desirability, i. e. modality.

The Word *до́лжен*

The word до́лжен *must* has the form of a short adjective and
like short adjectives it changes for gender and number:

Singular	Plural
я до́лжен, должна́ I must ты до́лжен, должна́ you must он до́лжен he must она́ должна́ she must оно́ должно́ it must	мы должны́ we must вы должны́ you must они́ должны́ they must

In the negative the particle **не** is put before the word **до́лжен.**
The word **до́лжен** in all its forms is usually followed by the
infinitive:

Я до́лжен **рабо́тать** здесь. I must work here.

The Words *мо́жно, ну́жно, нельзя́*

The words **мо́жно** *may*, **ну́жно** *must, ought*, **нельзя́** *must not*
are always used with the infinitive. The combination of one of
these words with the infinitive usually serves as the predicate in
impersonal constructions, i. e. in sentences in which in the Russian
the subject is absent.

Сего́дня **мо́жно** игра́ть в фут-бо́л.	To-day it is possible to play football.
Ну́жно учи́ть уро́ки.	Lessons must be learned.
Здесь **нельзя́** шуме́ть.	No noise must be made here.

The Verb *мочь*

Some verbs take the ending **-чь** in the infinitive. The verb
мочь is one of them.

Infinitive: **мочь** I *to be able, can*

| Present Tense ||
Singular	Plural
я могу́ I can ты мо́жешь you can он ⎱ она́ ⎰ мо́жет she can оно́ ⎰ it can	мы мо́жем we can вы мо́жете you can они́ мо́гут they can

In conjugating the verb **мочь** *to be able, can* note the following: the stem in the 1st person singular and the 3rd person plural contains the consonant **г**; the stem in all the other persons contains the consonant **ж**.

This alternation of the sounds **г** and **ж** is found in a number of Russian verbs.

The verb **мочь** has no imperative form.

Note the difference between the verbs **мочь** and **уме́ть**. The verb **уме́ть** *to be able (can)* expresses ability as a result of knowledge or experience:

Я **уме́ю** чита́ть по-ру́сски. I can read Russian.

The verb **мочь** *to be able (can)* signifies the capacity (mental or physical) to do something.

Я **могу́** мно́го чита́ть. I can read a lot.

The Verb *хоте́ть*

In Russian there are a few verbs of mixed conjugation. When conjugated, these take the endings of Conjugations I and II. Such a verb is **хоте́ть** *to want* which in the singular is conjugated according to Conjugation I and in the plural according to Conjugation II.

Infinitive: **хоте́ть** *to want*

| Present Tense ||
Singular	Plural
я хочу́ I want ты хо́чешь you want он ⎱ она́ ⎰ хо́чет she ⎱ wants оно́ ⎰ it ⎰	мы хоти́м we ⎱ вы хоти́те you ⎰ want они́ хотя́т they ⎰

In conjugating the verb **хоте́ть**, we see that the letters **т —
ч — т** occur alternately in its root. This alternation of the consonants **т — ч — т** occurs in the conjugation of some Russian verbs.
The verb **хоте́ть** is not used in the imperative.

СЛОВАРЬ VOCABULARY

20 два́дцать twenty
до́лжен, должн||а́, -о́; -ы́ must
мо́жно may
ну́жно must, need, ought

нельзя́ must not
мочь (могу́, мо́жешь) *I* to be able,
can, may
хоте́ть (хочу́, хо́чешь) *mixed conj.* to
want

Произношение Pronunciation

Note the pronunciation of the unstressed vowels **o** and **e**.

o → [ʌ] хочу́, хоти́м, могу́, должна́, должны́
o → [ə] мо́жно, ну́жно
e → [ɪ] нельзя́, немно́го.

УПРАЖНЕНИЯ EXERCISES

1. Read and translate into English:

1. Сего́дня хоро́шая пого́да — **мо́жно** игра́ть в те́ннис.
2. Я **не могу́** игра́ть: я **до́лжен** учи́ть уро́к. 3. Вы **уме́ете**
игра́ть в ша́хматы? Да, немно́го. 4. Здесь **нельзя́** гро́мко говори́ть: все **рабо́тают**. 5. Я **уме́ю** чита́ть по-ру́сски. 6. Мы **хоти́м**
хорошо́ говори́ть по-ру́сски. 7. Ве́ра **мо́жет** петь: у неё хоро́ший го́лос. 8. Мой оте́ц **не мо́жет** идти́ бы́стро. 9. У нас сейча́с
уро́к: мы **не должны́** шуме́ть. 10. Это **ну́жно** хорошо́ знать.

2. Point out the impersonal constructions in the preceding exercise. Indicate the gender of the word *до́лжен* and the person and number of the other verbs.

Example: мо́жно петь (*impersonal*)

я должна́ петь (*f sing*)

вы уме́ете петь (*2nd person pl*)

3. Fill in the blank spaces, using the word *до́лжен* in the required form:

1. Сейча́с идёт уро́к: ученики́ ... сиде́ть ти́хо. 2. Учи́тель
дикту́ет, а мы ... писа́ть. 3. Я ... повторя́ть уро́к. 4. Перо́ ...
лежа́ть здесь, а ла́мпа ... стоя́ть там. 5. Моя́ сестра́ сего́дня
... рабо́тать. 6. Что Вы ... сего́дня де́лать? 7. Куда́ ты ...
сейча́с идти́? 8. Учи́тель спра́шивает, мы ... отвеча́ть.

4. Copy the following sentences. Fill in the blank spaces, using the verb *мочь* in the required form:

1. Я ... рабо́тать.
2. Ты ... игра́ть.
3. Он ... петь.
4. Мы ... говори́ть гро́мко.
5. Вы ... идти́ бы́стро.
6. Они́ ... чита́ть ти́хо.

5. Fill in the blank spaces in Exercise 4, using the verb *хоте́ть* in the required form.

6. Compose sentences, using any form of the word *до́лжен* and the verbs *хоте́ть* and *мочь*.

УРОК 20⁰

ТЕКСТ

Мой това́рищ обы́чно ве́сел и здоро́в. Но сего́дня он бо́лен и не мо́жет рабо́тать. У него́ си́льный жар. Голова́ у него́ горя́чая, а ру́ки и но́ги холо́дные.

Прихо́дит до́ктор и спра́шивает:

— Что у Вас боли́т?

— У меня́ боли́т го́рло и голова́, я не могу́ глота́ть, — отвеча́ет больно́й. Боли́т всё те́ло.

— Кака́я у Вас температу́ра?

— Очень высо́кая.

— Есть у Вас на́сморк и ка́шель?

— Ка́шель небольшо́й, а на́сморк си́льный.

— У Вас грипп и анги́на. Это не опа́сно: у Вас се́рдце рабо́тает хорошо́.

— Я до́лжен лежа́ть?

— Да, коне́чно. Ходи́ть и рабо́тать пока́ нельзя́. Ну́жно споко́йно лежа́ть, принима́ть лека́рство и бо́льше ничего́. Вот реце́пт и больни́чный лист. До свида́ния.

— Спаси́бо, до́ктор. До свида́ния.

До́ктор ухо́дит. Ско́ро больно́й засыпа́ет.

A saying: У кого́ что боли́т, тот про то и говори́т. (Whatever pains one, one speaks of it, *lit.*) The tongue ever turns to the aching tooth.

СЛОВА́РЬ VOCABULARY

обы́чно *adv* usually
здоро́в, -а, -о; -ы healthy
бо́лен, больн||а́, -о́; -ы́ ill
жар *m* fever
голова́ *f* head
горя́ч||ий, -ая, -ее; -ие hot
рука́ *f* hand
нога́ *f* foot
холо́дн||ый, -ая, -ое; -ые cold
приходи́ть (прихожу́, прихо́дишь) *II* to come
боли́т it aches, it hurts
го́рло *n* throat
глота́ть *I* to swallow
отвеча́ть *I* to answer
больн||о́й, -а́я, -о́е; -ы́е patient, sick (person)
те́ло *n* body
температу́ра *f* temperature

на́сморк *m* a cold (in the head)
ка́шель *m* cough
грипп *m* influenza, grippe
анги́на *f* sore throat, tonsillitis, quinsy
опа́сно *adv* dangerously; it is dangerous
се́рдце *n* heart
коне́чно of course
пока́ for the time being
споко́йно *adv* quietly
принима́ть *I* to take
лека́рство *n* medicine
бо́льше ничего́ nothing else
реце́пт *m* prescription
больни́чный лист sick leave certificate (cf. note)
уходи́ть (ухожу́, ухо́дишь) *II* to leave
ско́ро soon
засыпа́ть *I* to fall asleep

Замечание к словарю Vocabulary Note

Do not confuse the words:

больно́й *patient, sick (person);* **бо́лен** *ill;* **боли́т** *aches*

N o t e: The sick leave certificate entitles Soviet citizens to sick benefit. Every Soviet citizen has the right to draw his wages or salary for the period during which he or she is incapacitated by illness.

Выражения Expressions

У кого́ боли́т? Who has pain, an ache?

У меня́		I have
У тебя́		You have
У него́	боли́т голова́,	He has
У неё	боля́т глаза́.	She has
У нас		We have
У вас		You have
У них		They have

a headache, an eye ache.

Что у вас боли́т? What ails you?
У меня́ **ничего́** не боли́т. Nothing ails me. I have no aches (no pain).

УПРАЖНЕНИЯ EXERCISES

1. **Indicate in what way the following statements do not correspond to the text of this lesson:**

1. Това́рищ Ивано́в сего́дня здоро́в. 2. Он сиди́т и рабо́тает. 3. У него́ не боли́т голова́, но се́рдце рабо́тает пло́хо. 4. Он до́лжен мно́го ходи́ть.

2. **Fill in the blank spaces with the expression *у меня́ боли́т* (or *боля́т*). See that the expression agrees in number and person with the subject to which it refers.**

1. Я не могу́ чита́ть, у ... ... голова́. 2. **Вы** больны́, у ... ... го́рло. 3. **Мой брат** сего́дня не рабо́тает, у ... ... глаза́. 4. **Ве́ра** не мо́жет сего́дня игра́ть в те́ннис, у ... ... рука́. 5. **Ты** не мо́жешь идти́ бы́стро, у ... ... но́ги. 6. **Воло́дя** и **Ви́тя** здоро́вы: у ... ничего́ не ... . 7. **Мы** здоро́вы, у ... то́же ничего́ не ... .

3. **Indicate in what sentences you have written the form *боля́т* and explain why.**

4. **Give the person, number and conjugation of the following verbs:**

1. До́ктор **спра́шивает:** «Что у вас **боли́т?**» 2. Ты **принима́ешь** лека́рство. 3. Мы мно́го **хо́дим.** 4. Куда́ вы **ухо́дите?** 5. Това́рищ Ивано́в бо́лен, он **лежи́т.** 6. Он **хо́чет** чита́ть и не **мо́жет.** 7. Что вы **хоти́те?**

5. **Translate into Russian:**

1. I am well, nothing ails me. 2. I can walk a great deal. 3. What must your brother do to-day? He must work. 4. The weather is fine to-day, we can go swimming. 5. Is your sister ill? What ails her? 6. She has influenza and tonsillitis, she must stay in bed. 7. There is a sick person here; you mustn't make a noise.

УРОК 21ª

Grammar:

The Past Tense of the Verb быть.
The Expression у меня был.
Был as a Link-Verb.

ГРАММАТИКА GRAMMAR

1. The Past Tense of the Verb *быть*

In Russian, there is only one past tense, the past indicative, which may correspond to the English past indefinite or past continuous:

Вчера́ мой брат **был** до́ма.	Yesterday my brother *was* at home.
Он мно́го **чита́л** по-ру́сски.	He *read* a great deal in Russian.
Вчера́ он **чита́л**.	He *was reading* yesterday.

Был, чита́л are forms of the past tense.

The past tense is formed from the stem of the infinitive to which **-л**, the suffix of the past tense, is added. To form the past tense, the **-ть** or **-ти** ending of the infinitive is dropped and the suffix **-л** added, thus:

$$\text{чита́\|ть} + \text{л} - \text{чита́л}$$
$$\text{говори́\|ть} + \text{л} - \text{говори́л}$$
$$\text{бы\|ть} + \text{л} - \text{был}$$

Russian verbs do not change for person in the past tense, but only for gender (in the singular) and for number (singular and plural).

In the masculine, there is no ending after the suffix **-л,** in the feminine, there is the ending **-a**, in the neuter — **-o**; in the plural there is one ending for all three genders· **-л.**

Masculine	Feminine	Neuter	Plural (for all the genders)
-л	-л + a	-л + o	-л + и
чита́л говори́л был	чита́ла говори́ла была́	чита́ло говори́ло бы́ло	чита́ли говори́ли бы́ли

Verbs in the past tense are not distinguishable by conjugation. In the majority of cases they are conjugated as follows:

Infinitive: **быть** *to be*

Past Tense	
Singular	Plural
я был *m*, была́ *f* ты был *m*, была́ *f* он был она́ была́ оно́ бы́ло	мы бы́ли вы бы́ли они́ бы́ли

Infinitive: **чита́ть** *to read*

Past Tense	
Singular	Plural
я чита́л *m*, чита́ла *f* ты чита́л *m*, чита́ла *f* он чита́л она́ чита́ла оно́ чита́ло	мы чита́ли вы чита́ли они́ чита́ли

2. The Expression *у меня́ был*

The expression **у меня́ был** corresponds to the English *I had*. The verb **был** in this phrase changes in number and gender to suit the noun to which it refers.

The personal pronoun has a different form for each person. (Cf. Lesson 19[a], the expression **у меня́ есть**):

у меня́
у тебя́
у него́
у неё } был уро́к, была́ кни́га,
у нас   бы́ло перо́, бы́ли газе́ты
у вас
у них }

3. *Был* as a Link-Verb

Был (in all its forms) as a link-verb is rarely omitted:

Моя́ мать **была́** учи́тельница.	My mother *was* a teacher.
Оте́ц **был** стар.	Father *was* old.
Кни́ги **бы́ли** интере́сные.	The books *were* interesting, etc.

When in the past tense the word **до́лжен** is used with the link-verb **был**, it corresponds to the English *had to*:

Вчера́ мы **должны́ бы́ли** учи́ть уро́к.	Yesterday we *had to* study our lesson.
Та́ня **должна́ была́** рабо́тать.	Tanya *had to* work.

In such examples as **бы́ло хорошо́, бы́ло тепло́**, etc. the link-verb is used in the neuter gender.

СЛОВА́РЬ VOCABULARY

21 два́дцать оди́н twenty-one	до́лго for a long time
быть to be	у меня́ был I had (cf. Grammar)
вчера́ yesterday	неда́вно recently
позавчера́ the day before yesterday	давно́ long ago

Произноше́ние Pronunciation

In the past tense singular the л is pronounced hard:

л "hard" чита́л, был, говори́л

чита́ла, была́, говори́ла

чита́ло, бы́ло, говори́ло

In the past tense plural the л is pronounced softly:

л → [ль] чита́ли, бы́ли, говори́ли

УПРАЖНЕ́НИЯ EXERCISES

1. Read the following sentences and translate them into English. Indicate the gender and number of the verbs in the past tense:

Example: чита́л — *m sing*

1. Вчера́ **была́** хоро́шая пого́да. 2. Колхо́зники **паха́ли** и **се́яли**. 3. Я́рко **свети́ло** со́лнце. 4. Я **был** вчера́ до́ма. 5. Что ты вчера́ **де́лал?**

2. From the sentences given above copy out the verbs in the past tense and indicate the infinitive form from which they are derived:

Example: чита́л — чита́ть

3. Give the past tense of the following verbs:

Example: чита́ть — чита́л, чита́ла, чита́ло, чита́ли

рабо́тать, слу́шать, петь, игра́ть, изуча́ть, уме́ть

4. Fill in the blanks with the verbs given in the right-hand column, using the past tense in the required form:

1. Вчера́ у нас ... уро́к.	быть
2. Мы мно́го ... по-ру́сски.	говори́ть
3. Наш учи́тель	диктова́ть
4. Я ... и	слу́шать, писа́ть
5. Моя́ мать хорошо́	петь
6. Что вы вчера́ ... ?	де́лать
7. Где ... э́то письмо́?	лежа́ть
8. Де́ти ... до́ма.	игра́ть
9. Газе́та ... интере́сная.	быть
10. Цветы́ ... там.	стоя́ть
11. У нас ... но́вые журна́лы.	быть
12. Мой оте́ц ... инжене́р.	быть
13. Де́вушка хорошо́	рабо́тать
14. Она́ ... говори́ть по-англи́йски.	уме́ть
15. Сло́во ... но́вое.	быть

5. Form adverbs from the following adjectives:

Example: хоро́ший — хорошо́

холо́дный, тёплый, горя́чий, жа́ркий, дли́нный, коро́ткий, све́жий, чи́стый

6. Indicate the adjectives from which the following adverbs are derived:

Example: хорошо́ — хоро́ший

я́сно, я́рко, бы́стро, ме́дленно, высоко́, гро́мко, ти́хо

УРОК 21ᵉ

ЗИМОЙ И ЛЕТОМ

Тепе́рь зима́. Дни стоя́т коро́ткие, а но́чи дли́нные. Ча́сто идёт снег. Зимо́й у нас быва́ют си́льные моро́зы. Стои́т холо́дная зи́мняя пого́да. Коньки́ и лы́жи — хоро́ший спорт зимо́й. Вчера́ и позавчера́ был моро́з. Бы́ло хо́лодно, но прия́тно. Во́здух был чи́стый, све́жий.

Ещё не так давно́ бы́ло ле́то. Тогда́ бы́ло тепло́ и да́же жа́рко, дни бы́ли дли́нные, а но́чи коро́ткие. Мы отдыха́ли за́ городом. Там мы мно́го гуля́ли. Стоя́ла хоро́шая ле́тняя пого́да. Не́бо бы́ло си́нее-си́нее. Всю́ду цвели́ цветы́: и кра́сные, и бе́лые, и жёлтые, и лило́вые. Трава́ была́ густа́я и зелёная. Высоко́ лета́ли пти́цы. Я́рко свети́ло со́лнце. Поспева́ли о́вощи, я́годы и фру́кты.

Ле́том я и мой това́рищи-студе́нты отдыха́ли. У нас бы́ли кани́кулы. Мы хорошо́ проводи́ли вре́мя: мно́го пла́вали, ходи́ли пешко́м. Мы хоро́шие тури́сты. Мой това́рищ Воло́дя, молодо́й инжене́р, — то́же тури́ст. Ле́том он до́лжен был рабо́тать, а тепе́рь у него́ о́тпуск. Он лю́бит отдыха́ть зимо́й.

СЛОВАРЬ VOCABULARY

тепе́рь *adv* now
коро́тк‖ий, -ая, -ое; -ие short
дли́нн‖ый, -ая, -ое; -ые long
ча́сто *adv* often
снег *m* snow; идёт снег it is snowing
быва́ть *I* here: to have
зи́мн‖ий, -яя, -ее; -ие winter, wintry
пого́да *f* weather
коньки́ *pl* skates
лы́жи *pl* skis
зимо́й *adv* in winter
прия́тно *adv* pleasantly; it is pleasant
чи́ст‖ый, -ая, -ое; -ые clean
све́ж‖ий, -ая, -ее; -ие fresh
так so, thus
давно́ *adv* long ago
не так давно́ = неда́вно *adv* recently
тепло́ *adv* warmly; it is warm

жа́рко *adv* hot; it is hot
гуля́ть *I* to walk
ле́тн‖ий, -яя, -ее; -ие summer, summerly
высоко́ *adv* high
пти́ца *f* bird
поспева́ть *I* to grow ripe, ripen
я́года *f* berry
отдыха́ть *I* to rest
кани́кулы *pl* holidays
проводи́ть (провожу́, прово́дишь) *II* to spend
вре́мя *n* time
пешко́м on foot
тури́ст *m* tourist
о́тпуск *m* leave, holiday
люби́ть (люблю́, лю́бишь) *II* to love

Замеча́ния к словарю́ Vocabulary Notes

Distinguish between the words горя́чий *hot*, тёплый *warm* and жа́ркий *hot*. In relation to the weather only тёплый and жа́ркий may be used.

Do not confuse the words: ле́то (*noun*) *summer* with ле́том (*adv*) *in summer*.

115

Выражения Expressions

идёт снег it is snowing
стоит хорошая погода the weather is fine
проводить время to spend the time

УПРАЖНЕНИЯ EXERCISES

1. Copy out from the text of this lesson all the verbs in the present and past tense and analyse them as follows:

Verb	Tense	Person (for verb in present tense)	Gender (for verb in past tense singular)	Number
стоит	present	3	—	sing
стоял	past	—	m	sing
стояли	past	—	—	pl

N o t e: Remember that verbs in the present tense have no gender forms, and that verbs in the past tense do not change for person (they change for gender only in the singular).

2. Translate the following sentences into English. Indicate the difference in translation of the words in bold type, showing in which cases they are translated as adjectives or adverbs and in which cases the phrases *it is* or *it was* should be added:

1. Мы **хорошо** проводим время. Летом здесь **хорошо**. 2. Сегодня стоит **холодная** погода. Сегодня **холодно**. 3. Дети сидели **тихо**. Было **тихо**. 4. Вы говорили **ясно**. Это было **ясно**. 5. Воздух был **свежий**. Вчера было **свежо**. 6. Мой товарищ **приятно** поёт. Это **приятно**.

3. Answer the following questions:

1. Какая сегодня погода: хорошая или плохая?
2. Сегодня холодно или тепло?
3. Какое сегодня небо: синее или серое?
4. Какая вчера была погода?
5. Какое вчера было небо?
6. Вчера было холодно или тепло?

4. Translate into Russian:

a) We are having a lesson now. The teacher is dictating in Russian. We are writing in Russian. We read, write and speak well.

b) Yesterday we had a lesson. The teacher was dictating in Russian. We were writing in Russian. We read, wrote and spoke well.

УРОК 22

ТЕКСТ

Джон — молодо́й англича́нин. Он высо́к, у него́ све́тлые во́лосы и се́рые глаза́. Мэ́ри — молода́я англича́нка. У неё чёрные во́лосы и голубы́е глаза́. Джон и Мэ́ри — хоро́шие спортсме́ны. Они́ мо́лоды и ве́селы. Джон хорошо́ игра́ет в футбо́л, Мэ́ри — в те́ннис.

Джон и Мэ́ри хорошо́ говоря́т по-ру́сски.

Молоды́е лю́ди изуча́ли ру́сский язы́к вме́сте. У них была́ о́пытная учи́тельница. Они́ ходи́ли на уро́к почти́ ка́ждый день. Тогда́ была́ зима́. Стоя́ли си́льные моро́зы, со́лнце гре́ло сла́бо.

Обы́чно уро́к проходи́л так: Джон и Мэ́ри чита́ли и расска́зывали по-ру́сски. Учи́тельница слу́шала, поправля́ла упражне́ния и задава́ла вопро́сы. Пото́м она́ объясня́ла но́вый уро́к. Иногда́ учи́тельница диктова́ла. Она́ чита́ла снача́ла ме́дленно, пото́м ещё раз — бы́стро. Джон и Мэ́ри слу́шали внима́тельно: они́ о́чень хоте́ли говори́ть и писа́ть пра́вильно. Учи́тельница задава́ла но́вый уро́к. Джон и Мэ́ри уходи́ли домо́й. До́ма они́ стара́тельно гото́вили но́вые уро́ки. Они́ должны́ бы́ли хорошо́ гото́вить уро́ки.

Это бы́ло давно́. Тепе́рь Джон и Мэ́ри уже́ уме́ют хорошо́ говори́ть по-ру́сски. Джон о́чень лю́бит чита́ть по-ру́сски. У него́ всегда́ есть но́вые ру́сские газе́ты и журна́лы. Мэ́ри лю́бит слу́шать ру́сское ра́дио. У неё хоро́ший ра́диоприёмник. Она́ всё понима́ет по-ру́сски.

СЛОВА́РЬ VOCABULARY

22 два́дцать два twenty-two
Джон John
Мэ́ри Mary
о́пытн‖ый, -ая, -ое; -ые experienced
ка́жд‖ый, -ая, -ое; -ые every
поправля́ть *I* to correct

упражне́ние *n* exercise
вопро́с *m* question
   задава́ть вопро́сы to ask questions
ра́дио *n* radio
радиоприёмник *m* radio set

117

Выражения Expressions

объясня́ть уро́к to explain the lesson
спра́шивать уро́к to ask questions on the lesson
отвеча́ть уро́к to answer questions on the lesson
гото́вить уро́к to prepare the lesson
ходи́ть на уро́к to attend lessons
задава́ть уро́к to give homework
задава́ть вопро́сы to ask questions, to put questions

УПРАЖНЕНИЯ EXERCISES

1. Group all the nouns in the text of this lesson according to gender.

2. Indicate the plural nouns in the text. Explain their endings. Give the singular of these nouns and of the adjectives which qualify them.

3. In the text of this lesson define the person, number and conjugation of the verbs in the present, and the gender, number and conjugation of the verbs in the past.

4. Pick out the short adjectives in the text.

5. Underline the adverbs in the text. Indicate which of these answer the question *где?* or *куда?, когда?, как?* (i. e., adverbs of place, time and manner).

6. Fill in the blank spaces with adjectives given below to suit the nouns (give every possible combination):

Example: по́ле широ́кое, зелёное, огро́мное, жёлтое, большо́е

широ́кий, зелёный, огро́мный, ю́жный, жёлтый, плодоро́дный, весе́нний, ле́тний, густо́й, голубо́й, я́сный, си́ний, я́ркий, глубо́кий, большо́й, высо́кий

лес ..., о́зеро ..., трава́ ..., со́лнце ..., не́бо ..., река́ ..., гора́ ..., цветы́ ... .

7. Fill in the blank spaces with every possible combination of the verbs and adverbs given below:

Example: говори́ть сме́ло, гро́мко, etc.

хорошо́, сме́ло, бы́стро, ме́дленно, ве́село, гро́мко, ти́хо, пря́мо
я иду́ ...; ты поёшь ...; он говори́т ...; вы бе́гаете ...; мы пи́шем ...; они́ отвеча́ют ...; петь ...; игра́ть ...; отвеча́ть ...; идти́ ...; писа́ть ...; смотре́ть ...; стоя́ть ...; сиде́ть ... .

8. Fill in the blank spaces with verbs in the present tense, selected from the following:

лежа́ть, стоя́ть, чита́ть, рабо́тать, паха́ть, игра́ть, диктова́ть, лета́ть, писа́ть, свети́ть

1. Здесь ... кни́га. 2. Там ... ла́мпа. 3. Това́рищ сиди́т и ... . 4. Вы ... по-ру́сски, я ... по-ру́сски. 5. Учи́тель дикту́ет, а де́ти ... . 6. Мой брат хорошо́ ... в футбо́л. 7. Вот по́ле, здесь ... но́вые тра́кторы. 8. Но́вая гидроэлектроста́нция ... хорошо́. 9. Самолёт ... высоко́. 10. Со́лнце ... я́рко.

9. Give the opposites of the adverbs and adjectives in bold type:

а) 1. Вы идёте **бы́стро**. 2. Он говори́т **ти́хо**. 3. Вчера́ со́лнце **свети́ло сла́бо**. 4. Сего́дня де́ти **ма́ло** пи́шут.

б) 1. Тепе́рь стоя́т **холо́дные** дни. 2. Напра́во стои́т **ста́рый** дом. 3. Нале́во **большо́й** двор. 4. Посереди́не **молодо́й** сад.

10. Give the imperative singular and plural of the following verbs:

стоя́ть, идти́, говори́ть, отвеча́ть, смотре́ть, игра́ть, петь, рабо́тать

11. Fill in the blank spaces with a suitable verb in the imperative singular or plural:

... сме́ло, ... пря́мо, ... гро́мко, ... споко́йно, ... ме́дленно

12. Indicate to which of the questions given in the brackets the words in bold type are answers:

(Questions: кто́ э́то?, что́ э́то?, что он де́лает?, что мы де́лаем?, как?, где?, чья́ э́то?, кака́я э́то?)

а) 1. Это **това́рищ Ивано́в**. 2. Он **рабо́тает**. 3. Он рабо́тает **по-но́вому**. 4. Мы **чита́ем** хорошо́.

б) 1. Это **на́ша кни́га**. 2. **Там** лежи́т журна́л. 3. Это **ру́сская** газе́та.

13. Replace the complete form of the adjective by the short:

Example: Цветы́ хоро́шие. Цветы́ хороши́.

1. Гора́ высо́кая. 2. По́ле огро́мное. 3. Вид краси́вый. 4. Река́ глубо́кая. 5. Степь широ́кая. 6. День хоро́ший. 7. Не́бо я́сное.

14. Translate into English and indicate the different functions of the complete and short adjectives in the following sentences:

1. Глубо́кая река́ Во́лга. Река́ Во́лга глубока́.
2. Но́вые высо́кие дома́. Но́вые дома́ высоки́.
3. Это широ́кое по́ле. Это по́ле широко́.
4. Наш краси́вый го́род. Наш го́род краси́в.

15. Copy the sentences, using the verbs in brackets in the required form of the present tense:

1. Учи́тель (спра́шивать) уро́к. 2. Ученики́ (отвеча́ть) уро́к хорошо́. 3. Мы (ходи́ть) на уро́к ка́ждый день. 4. Учи́тельница (объясня́ть) уро́к. 5. Я (гото́вить) уро́к стара́тельно. 6. Како́й уро́к вы (задава́ть)?

16. Copy the sentences in Exercise 15, using the verbs in the required form of the past tense.

17. Fill in the blank spaces with adjectives in the required form from the right-hand column:

1. Вчера́ была́ ... пого́да.
2. Не́бо бы́ло ... .
3. Позавчера́ шёл ... дождь.
4. Ту́чи бы́ли ... .
5. Сего́дня во́здух ... .
6. ... со́лнце све́тит я́рко.

си́льный, я́сный, прия́тный, све́жий, ле́тний, тёмный

18. Translate into Russian:

1. We study Russian. 2. We are making good progress. 3. We have to attend lessons every day. 4. My comrade can read Russian. 5. He has a strong voice, he can read loudly. 6. Comrade Ivanov can speak English. 7. He learned English a long time ago. 8. He had experienced teachers.

19. Copy the following words and underline the roots of the words:

напра́во, пра́вило, пра́вильно, поправля́ть; я́сно, объясня́ть; даёт, задава́ть; Англия, англича́нин, англи́йский, по-англи́йски.

PART III

УРОК 23ᵃ

> Grammar:
> The Declension of Nouns:
> The Nominative Case. Its Functions.
> The Prepositional Case. Its Meaning and
> Use.

ГРАММАТИКА

The Declension of Nouns

The Russian noun changes its ending according to its function in the sentence and its relation to other words. The form which the Russian noun takes in the sentence is called the case. A change in the form of the noun is called a c a s e   i n f l e x i o n   or   d e-c l e n s i o n. (Compare with the English language in which only one case is inflected — the Possessive: My brother's book.)

There are six cases in Russian. Each case has its own name and each answers a definite question, namely:

Падеж	Вопрос		Case	Question
1. Имени́тельный	кто?	что?	Nominative	who? what?
2. Роди́тельный	кого́?	чего́?	Genitive	of whom? of what?
3. Да́тельный	кому́?	чему́?	Dative	to whom? to what?
4. Вини́тельный	кого́?	что?	Accusative	whom? what?
5. Твори́тельный	кем?	чем?	Instrumental	by whom? with what?
6. Предло́жный	о ком?	о чём?	Prepositional	about whom? about what?

In addition to the basic interrogatory words to which each case answers, there are others to which nouns may answer, depending on the context. For example: **чей?, где?, куда́?, для кого́?** *for whom?*, **для чего́?** *for what?*, etc.

It is important to know the function of each separate case as well as the case endings of each declension.

In this text-book we shall deal with the cases of nouns not in their usual order (cf. above), but in the order of the difficulties they present and the requirements put forward by the progress we make with the language. In this lesson we shall deal with the nominative and the prepositional cases (the first and sixth cases according to the traditional order).

1. The Nominative Case. Its Functions

The nominative is the initial case form in which the noun stands for the name of a person, an object or an abstract idea.

A noun in the nominative case is used in a sentence:

a) to denote the **subject:**

Товáрищ читáет.	The comrade is reading.
Кнѝга лежѝт здесь.	The book is here.

b) to denote the **noun-predicate:**

Студéнт Ивáнов — мой **товáрищ.** Student Ivanov is my comrade.

c) in forms of **address:**

Товáрищ Ивáнов, где вы рабóтаете? Comrade Ivanov, where do you work?

d) to express **a whole sentence** (the so-called nominative sentence):

Зимá. Морóз It is winter. There is a frost.

The nominative case answers to the questions кто? *who?*, что? *what?*

Noun Endings in the Nominative Singular

I

Case	Masculine	Feminine	Neuter
Nominative	стол	кóмната	окнó

II

Case	Masculine	Feminine	Neuter
Nominative	учѝтель	земля́	пóле

2. The Prepositional Case. Its Meaning and Use

This case, as its name implies, is only used with a preposition.

1) The prepositional case is used with the prepositions **о (об)** *about, of* when the verbs denote thought or speech. For example, the verbs: **читáть, говорúть, дýмать, расскáзывать, писáть,** etc.:

Мы говорúм **о** погóде.	We are talking about the weather.
Я дýмаю **о** кнúге.	I am thinking about the book.
Учúтель расскáзывал **о** колхóзе.	The teacher was telling us about a collective farm.

When the preposition **о** stands before a word beginning with a vowel, it changes to **об,** thus facilitating the pronunciation. There is no difference in meaning between **о** and **об:**

Мой брат дýмает **об** отцé.	My brother is thinking about father.
Мы говорúм **об** урóке.	We are talking about the lesson.

2) The prepositional case is used with prepositions **в, на** when place is indicated:

Наш гóрод **на** сéвере.	Our city is in the North.
В гóроде красúвые ýлицы.	There are beautiful streets in the city.

The prepositional case answers to the following questions:

о ком?, о чём?   about whom?, about what?

на ком?, на чём? } где?   on whom?, on what? } where?
в ком?, в чём?

in whom?, in what? } where?

О чём мы говорúм? — **Об** урóке. What are we speaking about? About the lesson.

Noun Endings in the Prepositional Singular

I

Case	Masculine	Feminine	Neuter
Prepositional	(о) (на) } столé	(о) (в) } кóмнате	(об) (на) } окнé

II

Case	Masculine	Feminine	Neuter
Prepositional	(об) учúтеле	(о) (на) (в) } землé	(о) (на) (в) } пóле

The above table shows that the prepositional case of nouns, like стол, кóмната, окнó, in all genders has one ending **-е.**

23 **два́дцать три** twenty-three
о, об (+ *prep case*) about, of
в (+ *prep case*) in, at
на (+ *prep case*) on, at
ду́мать *I* to think

расска́зывать *I* to relate, to tell
дере́вня *f* village
урожа́й *m* harvest, crop
мир *m* peace

Произношение

Pronounce the preposition in liaison with the word that follows it. Note the pronunciation of the following prepositions:

о → [ʌ] — о͡ кли́мате, о͡ пого́де

в → [ф] (before voiceless consonants) — в͡ ко́мнате

УПРАЖНЕНИЯ

1. Read and translate into English:

1. Наш учебник лежи́т **на столе́**. 2. **В уче́бнике** есть те́ксты и упражне́ния. 3. У нас **в шко́ле** хоро́шая библиоте́ка. 4. Мы сиди́м **в** его́ **ко́мнате**. 5. **На окне́** стоя́т цветы́. 6. Вчера́ мы говори́ли **о Москве́**. 7. Наш учи́тель расска́зывал **о Во́лге**. 8. Сего́дня **на не́бе** я́ркое со́лнце. 9. Вчера́ **на у́лице** бы́ло хо́лодно. 10. Я мно́го ду́мал **об уро́ке**. 11. Ле́том мы бы́ли **на Кавка́зе**. 12. Как хорошо́ бы́ло **на ю́ге**! 13. Де́вушки пе́ли пе́сни **об урожа́е**. 14. **О чём** вы спра́шиваете? **О ком** вы ду́маете?

2. In the preceding exercise indicate the nouns in the nominative case (singular and plural) as well as the nouns in the prepositional case (singular).

3. Fill in the blank spaces with the prepositions *в, на* **and** *о:*

1. ... Ленингра́де широ́кие у́лицы. 2. Вчера́ ... не́бе бы́ли тёмные ту́чи. 3. Учи́тельница расска́зывала ... Москве́. 4. Мы бы́ли ... шко́ле. 5. ... уро́ке ученики́ сиде́ли ти́хо. 6. Наш уче́бник лежи́т ... столе́. 7. ... уче́бнике есть те́ксты и упражне́ния. 8. Я ду́мал ... Воло́де. 9. Мы лете́ли ... самолёте. 10. Колхо́зники говори́ли ... урожа́е.

4. Fill in the blank spaces with a suitable noun in the required form selected from the right-hand column:

а) 1. Арха́нгельск — на ... СССР.
 2. В ... больша́я гидроэлектроста́нция.
 3. Де́ти изуча́ют ру́сский язы́к в ... .
 4. Зима́. На ... лежи́т снег.
 5. Ле́том мы бы́ли в ... .
 6. На ... свети́ло я́ркое со́лнце.
 7. В ... поспева́ла пшени́ца.

шко́ла, не́бо, земля́, колхо́з, се́вер, по́ле, дере́вня

б) 1. Бы́ло интере́сно чита́ть о ... .
 2. Студе́нты говори́ли о ... .
 3. Де́ти расска́зывали об ... .
 4. Они́ спра́шивали о ... «това́рищ».
 5. Колхо́зники ду́мали о ... .
 6. Газе́та «Пра́вда» писа́ла о ... .
 7. Де́вушки пе́ли пе́сни о ... .

Москва́, сло́во, уро́к, спорт, весна́, урожа́й, мир

УРОК 23б

Word-Building:
The Adjectival Suffix -н- (continued).

О КЛИМАТЕ

Сего́дня на уро́ке мы чита́ли о кли́мате СССР.

СССР — огро́мная страна́. Кли́мат на се́вере и ю́ге, на за́паде и восто́ке совсе́м ра́зный.

Ча́сто быва́ет так: на Кавка́зе наступа́ет весна́; све́тит я́ркое со́лнце, цветёт минда́ль, пою́т пти́цы; всю́ду зелёная трава́. В э́то вре́мя на се́вере СССР, наприме́р, в Арха́нгельске, ещё зима́. Там хо́лодно. Всю́ду лежи́т снег. Лёд на реке́ ещё не та́ет.

Быва́ет ещё так: в Ри́ге идёт си́льный дождь; на не́бе тёмные ту́чи. На у́лице сы́ро; ду́ет холо́дный ве́тер; летя́т жёлтые ли́стья; наступа́ет о́сень. В э́то вре́мя в Ташке́нте жа́рко и су́хо. На не́бе све́тит ю́жное со́лнце.

Неда́вно в газе́те мы чита́ли о пого́де в Ирку́тске и Я́лте. В Я́лте стоя́ла прекра́сная пого́да. Не́бо бы́ло голубо́е; на со́лнце зре́ли прекра́сные ю́жные фру́кты: виногра́д, я́блоки,

груши, сливы. Вода в море была ещё тёплая. А в это же время на востоке СССР, в Иркутске, уже шёл первый снег. Дул холодный ветер. Наступали зимние морозы.

СЛОВАРЬ

о (об) about, of
климат *m* climate
огромн||ый, -ая, -ое; -ые huge, vast
на севере in the north
северо-запад north-west
на юге in the south
на западе in the west
на востоке in the east
юго-восток south-east
совсем entirely
бывать to be, to happen
бывает happens
так so, thus
на Кавказе in the Caucasus
цвести *I* to bloom
миндаль *m* (*only singular*) almonds

например for example
таять *I* to thaw, to melt
дождь *m* rain
сыро *adv* damp; it is damp
лист *m* leaf; листья *pl*
осень *f* autumn
время *n* time; времена *pl*
в это время at this time
жарко *adv* hot; it is hot
сухо *adv* dry; it is dry
зреть *I* to grow ripe, to ripen
виноград *m* (*only singular*) grapes
яблоко *n* apple
груша *f* pear
слива *f* plum
перв||ый, -ая, -ое; -ые first

СЛОВООБРАЗОВАНИЕ

The Adjectival Suffix -н- (continued)

Adjectives are formed from the following nouns by adding the suffix -н-:

север-, северный north, northern   запад-, западный west, western
юг-, южный south, southern   восток-, восточный east, eastern

Thus adjectives formed from nouns ending in -г change the consonant г to ж: юг — южный; adjectives formed from nouns ending in -к, change the consonant к to ч: восток — восточный.

Произношение

Note the pronunciation:
a) of the unstressed о:

о → [ʌ] погода, огромный, холодный

b) of the soft consonants:

на Кавказе, на западе, на юге, в Риге, на севере, на востоке, в Ташкенте, миндаль, осень, дождь, листья, тёмный, тёплый

УПРАЖНЕНИЯ

1. Indicate the instances in the text of this lesson in which the nominative case of nouns is used as: a) the subject, b) the nominative part of the predicate.

2. Copy out from the text all the nouns in the prepositional case and group them as follows: a) nouns with the preposition *в,* b) nouns with the preposition *на,* c) nouns with the preposition *о.* State the interrogatory words used with the nouns.

3. Put the nouns you have copied out into the nominative case and indicate their gender.

4. Change the following sentences so that they coincide with the text:

1. В **Арха́нгельске** ле́то; вода́ в мо́ре тёплая; всю́ду зелёная трава́.

2. В **Ташке́нте** зима́; на земле́ лежи́т снег; лёд на реке́ ещё не та́ет. Моро́з.

3. В **Ирку́тске**, на восто́ке СССР, жа́рко и су́хо.

4. На **Кавка́зе** наступа́ет о́сень. Ду́ет холо́дный ве́тер. Идёт дождь. Летя́т жёлтые ли́стья.

5. В **Ри́ге** стои́т хоро́шая пого́да. Всю́ду зелёная трава́. На не́бе све́тит я́ркое со́лнце. В го́роде тепло́.

5. Translate into Russian:

1. Our city is in the south. We have a warm climate. 2. There is a big garden in the city. 3. The weather is fine to-day. It is not raining. It is dry in the street. A warm wind is blowing. There are white clouds in the sky.

УРОК 24ª

Grammar:
The Prepositional Case with the Ending -у.
Elimination of the Vowels е, ё, о in the Declension of Masculine Nouns.
Conjugation of the Verb жить.
The Expression у меня in the Meaning of the Possessive Pronoun мой.
Questions with the Particle ли.

ГРАММАТИКА

1. The Prepositional Case with the Ending -у

Some masculine nouns take the ending -у in the prepositional case after the prepositions в and на. These include, as a rule, a large number of monosyllabic nouns:

лес wood,	сад garden,	мост bridge,	бе́рег shore
пол floor,	глаз eye,	год year,	час hour

We say: в лесу́, в саду́, на мосту́, на берегу́, на полу́, в глазу́, в году́, в часу́ (a more detailed list of these nouns will be given in the reference table in Part II of this text-book).

The ending -у of the prepositional case is always stressed.

Note that this ending occurs only when the location of an object or the time is indicated, i. e., when the question где? *where?* or когда́? *when?* can be put. In all other instances the usual ending -е is used, for example:

о шка́фе *about the cupboard,* but в шкафу́ *in the cupboard,*
о го́де *about the year,* but в году́ *during the year.*

2. Elimination of the Vowels *e, ё, o* in the Declension of Masculine Nouns

The vowels **е, ё, о** are eliminated in the declension of some nouns. These vowels are called unstable vowels. Compare:

Мой оте́ц живёт в дере́вне.	My father lives in the village.
Мы говори́м об отце́.	We are talking about father.
Вот большо́й ковёр.	There is a big carpet.
Де́ти игра́ют на ковре́.	The children are playing on the carpet.
Там у́гол.	There is a corner there.
Стол стои́т в углу́.	The table stands in the corner.

3. Conjugation of the Verb жить

Infinitive: **жить** I *to live*

Present Tense	
Singular	Plural
я живу́	мы живём
ты живёшь	вы живёте
он	
она́ } живёт	они́ живут
оно́	

Past Tense	
я жил *m*, жила́ *f*	мы
ты жил *m*, жила́ *f*	вы } жи́ли
он жил	
она́ жила́	они́
оно́ жи́ло	

Imperative: **живи́, живи́те**

4. The Expression *у меня́* in the Meaning of the Possessive Pronoun *мой*

The expression **у меня́, у нас,** etc., generally translated as *I have, we have,* may also be used in the meaning of **мой** *my,* **наш** *our,* etc., particularly in colloquial speech. For example:

Кни́га лежи́т **у меня́** на столе́.	The book is lying on my table.
У нас в ко́мнате стои́т шкаф.	There is a cupboard in our room.

5. Questions with the Particle *ли*

In Lessons 1 and 12ᵃ it was pointed out that a question may be implied in Russian by special intonation, the order of the words in the sentence remaining unchanged.

Interrogation may also be implied with the help of the interrogative particle **ли**:

Идёте **ли** вы в шко́лу сего́дня?	Are you going to school to-day?

In such a case the word to which the question refers is put at the beginning of the sentence and is followed by the particle.

Compare the previous example with the following:

В шко́лу ли вы идёте сего́дня? Is it to school you are going to-day?

Сего́дня ли вы идёте в шко́лу? Is it to-day that you are going to school?

Идёте ли вы сего́дня в шко́лу? Are you going to school to-day?

СЛОВАРЬ

24 два́дцать четы́ре twenty-four
бе́рег *m* shore; берега́ *pl*
год *m* year
жить (живу́, живёшь) *I* to live
ковёр *m* carpet; ковры́ *pl*

у́гол *m* corner; углы́ *pl*
ли *interrogative particle*
расти́ (расту́, растёшь) *I* to grow
висе́ть *II* to hang
парк *m* park

УПРАЖНЕНИЯ

1. Copy the following sentences. Underline the endings in the words in bold type. Translate them orally into English.

1. Кни́ги стоя́т **в шкафу́**. 2. Мы говори́м **о шка́фе**. 3. Ковёр лежи́т **на полу́**. 4. Что лежи́т **на столе́**? 5. Мы гуля́ли **в лесу́**. 6. Что вы зна́ете **о ле́се**?

2. Fill in the blank spaces with the masculine nouns on the right, using the prepositional case. Which ending is required: -e or -у?

1. В ... стои́т стол.	у́гол
2. Кни́ги лежа́т в	шкаф
3. У нас в ... хорошо́.	ко́мната
4. Мы живём на	се́вер
5. В ... расту́т я́блоки.	сад
6. Мы говори́м о	сад
7. Кто стои́т там на ...?	мост
8. Мы бы́ли на	уро́к
9. Что там лежи́т на ...?	пол
10. Как ти́хо в	лес
11. Мы чита́ем о ...	лес

3. Copy the sentences and fill in the blank spaces with suitable verbs in the present tense, from the following:

жить, рабо́тать, игра́ть, сиде́ть, стоя́ть, висе́ть, расти́, лежа́ть

1. На столе́ ... кни́га. 2. Карти́на ... на стене́. 3. Ковёр ... на полу́. 4. Цветы́ ... на окне́. 5. На дворе́ ... молодо́е де́рево. 6. На́ша семья́ ... в го́роде. 7. Мой брат ... на заво́де. 8. Де́ти ... в саду́. 9. Я ... на дива́не.

4. Put the sentences you have written for Exercise 3 into the past tense.

5. Compose questions with the particle *ли* to which the words in bold type are replies.

Example: Это **интере́сная кни́га. Интере́сная** ли э́та книга?

1. Вы **уме́ете** говори́ть по-ру́сски. 2. **Вчера́** у вас был уро́к. 3. Вы **мно́го** чита́ли о Москве́. 4. У меня́ **есть** ру́сские газе́ты. 5. У нас в го́роде **больши́е** па́рки. 6. Вчера́ **бы́ло тепло́.** 7. Сего́дня **хоро́шая** пого́да. 8. Вы **бы́ли** на Кавка́зе. 9. Во́лга **о́чень** широка́. 10. Вы **игра́ете** в те́ннис.

6. Translate into English. Explain the difference in the translation of one and the same phrase:

1. **У меня́** большо́й стол. Кни́га лежи́т **у меня́** на столе́.
2. **У вас** хоро́шая ко́мната. Большо́й ковёр лежи́т **у вас** в ко́мнате.
3. **У нас** большо́й сад. Э́ти я́блоки расту́т **у нас** в саду́.
4. **У тебя́** но́вый портфе́ль. Уче́бник лежи́т **у тебя́** в портфе́ле.
5. **У них** но́вая шко́ла. Я был на уро́ке **у них** в шко́ле.

7. Copy the sentences filling the blank spaces with the required prepositions:

1. Наш го́род ... ю́ге. 2. Мы живём ... го́роде. 3. Наш го́род стои́т ... реке́. 4. Мы жи́ли ... дере́вне. 5. Мой брат рабо́тает ... заво́де. 6. Я изуча́л ру́сский язы́к ... шко́ле. 7. Эта карти́на висе́ла ... стене́. 8. Что вы чита́ли ... Кавка́зе? 9. Бы́ли ли вы ... Кавка́зе? 10. Го́род Сталингра́д стои́т ... Во́лге.

УРОК 24б

У МЕНЯ В КОМНАТЕ

Я инжене́р. Моя́ фами́лия Моро́зов.

Моя́ семья́ живёт в Москве́ неда́вно. Здесь у нас небольша́я, но хоро́шая кварти́ра. В кварти́ре есть спа́льня, столо́вая, кабине́т, ва́нная, ку́хня и пере́дняя.

Вот мой кабине́т. Здесь стои́т мой пи́сьменный стол и удо́бное кре́сло. Тут я обы́чно чита́ю и пишу́. У меня́ на столе́ лежа́т бума́ги, кни́ги, газе́ты, а та́кже стоя́т часы́, календа́рь и телефо́н.

У меня́ в ко́мнате большо́е окно́. На окне́ вися́т занаве́ски. В ко́мнате удо́бная и краси́вая ме́бель. Напра́во стои́т дива́н и ещё одно́ кре́сло. Нале́во — дверь, в углу́ стои́т шкаф. В шкафу́ мои́ кни́ги, на стене́ вися́т карти́ны.

На полу́ посереди́не лежи́т краси́вый ковёр. На потолке́ виси́т больша́я ла́мпа, друга́я стои́т у меня́ на столе́.

В де́тстве я жил в Ки́еве. Там у нас то́же была́ удо́бная и све́тлая кварти́ра.

СЛОВАРЬ

неда́вно *adv* recently
кварти́ра *f* flat
спа́льня *f* bedroom
кабине́т *m* study
ва́нная *f* bathroom
ку́хня *f* kitchen
пере́дняя *f* entry
пи́сьменный стол writing table
удо́бн‖ый, -ая, -ое; -ые comfortable
кре́сло *n* arm-chair
часы́ *pl* clock, watch

календа́рь *m* calendar
телефо́н *m* telephone
занаве́ска *f* curtain
ме́бель *f* furniture
дива́н *m* sofa
дверь *f* door
шкаф *m* cupboard
карти́на *f* picture
потоло́к *m* ceiling
друг‖о́й, -а́я, -о́е; -и́е other, another
де́тство *n* childhood

Замечание к словарю

The word **часы́** in the meaning of *clock* or *watch* is used in the plural only.

Произношение

Note the pronunciation of the unstressed sounds **о** and **е** as well as of the sibilants:

о → [ʌ] напра́во, нале́во, потоло́к, окно́
е → [ı] стена́, телефо́н
ч   часы́
ж   живу́, инжене́р, лежи́т
ш   шкаф
щ   ещё, това́рищ

УПРАЖНЕНИЯ

1. In the text of the Lesson indicate the verbs requiring nouns in the prepositional case with the prepositions *в* or *на*. State their tense, person, number and conjugation as well as the gender of the verbs in the past tense. Use the form of the table given in Lesson 21 6.

2. Answer the following questions relating to the text:

1. Где живёт инженер Морозов?
2. Какая у него квартира?
3. Какая мебель стоит у него в комнате?
4. Где стоит диван и кресло?
5. Где стоит шкаф?
6. Где лежат книги?
7. Что висит на стене?
8. Что лежит на полу?
9. Что лежит у него на столе?
10. Что стоит у него на столе?
11. Где лежит ковёр?
12. Где висят занавески?
13. Где висит лампа?
14. Где стоит другая лампа?
15. Давно ли инженер живёт в Москве?
16. Где инженер Морозов жил в детстве?

3. Conjugate the verb *жить* in the present and past tense. Indicate the forms of the imperative mood.

4. Translate into Russian:

1. Here is our room. 2. There is the door. 3. To the left is the window. 4. To the right stands my table. 5. There are fresh newspapers on the table. 6. In our room there is comfortable furniture. 7. Pictures hang on the walls. 8. There is a big carpet on the floor. 9. In the corner on the table there are flowers. 10. We have been living long in the town. 11. My father lived in the village. 12. Where do you live now?

УРОК 25ª

Grammar:
    The Accusative Case with Transitive Verbs.
    The Accusative Case with the Prepositions
    в and на.
    Conjugation of the Transitive Verbs брать,
    класть, ставить, есть, пить.

ГРАММАТИКА

1. The Accusative Case with Transitive Verbs

There are t r a n s i t i v e and i n t r a n s i t i v e verbs in Russian, just as there are in English.

Transitive verbs denote an action which passes over from one person or object to another person or object. These include the verbs **читáть** *to read,* **любить** *to love,* **видеть** *to see,* **знать** *to know.* The nouns representing the person or object to whom the action passes over are usually in the accusative case and are the direct object in the sentence.

Я читáю книгу.	I read a book.
Я ем рыбу.	I eat fish.
Он пьёт воду.	He drinks water.
Вы знáете урок.	You know the lesson.
Он видит учителя.	He sees the teacher.
Он пишет слово «товáрищ».	He writes the word "comrade".

Intransitive verbs denote an action that is not passed over. These include the verbs **идти** *to go,* **стоять** *to stand,* **спать** *to sleep,* **летáть** *to fly,* etc. Intransitive verbs do not require a direct object.

One and the same verb may be transitive or intransitive depending on the context:

Я читáю газéту *(trans.).*	I am reading a newspaper.
Я читáю по-францýзски хорошó *(intrans.).*	I read French well.

Nouns in the accusative with transitive verbs answer to the questions **когó? что?** *whom?, what?.*

Когó вы видите? **Учителя.**	Whom do you see? I see the teacher.
Что вы читáете? **Книгу.**	What do you read? I read a book.

134

2. The Accusative Case with the Prepositions *в* and *на*

The prepositions **в** and **на** may be used with two cases:

a) with the prepositional case whenever they indicate the place where a person or object is located (где? *where?*) (cf. Lesson 23[2]).

b) with the accusative case whenever they indicate where an object is placed or whereto a person is directed (куда? *where?*). Compare:

Где? *Where? (prep case)*	Куда? *Where? (acc case)*
1. Ла́мпа **стои́т на столе́.**	Мы **ста́вим** ла́мпу **на стол.**
The lamp **is standing on the table.**	We **are putting** the lamp **on the table.**
2. Каранда́ш **лежи́т на столе́.**	Я **кладу́** каранда́ш **на стол.**
The pencil **is lying on the table.**	I **am putting** the pencil **on the table.**
3. Карти́на **виси́т на стене́.**	Вы **ве́шаете** карти́ну **на сте́ну.**
The picture **is hanging on the wall.**	You **are hanging** the picture **on the wall.**
4. Учени́к **сиди́т в кла́ссе.**	Учени́к **идёт в класс.**
The pupil **is sitting in the class-room.**	The pupil **is going to the classroom.**

Nouns in the accusative with the prepositions **в** and **на** answer to the interrogative word: куда? *where?*

Noun Endings in the Accusative Singular

I

Case	Masculine	Feminine	Neuter
Nominative	стол, студе́нт	ко́мната	окно́
Accusative	стол, студе́нта	ко́мнату	окно́

135

II

Case	Masculine	Feminine	Neuter
Nominative	кора́бль, учи́тель	земля́	по́ле
Accusative	кора́бль, учи́теля	зе́млю	по́ле

Masculine nouns denoting inanimate objects (cf. Lesson 12ᵃ) and abstract notions have the same forms in the accusative as in the nominative, but nouns denoting people and animals take the ending **-a** or **-я.**

Feminine nouns change the endings **-a** to **-y** and **-я** to **-ю** in the accusative case.

Neuter nouns do not change their endings in the accusative case, i. e., the accusative of these nouns coincides with the nominative.

3. Conjugation of the Transitive Verbs *брать, класть, ставить, есть, пить*

Infinitive: **брать** I *to take*

Singular	Plural
Present Tense	
я беру́ ты берёшь он она́ } берёт оно́	мы берём вы берёте они́ беру́т
Past Tense	
я брал *m,* брала́ *f* ты брал *m,* брала́ *f* он брал она́ брала́ оно́ бра́ло	мы вы } бра́ли они́
Imperative: бери́, бери́те	

Infinitive: **класть** I *to put, to place*

Singular	Plural
Present Tense	
я кладу́ ты кладёшь он она́ } кладёт оно́	мы кладём вы кладёте они́ кладу́т
Past Tense	
я клал *m*, кла́ла *f* ты клал *m*, кла́ла *f* он клал она́ кла́ла оно́ кла́ло	мы вы } кла́ли они́
Imperative: клади́, клади́те	

Infinitive: **ста́вить** II *to put, to place*

Singular	Plural
Present Tense	
я ста́влю ты ста́вишь он она́ } ста́вит оно́	мы ста́вим вы ста́вите они́ ста́вят
Past Tense	
я ста́вил *m*, ста́вила *f* ты ста́вил *m*, ста́вила *f* он ста́вил она́ ста́вила оно́ ста́вило	мы вы } ста́вили они́
Imperative: ставь, ста́вьте	

In the stem of the 1st person of the verb **ста́вить** there is an alternation of the consonants **в — вл — в**: ста́вить — ста́влю — ста́вишь.

Infinitive: **есть** (mixed conjugation) *to eat*

Singular	Plural
Present Tense	
я ем ты ешь он она́ } ест оно́	мы еди́м вы еди́те они́ едя́т
Past Tense	
я ел *m*, е́ла *f* ты ел *m*, е́ла *f* он ел она́ е́ла оно́ е́ло	мы вы } е́ли они́
Imperative: ешь, е́шьте	

Infinitive: **пить** I *to drink*

Singular	Plural
Present Tense	
я пью ты пьёшь он она́ } пьёт оно́	мы пьём вы пьёте они́ пьют
Past Tense	
я пил *m*, пила́ *f* ты пил *m*, пила́ *f* он пил она́ пила́ оно́ пи́ло	мы вы } пи́ли они́
Imperative: пей, пе́йте	

СЛОВАРЬ

25 два́дцать пять twenty-five
брать (беру́, берёшь) *I* to take
класть (кладу́, кладёшь) *I* to put,
  to place
ста́вить (ста́влю, ста́вишь) *II* to put,
  to place
ве́шать *I* to hang

есть (ем, ешь) *mixed conj* to eat
пить (пью, пьёшь) *I* to drink
освеща́ть *I* to light up, to throw
  light upon
па́дать *I* to fall
ви́деть (ви́жу, ви́дишь) *II* to see

Произношение

Note the pronunciation of the letters in bold type:

е → [ı]   беру́, берёшь, берёт, берём, берёте, беру́т

е → [йэ]   ем, ешь, ест

е → [йı]   еди́м, еди́те, едя́т

ю → [йу]   пью [пйу], пьют

ё → [йо]   пьёшь [пйо́ш], пьёт, пьём, пьёте

УПРАЖНЕНИЯ

1. Read the sentences given below, translate them into English and state the case of the nouns in bold type:

а) 1. Я чита́ю **газе́ту.** 2. В **газе́те** интере́сные но́вости. 3. Это но́вая **газе́та.** 4. Со́лнце освеща́ет **зе́млю.** 5. Это колхо́зная **земля́.** 6. На **земле́** зелёная трава́. 7. Учи́тель ви́дит **ученика́.** 8. Мы говори́ли о его́ **ученике́.** 9. Я люблю́ **мо́ре.** 10. **Мо́ре** широко́ и глубоко́. 11. Этот кора́бль был в **мо́ре.** 12. Мы учи́ли наш **уро́к.** 13. Вчера́ у нас был **уро́к.** 14. На **уро́ке** бы́ло интере́сно.

б) 1. Я иду́ в его́ **ко́мнату.** 2. Мы сиди́м в его́ **ко́мнате.** 3. Я ста́влю ла́мпу **на стол.** 4. Ла́мпа стои́т **на столе́.** 5. Мой брат рабо́тает **на фа́брике.** 6. Он идёт **на фа́брику.** 7. Вы рабо́таете **на заво́де.** 8. Вы идёте **на заво́д.** 9. Карти́на виси́т **на стене́.** 10. Я ве́шаю карти́ну **на сте́ну.** 11. Я кладу́ ковёр **на пол.** 12. Ковёр лежи́т **на полу́.** 13. Мы идём **в сад.** 14. Де́ти игра́ют **в саду́.** 15. Мой оте́ц живёт **на юге.** 16. Самолёт лети́т **на юг.**

2. Copy out the transitive verbs which take the accusative case from the sentences given in a) of the previous exercise.

3. Indicate which nouns in б) answer to the interrogatory word *где?* and which to the word *куда́?* Copy out separately the verbs with the prepositions which require the accusative case and the verbs with the prepositions which require the prepositional case.

4. Fill in the blank spaces with the words given on the right using the correct case endings:

а) 1. Вдали́ звучи́т бо́драя .... — пе́сня
   Колхо́зники пе́ли ...

2. ... интере́сно расска́зывал. — учи́тель
   Де́ти слу́шали ...

3. Этот ... идёт бы́стро. — кора́бль
   Мы ви́дим вдали́ ...

4. На́ша ... больша́я. — у́лица
   Со́лнце освеща́ет ...

5. Учи́тель дикту́ет но́вый .... — текст
   Мы понима́ем ... хорошо́.

6. Я пишу́ ... «мир». — сло́во
   Это хоро́шее ...

б) 1. Снег лежи́т на .... — земля́
   Снег па́дает на ...

2. Мы жи́ли на .... — се́вер
   Самолёт лети́т на ...

3. Иди́те гуля́ть в .... — сад
   Де́ти давно́ гуля́ют в ...

4. Цветы́ стоя́т на .... — окно́
   Ста́вьте всегда́ цветы́ на ...

5. Календа́рь виси́т на .... — стена́
   Сейча́с я ве́шаю календа́рь на ...

5. Fill in the blank spaces in the left-hand column with the verb *есть* and in the right-hand column with the verb *пить*. See that the verbs agree with the pronoun in number and person:

Я ... хлеб.	Я ... чай.
Ты ... мя́со.	Ты ... ко́фе.
Он ... сыр.	Он ... во́ду.
Мы ... сала́т.	Мы ... молоко́.
Вы ... ры́бу.	Вы ... ко́фе.
Они́ ... мёд.	Они́ ... вино́.

6. Conjugate the verbs *брать, класть, ста́вить*. Add one of the following nouns to each form of these verbs:

кни́га, газе́та, каранда́ш, письмо́, ла́мпа, цвето́к, карти́на

Take care to use the correct case of the noun.

УРОК 25б

ПЕРЕРЫВ НА ОБЕД

Большая столовая на фабрике. Перерыв на обед. Обедают рабочие, инженеры, техники, мастера. Приходят работницы, подруги Маша и Таня.

— Я очень хочу есть. Что сегодня на обед? — спрашивает Маша.

— Вот меню. Выбирай, что хочешь.

Подруги выбирают обед, платят деньги в кассу и занимают свободный столик.

На столике лежит белая скатерть, стоят цветы. Тут же стоит горчица и соль.

Официантка кладёт на стол ложки, вилки, ножи. Таня просит официантку:

— Дайте, пожалуйста, стакан или чашку.

— Пожалуйста, вот стакан.

Таня берёт графин и наливает в стакан воду.

— Таня, ты напрасно пьёшь воду: сейчас обед, — говорит Маша.

— Только один глоток, Маша: очень хочу пить.

Официантка подаёт суп.

Таня берёт ложку, пробует суп и говорит:

— Очень вкусно.

Девушки едят суп, мясо, картофель, овощи, а на сладкое кисель.

Потом они идут в сад. В саду они встречают мастера Белова, гуляют вместе и сидят на скамье. Товарищ Белов курит папиросу. Маша смотрит на часы.

— Пора в цех!

Девушки и мастер идут продолжать работу.

СЛОВАРЬ

перерыв *m* break, interval
обед *m* dinner
  на обед (*acc*) for dinner
столовая *f* dining-room
обедать *I* to dine, to have dinner
мастер *m* foreman
подруга *f* girl-friend
меню *n (is not declined)* menu, bill of fare

выбирать *I* to choose, to select
платить (плачу, платишь) *II* to pay
деньги *pl* money
касса *f* till, cash-box; cashier's
занимать *I* to occupy
свободный, -ая, -ое; -ые free; vacant
столик *m* little table
скатерть *f* tablecloth

горчи́ца *f* mustard
соль *f* salt
графи́н *m* water-bottle, carafe
официа́нтка *f* waitress
ло́жка *f* spoon
ви́лка *f* fork
нож *m* knife
стака́н *m* glass
ча́шка *f* cup
напра́сно *adv* in vain
глото́к *m* sip
подава́ть (подаю́, подаёшь) *I* to serve
про́бовать (про́бую, про́буешь) *I* to taste

вку́сно it is tasty
карто́фель *m* potatoes
сла́дк‖ий, -ая, -ое; -ие sweet; на сла́дкое for dessert
кисе́ль *m* fruit jelly
встреча́ть *I* to meet
Бело́в *m* (a Russian surname)
скамья́ (*or* скаме́йка) *f* bench
кури́ть *II* to smoke
папиро́са *f* cigarette
пора́ *adv* it's time
продолжа́ть *I* to continue, to go on

Замечание к словарю

Avoid confusing the word **есть** meaning *is, there is* and the word **есть** meaning *to eat*.

Выражения

Я хочу́ есть. I am hungry.
Я хочу́ пить. I am thirsty.

Произношение

Note the pronunciation of the sounds and sound combinations:

о → [ʌ] столо́вая, обе́д, подру́га, свобо́дный, горчи́ца, подаёт, продолжа́ть, ножи́
е → [йэ] есть, ем, ешь
в → [ф] переры́в, в ка́ссу, в цех
  [й], [йо], [йу] пей, пьёшь, пьёте, пью, пьют

УПРАЖНЕНИЯ

1. In the sentences given below replace the word *Ленингра́д* (m. gen.) by the word *Москва́* (f. gen.), using the correct form. Point out the similarity and the difference in the endings of these two words:

   1. Ленингра́д — большо́й краси́вый го́род. 2. Мы живём в Ленингра́де давно́. 3. Я хорошо́ зна́ю Ленингра́д.

2. Select from the text of this lesson nouns in the accusative singular and write them together with the verbs which determine their case.

3. Fill in the blank spaces with the nouns from the right-hand column, using the correct case endings:

1. Учи́тель спра́шивает … .	учени́к
Учи́тель спра́шивает … .	уро́к
2. Я хорошо́ зна́ю … .	наш го́род
Я хорошо́ зна́ю … .	учи́тель
3. Мы ви́дим … .	календа́рь
Мы ви́дим … .	ма́стер
4. Ученики́ слу́шают … .	но́вый текст
Ученики́ слу́шают … .	учи́тель

4. Complete each of the sentences with an appropriate word:

1. Де́вушка прино́сит суп, мя́со и ... . 2. Она́ кладёт на стол нож, ви́лку и ... . 3. Вы берёте стака́н и ... . 4. Да́йте, пожа́луйста, соль и ... . 5. Мы пьём ко́фе, молоко́ и ... . 6. Официа́нтка ста́вит на стол хлеб, сыр и ... . 7. Бери́те я́блоко и ... .

5. Complete the columns below using suitable words in the correct form:

Words for Column I: мой оте́ц, учи́тель, студе́нт, моя́ сестра́, рабо́тница, Ко́ля, де́вушка, Ивано́в, наш това́рищ, учени́к.

Words for Column III: уро́к, газе́та, кни́га, я́блоко, ры́ба, чай, обе́д, ча́шка, пра́вило.

I	II	III
кто?	что де́лает?	что?
	чита́ет пи́шет объясня́ет у́чит выбира́ет де́ржит берёт ест пьёт	

6. Which is the correct verb to place in the following sentences in the required form:

1. Стака́н ... на столе́.
   Я ... стака́н на стол. } стоя́ть or ста́вить

2. Ко́ля ... ры́бу на таре́лку.
   Ры́ба ... на таре́лке. } лежа́ть or класть

3. Учи́тель ... ка́рту на сте́ну.
   Ка́рта ... на стене́. } висе́ть or ве́шать

7. Translate into Russian:

There is a big table in the room. There is a white tablecloth on the table. My mother is putting bread, cheese, butter and honey on the table. She then brings some fish. We eat fish, bread, butter and cheese. We eat and drink. I drink tea. The children drink milk.

УРОК 26ª

Grammar:

    Verbs of Motion.
    Prepositions **в, на, через** with Verbs of
    Motion.
    Conjugation of Verbs of Motion.

ГРАММАТИКА

1. Verbs of Motion

There is a group of verbs in Russian denoting various kinds of movement:

I. ходи́ть	е́здить	бе́гать	лета́ть	вози́ть	носи́ть
II. идти́	е́хать	бежа́ть	лете́ть	везти́	нести́
to walk, to go	to ride	to run	to fly	to drive	to carry

For each verb in Row I there is a corresponding verb in Row II (the English equivalent for both is the same). However, there is a difference in meaning between these corresponding verbs and they cannot be used interchangeably.

The verbs in Row I express an action which denotes movement:

a) usually carried out with no indication of time:

Де́ти **хо́дят** в шко́лу (*usually, in general*).	Children go to school.
В го́роде **е́здят** грузовики́ (*usually, in general*).	Lorries run in the city.
Высоко́ в не́бе **лета́ют** самолёты (*usually, in general*).	Aeroplanes fly high in the sky.

b) occurring repeatedly within definite or indefinite periods of time:

Де́ти ка́ждый день **хо́дят** в шко́лу.	Children go to school every day.
Колхо́зные грузовики́ ча́сто **е́здят** в го́род.	Collective farm lorries often travel to the city.
Самолёты регуля́рно **лета́ют** в колхо́з.	Aeroplanes fly regularly to the collective farm.

As seen from the examples above the verbs in Row I are translated by the present indefinite.

The verbs in Row II indicate movement in a definite direction and at a definite time:

Дети **идут** в школу (*now, at the given moment*).	The children are going to school.
Автомобиль **éдет** в гараж (*now, at the given moment*).	The car is running to the garage.
Самолёт **летит** на север (*now, at the given moment*).	The aeroplane is flying to the North.

As seen from the examples above, the verbs in Row II are translated by the present continuous.

2. The Prepositions *в, на, через* with Verbs of Motion

1) In a number of cases, verbs denoting motion require nouns in the accusative or prepositional case with the prepositions **в** or **на.**

Nouns in the accusative case used with the prepositions **в, на** show the direction of the movement indicated by the verb. They answer to the question **кудá?** *where to?*

Я хожу Я иду I go	в контору, на берег (*acc*). to the office, to the shore.
Он ездит Он едет He travels	в город, на дачу (*acc*). to the city, to the summer house.

Nouns in the prepositional case used with the above mentioned prepositions indicate the place towards which the movement of the verb is directed and answer to the interrogatory word **где?** *where?* (cf. Lesson 24ª).

Note the use of the preposition **на** *on, at* in the sense of *to* with verbs denoting motion:

	на фáбрику.	to the factory.
	на завод.	to the plant.
	на ферму.	to the farm.
Мы едем, идём	на мельницу.	to the mill.
We travel, go	на север, на юг.	to the north, to the south.
	на Кавказ.	to the Caucasus.
	на Урáл.	to the Urals.

2) The preposition **через** *through, via* is used only with nouns in the accusative case. When used with verbs denoting movement, this preposition shows the direction of the movement:

Мы идём **через** лес.	We are walking through the woods.
Вы едете в Москву **через** Киев.	You travel to Moscow via Kiev.

3. a) Conjugation of Verbs of Motion in Row I

Infinitive: **ходи́ть** II *to go, to walk*

Singular	Plural
Present Tense	
я хожу́ ты хо́дишь он она́ } хо́дит оно́	мы хо́дим вы хо́дите они́ хо́дят
Past Tense	
я ходи́л *m*, ходи́ла *f* ты ходи́л *m*, ходи́ла *f* он ходи́л она́ ходи́ла оно́ ходи́ло	мы вы } ходи́ли они́
Imperative: ходи́, ходи́те	

In conjugating the verb **ходи́ть** in the present tense, the consonants д — ж — д are alternated:

ходи́ть — хожу́ — хо́дят

Infinitive: **е́здить** II *to ride*

Singular	Plural
Present Tense	
я е́зжу ты е́здишь он она́ } е́здит оно́	мы е́здим вы е́здите они́ е́здят
Past Tense	
я е́здил *m*, е́здила *f* ты е́здил *m*, е́здила *f* он е́здил она́ е́здила оно́ е́здило	мы вы } е́здили они́
Imperative: е́зди, е́здите	

N o t e: The imperative form of the verb **е́здить** — **е́зди, е́здите** in affirmative constructions is never used.

Infinitive: **носи́ть** II *to carry*

Singular	Plural
Present Tense	
я ношу́ ты но́сишь он она́ } но́сит оно́	мы но́сим вы но́сите они́ но́сят
Past Tense	
я носи́л *m*, носи́ла *f* ты носи́л *m*, носи́ла *f* он носи́л она́ носи́ла оно́ носи́ло	мы } вы } носи́ли они́ }
Imperative: носи́, носи́те	

In conjugating the verb **носи́ть**, the consonants **с — ш — с** are alternated:

носи́ть — ношу́ — но́сят

Infinitive: **вози́ть** II *to drive*

Singular	Plural
Present Tense	
я вожу́ ты во́зишь он она́ } во́зит оно́	мы во́зим вы во́зите они́ во́зят
Past Tense	
я вози́л *m*, вози́ла *f* ты вози́л *m*, вози́ла *f* он вози́л она́ вози́ла оно́ вози́ло	мы } вы } вози́ли они́ }
Imperative: вози́, вози́те	

In conjugating the verb **вози́ть** in the present tense, the consonants **з — ж — з** are alternated:

вози́ть — вожу́ — во́зят

147

b) Conjugation of the Verbs of Motion in Row II

Infinitive: **идти́** I *to go*

Singular	Plural
Present Tense	
я иду́ ты идёшь он она́ } идёт оно́	мы идём вы идёте они́ иду́т
Past Tense	
я шёл *m*, шла *f* ты шёл *m*, шла *f* он шёл она́ шла оно́ шло	мы вы } шли они́
Imperative: иди́, иди́те	

In the past tense the verb **идти́** has an entirely different stem from the infinitive — **шёл**.

Infinitive: **éхать** I *to ride, to drive, to travel*

Singular	Plural
Present Tense	
я е́ду ты е́дешь он она́ } е́дет оно́	мы е́дем вы е́дете они́ е́дут
Past Tense	
я е́хал *m*, е́хала *f* ты е́хал *m*, е́хала *f* он е́хал она́ е́хала оно́ е́хало	мы вы } е́хали они́
Imperative: езжа́й, езжа́йте	

Infinitive: **бежа́ть** (mixed conjugation) *to run*.

Singular	Plural
Present Tense	
я бегу́ ты бежи́шь он она́ } бежи́т оно́	мы бежи́м вы бежи́те они́ бегу́т
Past Tense	
я бежа́л *m*, бежа́ла *f* ты бежа́л *m*, бежа́ла *f* он бежа́л она́ бежа́ла оно́ бежа́ло	мы вы } бежа́ли они́
Imperative: беги́, беги́те	

¹n the conjugation of the verb **бежа́ть**, the consonants ж—г—ж are alternated:

$$бежа́ть — бегу — бежи́шь$$

The verb **бежа́ть** belongs to verbs of the mixed conjugation. In all persons, except the 3rd person plural, it takes the endings of Conjugation II, in the 3rd person plural it is conjugated according to Conjugation I (**-ут**).

Infinitive: **лете́ть** II *to fly*

Singular	Plural
Present Tense	
я лечу́ ты лети́шь он она́ } лети́т оно́	мы лети́м вы лети́те они́ летя́т
Past Tense	
я летёл *m*, летёла *f* ты летёл *m*, летёла *f* он летёл она́ летёла оно́ летёло	мы вы } летёли они́
Imperative: лети́, лети́те	

The conjugation of the verb **лете́ть** reveals the following alternation of vowels in the stem: т — ч — т:

$$лете́ть — лечу́ — летя́т$$

Infinitive: **везти** I *to drive*

Singular	Plural
Present Tense	
я везу́ ты везёшь он она́ } везёт оно́	мы везём вы везёте они́ везу́т
Past Tense	
я вёз *m*, везла́ *f* ты вёз *m*, везла́ *f* он вёз она́ везла́ оно́ везло́	мы вы } везли́ они́
Imperative: вези́, вези́те	

Infinitive: **нести** I *to carry*

Singular	Plural
Present Tense	
я .есу́ ты несёшь он она́ } несёт оно́	мы несём вы несёте они́ несу́т
Past Tense	
я нёс *m*, несла́ *f* ты нёс *m*, несла́ *f* он нёс она́ несла́ оно́ несло́	мы вы } несли́ они́
Imperative: неси́, неси́те	

Note that in the past tense the masculine form of these verbs does not have the suffix -л (нёс, вёз). This feature is common to Russian verbs which have a consonant for the final letter in the stem of the infinitive (in the above verbs **с** and **з**).

26 два́дцать шесть twenty-six
ходи́ть(хожу́, хо́дишь) II to go, to walk
идти́ (иду́, идёшь) I to go
е́здить (е́зжу, е́здишь) II to ride, to
  drive
е́хать (е́ду, е́дешь) I to ride, to drive,
  to travel
бежа́ть (бегу́, бежи́шь) mixed conj.
  to run
бе́гать (бе́гаю, бе́гаешь) I to run
лета́ть (лета́ю, лета́ешь) I to fly
лете́ть (лечу́, лети́шь) II to fly
вози́ть (вожу́, во́зишь) II to carry,
  to drive, to convey

везти́ (везу́, везёшь) I to carry, to
  drive, to convey
носи́ть (ношу́, но́сишь) II to carry
нести́ (несу́, несёшь) I to carry
регуля́рно adv regularly
гара́ж m garage
конто́ра f office
да́ча f summer house
че́рез through, via
фе́рма f farm
ме́льница f mill
почтальо́н m postman
звони́ть (звоню́, звони́шь) II to ring

Произношение

The combination **зж** is pronounced like the soft, long sound
ж → [жьжь] in **е́зжу, езжа́й.**

Note the pronunciation of the **е** in the words — **е́ду, е́дут**
[йе́дут].

УПРАЖНЕНИЯ

1. **Read the following sentences and translate them into English. Copy out
   first the sentences containing the verbs given in Row I (see Grammar)
   and then the sentences with verbs given in Row II.**

1. Сего́дня ве́чером я **иду́** в теа́тр. 2. Я ча́сто **хожу́** в кон-
цёрт. 3. Де́ти ча́сто игра́ют и **бе́гают** в саду́. 4. Куда́ вы **бежи́те?**
5. Ле́том на́ша учи́тельница **е́здит** на юг. 6. Сего́дня ве́чером
она́ **е́дет** в Ленингра́д. 7. Этот самолёт **лети́т** в Москву́. 8. Самолёты **лета́ют** в Москву́ ка́ждый день. 9. Что вы **несёте?**
10. Почтальо́н ка́ждый день **но́сит** пи́сьма и газе́ты.

2. **Fill in the blank spaces with one of the two verbs given in the right-
   hand column:**

1. Сейча́с я ... в шко́лу.	
Все де́ти в колхо́зе ... в шко́лу.	и́дти, ходи́ть
2. Мы ... сейча́с в дере́вню.	
Мы ча́сто ... в дере́вню.	е́здить, е́хать
3. Смотри́те, грузови́к ... на ме́льницу зерно́.	
Грузовики́ ка́ждый день ... зерно́.	вози́ть, везти́
4. Де́ти ... в саду́.	
Де́ти ... в сад смотре́ть цветы́.	бежа́ть, бе́гать
5. Этот самолёт ... на се́вер.	
Он регуля́рно ... на се́вер.	лете́ть, лета́ть

3. Rewrite the following sentences filling in the blank spaces first with the verb *идти* and then with the verb *éхать* in the correct form of the present tense:

Я ... рабо́тать.   Мы ... отдыха́ть.
Мы ... в колхо́з.   Вы ... в шко́лу.
Он ... на заво́д.   Они́ ... на фа́брику.

4. Read the examples you have written for Exercise 3, using the past tense instead of the present.

5. Fill in the blank spaces with one of the nouns in the right-hand column. Make the necessary changes.

Где? Where?	Куда? Where to?	
1. Това́рищ Ивано́в рабо́тает на	Ми́ша идёт на	фа́брика
2. В ... звони́т телефо́н.	Иди́те сейча́с в	конто́ра
3. Мы рабо́таем в	Де́вушки иду́т в	цех
4. Мой оте́ц живёт в	Я е́ду в	дере́вня
5. На ... но́вые маши́ны.	Грузови́к е́дет на	фе́рма
6. На ... поспева́ет пшени́ца.	Самолёт лети́т на	юг
7. В ... кипи́т рабо́та.	Мы идём в	по́ле
8. Ва́ся рабо́тает на	Он во́зит зерно́ на	ме́льница
9. В ... стоя́т маши́ны.	Рабо́чий ста́вит маши́ны в	гара́ж

6. Translate into Russian:

1. There was a rich harvest at the "New Life" collective farm. 2. The collective farm members worked perseveringly in the fields. 3. They gathered the harvest quickly. 4. The machines rattled here and there. 5. Lorries carried the wheat to the mill. 6. At the collective farm there is a hydroelectric power station and a big farm. 7. We often went to the farm. 8. There is always good milk and butter at the farm. 9. In the evening the collective farm members rested. 10. Cheerful songs rang out everywhere.

УРОК 26б

Word-Building:
Compound Abbreviations.

В ЛЕТНИЙ ДЕНЬ

Се́льский почтальо́н Ко́стин е́дет на мотоци́кле в МТС. Пряма́я ро́вная доро́га идёт че́рез по́ле и ¹луг в посёлок МТС. В по́ле кипи́т рабо́та. Колхо́зники убира́ют пшени́цу. В по́ле рабо́тают комба́йны и други́е сельскохозя́йственные маши́ны. То и де́ло по доро́ге е́здят грузовики́: они́ во́зят зерно́ на ме́льницу и на элева́тор, доставля́ют в го́род молоко́ и ма́сло.

Стои́т хоро́шая пого́да. Высоко́ в не́бе лета́ют пти́цы. Почтальо́н ви́дит вдали́ знако́мый посёлок МТС. В посёлке но́вые дома́. Здесь живу́т рабо́чие МТС. Нале́во — столо́вая и клуб. Напра́во — огро́мный ка́менный гара́ж. В гараже́ стоя́т электри́ческие плу́ги, бо́роны и други́е сельскохозя́йственные маши́ны.

Почтальо́н Ко́стин ка́ждый день во́зит газе́ты, журна́лы и пи́сьма в сельсове́т, в колхо́з «Искра» и в МТС. Вот и сейча́с он остана́вливает мотоци́кл, идёт в конто́ру и несёт туда́ по́чту.

Пото́м Ко́стин везёт по́чту да́льше. Колхо́зники регуля́рно получа́ют пи́сьма, газе́ты и журна́лы.

сéльск‖ий, -ая, -ое; -ие village
почтальóн *m* postman
Кóстин (*Russian masculine surname*)
мотоцѝкл *m* motorcycle
МТС [эм-тэ́-э́с] (=**маши́нно-тра́ктор-
ная ста́нция**) machine and tractor
station
прям‖óй, -áя, -óе; -ы́е straight
рóвн‖ый, -ая, -ое; -ые even, smooth
кипéть (киплю́, кипи́шь) *II* to boil
кипи́т рабóта the work is in full
swing
убира́ть (убира́ю, убира́ешь) *I* to
gather (the harvest)
комба́йн *m* combine
сельскохозя́йственн‖ый,-ая, -ое; -ые
agricultural
то и де́ло every now and then, now
and again, intermittently, without
interruption
грузови́к *m* lorry
зернó *n* grain

элева́тор *m* elevator
**доставля́ть (доставля́ю, доставля́-
ешь)** *I* to deliver
пти́ца *f* bird, fowl
знакóм‖ый, -ая, -ое; -ые familiar
посёлок *m* settlement; **посёлки** *pl*
огрóмн‖ый, -ая, -ое; -ые huge, tremendous
ка́менн‖ый, -ая, -ое; -ые brick
электри́ческ‖ий, -ая, -ое; -ие elec-
tric(al)
плуг *m* plough
боронá *f* harrow; **бóроны** *pl*
и́скра *f* spark (*here*: the name of the
collective farm)
остана́вливать (остана́вливаю, остана́вливаешь) *I* to stop
контóра *f* office
тудá *adv* there
пóчта *f* mail, post, post-office
да́льше *adv* farther on

СЛОВООБРАЗОВАНИЕ

Compound Abbreviations

Compound abbreviations may be formed in various ways:

a) from the initial syllables of two words: **колхóз** (= **коллекти́в-
ное хозя́йство**) *kolkhoz* (collective farm);
b) from the initial syllable of the first word and the whole of the
second word: **сельсовéт** (=**сéльский совéт**) *Village Soviet*;
c) from the names of the initial letters of several words: **МТС**
(= **маши́нно-тра́кторная ста́нция**) *machine and tractor station*.
Such nouns are not declined.

Произношение

Note the pronunciation of the words given below, paying special attention to:

1) soft consonants: день, побéда, мéльница, зернó, везёт, посёлок, идёт, тя́нет, звони́т, éздит, грузови́к;
2) the unstressed vowel о → [ʌ]: боронá, побéда, грузови́к,
огрóмный;
3) final devoiced consonants: плуг, гара́ж, колхóз, гóрод.

УПРАЖНЕНИЯ

1. **From the text of this Lesson pick out the nouns in the accusative case.
Indicate the words which require the accusative case.**

2. **Which verbs of motion (Row I and Row II cf. Grammar — Lesson 26²)
occur in the text of the Lesson. Define their person, number, gender,
and conjugation.**

3. **Answer the following questions on the text:**

1. Куда́ е́дет почтальо́н Ко́стин?
2. Что он везёт?
3. Ча́сто ли он е́здит в МТС?
4. Во́зит ли он пи́сьма и газе́ты ка́ждый день?
5. Ча́сто ли он доставля́ет по́чту в МТС?
6. Куда́ почтальо́н несёт по́чту?
7. Куда́ во́зят грузовики́ зерно́?
8. Куда́ доставля́ют грузовики́ молоко́ и ма́сло?
9. Где живу́т рабо́чие МТС?
10. Где стоя́т сельскохозя́йственные маши́ны?
11. Каки́е маши́ны есть в МТС?

4. **Give the past tense of the following verbs:**

ходи́ть, идти́; е́хать, е́здить; бе́гать, бежа́ть; лета́ть,
лете́ть; носи́ть, нести́; вози́ть, везти́

Example:

	Past Tense			
Infinitive	Masculine	Feminine	Neuter	Plural
е́хать	е́хал	е́хала	е́хало	е́хали

5. **Put the verbs in the following sentences into the past tense:**

1. Молода́я де́вушка идёт че́рез по́ле. 2. Ка́ждый год мы
е́здим на юг. 3. Эти грузовики́ во́зят зерно́ на элева́тор, 4. По́езд
идёт в Москву́. 5. Самолёт лети́т в Ленингра́д. 6. Куда́ вы несёте кни́гу? 7. Ле́том мы ча́сто хо́дим в лес. 8. Высоко́ в не́бе
лета́ют пти́цы. 9. В саду́ бе́гают шко́льники. 10. Почтальо́н
Ко́стин везёт по́чту в колхо́з. 11. Я ношу́ кни́ги в портфе́ле.
12. Куда́ ты бежи́шь? 13. Автомоби́ль е́дет че́рез мост.

6. **Translate into Russian:**

1. We are going to the theatre. We often go to the theatre. 2. Comrade Ivanov is travelling to town by bus. He travels to town by
bus every day. 3. Look what a beautiful bird is flying. The sky
is clear to-day and the birds are flying high. 4. In what are you
carrying your book and copy-book? I always carry my book and
copy-book in my bag. 5. Where are you running to? The children
play and run about in the garden. 6. The lorry is carrying vegetables to town. It goes to town every day.

7. **Read the first paragraph of the text, putting into the past tense the
verbs which are in the present.**

УРОК 27ª

Grammar:
The Reflexive Pronoun **себя**.
Verbs Ending in **-ся** (Reflexive Verbs).
Adverbs of Time.

ГРАММАТИКА

1. The Reflexive Pronoun *себя*

In Russian the reflexive pronoun **себя** *self* may refer to any person in the singular or plural and corresponds to the English pronouns *myself, yourself, himself, herself, itself, ourselves, yourselves, themselves*; it is never omitted,.as in English:

Я чу́вствую **себя́** хорошо́.	I feel (myself) well.
Как **ты себя́** чу́вствуешь?	How do you feel (yourself)?
Хорошо́ ли чу́вствуют **себя́** ва́ши де́ти?	Do your children feel (themselves) well?

2. Verbs Ending in *-ся* (Reflexive Verbs)

Verbs like **умыва́ться** *to wash oneself*, **одева́ться** *to dress oneself* have as their ending the particle **-ся**.

Ся is the Old Russian reflexive pronoun which has become fused with the verb and converted into a particle: **-ся**. After a consonant **-ся** changes to **-сь**. Verbs ending in **-ся (-сь)** are called reflexive verbs. In many cases Russian reflexive verbs correspond to the English verbs with a reflexive pronoun. For example: the reflexive verb **умыва́ться** is the equivalent of *to wash oneself* which in English is also reflexive.

Many Russian reflexive verbs are translated into English by non-reflexive verbs. For example: the English equivalent for the Russian reflexive verb **сади́ться** is *to sit (down)*, which is a non-reflexive verb.

The Meaning of the Particle -ся (-сь)

1. The particle **-ся (-сь)** may impart to the verbs in which it occurs different meanings:

a) Proper reflexive. The particle shows that the action is directed towards the performer, for example in the verbs **умыва́ться, одева́ться (умыва́ть себя́, одева́ть себя́)**.

Proper reflexive verbs are used with nouns denoting animate beings.

b) Neutral. For example, in the verbs given below, the particle **-ся (-сь)** does not indicate that the action passes over to another person or thing: **смея́ться** *to laugh*, **просыпа́ться** *to wake up*.

Besides the two functions of verbs ending in **-ся (-сь)** which we have discussed, the particle **-ся (-сь)** may impart other functions to the verb. These will be dealt with later on.

2. Some verbs ending in **-ся (-сь)** are formed from transitive verbs (without the particle **-ся (-сь)**. Compare:

Я умываю лицо.	I am washing my face (*transitive verb*).
Я умываюсь.	I am washing myself (*reflexive verb*).
Вы одеваете ребёнка.	You are dressing a child (*transitive verb*).
Вы одеваетесь.	You are dressing yourself (*reflexive verb*).

Some verbs ending in **-ся (-сь)** differ in meaning from corresponding verbs without this particle: **раздавать** *to give out, to distribute*, **раздаваться** *to be heard*; **находить** *to find*, **находиться** *to be:*

Учитель раздаёт книги.	The teacher is giving out the books.
Раздаются голоса.	Voices are heard.
Вы находите книгу.	You find a book.
Где вы находитесь?	Where are you?

Conjugation of Reflexive Verbs

Verbs ending in **-ся (-сь)** are conjugated in tne same way as verbs without the particle. In conjugating reflexive verbs, the particle **-ся (-сь)** is retained.

Infinitive: **одеваться** I *to dress* (*oneself*)

Present Tense	
Singular	Plural
я одеваюсь	мы одеваемся
ты одеваешься	вы одеваетесь
он	
она } одевается	они одеваются
оно	
Imperative: одевайся, одевайтесь	

Infinitive: **ложиться** II *to lie down*

Present Tense	
Singular	Plural
я ложусь	мы ложимся
ты ложишься	вы ложитесь
он	
она } ложится	они ложатся
оно	
Imperative: ложись, ложитесь	

The verb **сади́ться** *to sit down* belongs to Conjugation II. The present tense of this verb reveals an alternation of the consonants д—ж—д in the root:

сади́ться — сажу́сь — сади́шься

The verbs **сади́ться** and **ложи́ться** mostly require the accusative case.

Я сажу́сь на стул *(acc)*. I am sitting down on the chair.
Я ложу́сь на дива́н *(acc)*. I am lying down on the sofa.

3. Adverbs of Time

The words: **ле́том** *in summer*, **зимо́й** *in winter*, **у́тром** *in the morning*, **днём** *in the daytime*, **ра́но** *early*, **пото́м** *then, later* denote the time when the action is performed and are called adverbs of time. Compare:

Nouns:		Adverbs:	
у́тро	morning	у́тром	in the morning
день	day	днём	in the daytime
ве́чер	evening	ве́чером	in the evening
ночь	night	но́чью	at night, in the night

СЛОВАРЬ

27 два́дцать семь twenty-seven
себя́ *reflexive pron* self
чу́вствовать (чу́вствую, чу́вствуешь) *I* to feel
чу́вствовать себя́ *I* to feel (oneself)
умыва́ться *I* to wash oneself
одева́ться *I* to dress oneself
умыва́ть (кого́-нибудь) *I* to wash (somebody)
одева́ть (кого́-нибудь) *I* to dress (somebody)
смея́ться *I* to laugh
просыпа́ться *I* to wake up, to awake
раздава́ть (что́-нибудь) + *acc I* to give out, to distribute (something)
раздава́ться *I* to be heard
находи́ть (что́-нибудь) + *acc II* to find (something)
находи́ться *II reflexive* to be
сади́ться (сажу́сь, сади́шься) *II* to sit down
ложи́ться *II* to lie down

у́тром *adv* in the morning
днём *adv* in the daytime
ра́но *adv* early
пото́м *adv* then, later
ве́чером *adv* in the evening
но́чью *adv* at night
конча́ть (что́-нибудь) + *acc I* to finish (something)
конча́ться *I reflexive* to finish
встава́ть (встаю́, встаёшь) *I* to get up
отправля́ться *I* to set off, to go
отправля́ть (кого́-нибудь) *I* to send (somebody)
возвраща́ть *I* to return
возвраща́ться *I* to return
начина́ть (что́-нибудь) + *acc I* to begin (something)
начина́ться *I* to begin
собира́ться *I* to intend; to prepare; to be on the point of; to gather; to assemble

Произношение

Note the pronunciation of the sound combinations -ться and -тся which in Russian verbs are pronounced as [цца]:

-ться → [цца]   умыва́ться   одева́ться   ложи́ться   сади́ться
-тся → [цца]   умыва́ется   одева́ется   ложи́тся   сади́тся

In the verb **чу́вствовать** *to feel*, the first в is a silent letter.
In the pronoun **себя́** *self*, the unstressed е is articulated almost like [ɪ].

УПРАЖНЕНИЯ

1. Read and translate into English. Point out the difference in the translation of the verbs in bold type:

а) 1. Я бы́стро **умыва́ю** лицо́. Я бы́стро **умыва́юсь**. 2. Мать **одева́ет** ребёнка. Мать **одева́ется**. 3. Куда́ вы **отправля́ете** письмо́? Куда́ вы **отправля́етесь**? 4. Ко́ля **возвраща́ет** кни́гу в библиоте́ку. Ко́ля **возвраща́ется** домо́й.

б) 1. Мы **начина́ем** наш уро́к. Наш уро́к **начина́ется**. 2. Мы **конча́ем** обе́дать. Наш обе́д **конча́ется**. 3. Что геоло́ги **нахо́дят** в земле́? Где **нахо́дится** река́ Во́лга? 4. Учи́тель **раздаёт** кни́ги. В саду́ **раздаётся** пе́ние. 5. Я **кладу́** кни́гу на стол. Я **ложу́сь** на дива́н. 6. Де́ти **игра́ют** и **смею́тся**. 7. Мы **просыпа́емся** и **встаём** ра́но у́тром. 8. Как вы себя́ **чу́вствуете**? Как **чу́вствуют** себя́ ва́ши това́рищи?

2. Add the particle *-ся* or *-сь* to complete the following verbs:

1. Кто нахо́дит- в ко́мнате? 2. Сади́те-, пожа́луйста! 3. Мы возвраща́ем- домо́й. 4. Вы отправля́ете- в Ленингра́д. 5. Как ме́дленно ты умыва́ешь-! 6. Ученики́ собира́ют- в шко́ле. 7. У́тром ра́но я встаю́, умыва́ю- и одева́ю-.

3. Conjugate the verbs *отправля́ться* and *сади́ться* in the present tense. Give the imperative of these verbs.

4. Translate into English. Indicate which of the words in bold type are nouns and which are adverbs:

1. Сего́дня прекра́сное **у́тро**. Как хорошо́ в лесу́ ра́но **у́тром**.
2. **Ве́чером** мы бы́ли в саду́. Был ти́хий ле́тний **ве́чер**.
3. **Но́чью** на не́бе луна́. Хоро́ши тёплые ю́жные **но́чи**.
4. Вчера́ был хоро́ший день. **Днём** мы рабо́таем.

5. Put the questions *где?*, *куда́?*, *когда́?* to which the adverbs of place and time in bold type are answers:

1. **Вдали́** ви́ден самолёт. 2. Мы е́дем **домо́й**. 3. Мой брат **до́ма**. 4. Я просыпа́юсь **ра́но**. 5. **Ве́чером** мы отдыха́ем. 6. Мы е́хали **бы́стро**. 7. Дере́вня нахо́дится **далеко́**. 8. **У́тром** со́лнце све́тит я́рко. 9. **Но́чью** был дождь. 10. **Напра́во** густо́й лес. 11. **Ле́том** мы жи́ли на Кавка́зе. 12. Мы ско́ро опя́ть е́дем **туда́**.

6. Fill in the blank spaces with a suitable verb. See that the verbs are in the correct form:

находи́ться, умыва́ться, одева́ться, сади́ться, отправля́ться, смея́ться, ложи́ться, начина́ться, конча́ться, собира́ться, просыпа́ться

1. Пожа́луйста, ... в кре́сло. 2. Това́рищ Ники́тин ... на фа́брику. 3. Де́ти бе́гают, игра́ют и ве́село ... . 4. Мой день ... ра́но. 5. Моя́ дочь ... бы́стро. 6. Де́ти ... в шко́ле. 7. Со́лнце встаёт, и пти́цы ... . 8. Вот мы́ло и вода́, мо́жете ... . 9. Тури́сты ... на Кавка́з. 10. Я ... на дива́н. 11. Го́род Арха́нгельск ... на се́вере. 12. Со́лнце сади́тся за́ гору, и день ... .

7. In the preceding exercise indicate the nouns in the accusative and prepositional cases.

159

УРОК 27ᵇ

Word-Building:
The Verb Suffix -ать.

НОЧЛЕГ В ЛЕСУ

Наша туристская группа идёт пешком в очень живописное место — Абрамцево. Мы хотим видеть дом, где часто гостили знаменитые русские художники и артисты. Теперь там подмосковный музей.

Мы идём уже долго. Солнце садится. Наступает тихий летний вечер. Наша туристская группа входит в лес и останавливается на ночлег. Одни товарищи зажигают костёр, другие готовят ужин. В лесу становится темно и тихо. На небе загораются звёзды. Недалеко журчит ручей.

Мы чистим наши спортивные костюмы, умываемся и садимся ужинать. Все устали, но мы беседуем, смеёмся. «Пора спать, — говорю я. — Завтра рано вставать. Спокойной ночи!»

Я лежу и смотрю на тёмное небо и звёзды. Ручей тихо журчит. Я засыпаю и сплю очень крепко.

Летняя ночь скоро проходит. Становится светло. Я открываю глаза — уже утро. Птицы дружно поют. Я встаю, умываюсь, причёсываюсь, снова зажигаю костёр и готовлю завтрак. Скоро просыпа́ются други́е това́рищи. «До́брое у́тро», — говорю́ я. Все встаю́т, приво́дят себя́ в поря́док. Одева́ться не ну́жно: ка́ждый спал в костю́ме. В лесу́ бы́ло свежо́. Все умыва́ются, мы де́лаем гимна́стику и за́втракаем. Мы чу́вствуем себя́ бо́дро. Пото́м все отправля́ются в путь. Абра́мцево нахо́дится уже́ недалеко́.

СЛОВА́РЬ

ночле́г *m* a night's lodging
пешко́м *adv* on foot
живопи́сн‖ый, -ая, -ое; -ые picturesque
гости́ть (гощу́, гости́шь) *II* to stay with, at; to be a guest of; to be on a visit to
знамени́т‖ый, -ая, -ое; -ые famous
худо́жник *m* painter
арти́ст *m* artist, actor, performer
подмоско́вн‖ый, -ая, -ое; -ые near Moscow, in Moscow's environs
тури́стский, -ая, -ое; -ие tourist
гру́ппа *f* party, group
остана́вливаться *I* to stop at, to halt
на ночле́г for the night
зажига́ть *I* to light, to kindle, to make a fire
костёр *m* camp-fire; **костры́** *pl*
станови́ться *II* to become, to grow; **стано́вится** it is growing
темно́ *adv* dark, it is dark
загора́ться *I* here: to begin to burn, to light up
звезда́ *f* star; **звёзды** *pl*
журча́ть *II* to babble, to murmur
руче́й *m* brook; **ручьи́** *pl*

чи́стить (чи́щу, чи́стишь) *II* to brush, to clean
костю́м *m* suit, outfit, costume
тёмн‖ый, -ая, -ое; -ые dark
устáть *I* to be tired
   я уста́л, -а I am tired
споко́йн‖ый, -ая, -ое; -ые calm
кре́пко *adv* soundly
засыпа́ть *I* to fall asleep
проходи́ть (прохожу́, прохо́дишь) *II* to pass
светло́ *adv* light; it is light
дру́жно *adv* in harmony
поря́док *m* order
   приводи́ть в поря́док to set in order, to tidy up
ка́жд‖ый, -ая, -ое; -ые each
свежо́ chilly; it is chilly
гимна́стика *f* exercises
за́втракать *I* to have breakfast, to breakfast
бо́дро cheerful
путь *m* way
находи́ться *II* to be (in the sense of *place*, not *existence*)
недалеко́ *adv* not far

Замеча́ние к словарю́

Compare the meaning of the verb **сади́ться** in the following examples:
Учени́к **сади́тся** на ме́сто. The pupil is **sitting** down in his place.
Со́лнце **сади́тся**. The sun is **setting**.

Выраже́ния

до́брое у́тро good morning
споко́йной но́чи good-night
де́лать гимна́стику to do exercises
отправля́ться в путь to set off
приводи́ть себя́ в поря́док to tidy oneself

СЛОВООБРАЗОВА́НИЕ

The Verb Suffix *-а-ть*

Many verbs are derived from nouns by adding the suffix **-а-ть:**

Nouns:		Verbs:
за́втрак breakfast	за́втракать	to have breakfast, to breakfast
обе́д dinner	обе́дать	to have dinner, to dine
у́жин supper	у́жинать	to have supper

УПРАЖНЕНИЯ

1. Analyse on the following lines the verbs ending in -ся in the text of the Lesson:

Verbs ending in -ся (-сь)	Person	Number	Conjugation
отправля́ются	3	pl	I

2. Rewrite the following sentences putting the verbs in brackets in the present tense:

1. Наш оте́ц (встава́ть) ра́но у́тром и (отправля́ться) на фа́брику. 2. Мы, де́ти, ещё (спать). 3. Пото́м мы (просыпа́ться), (де́лать) гимна́стику, умыва́емся и одева́емся. 4. Я (одева́ться) бы́стро, моя́ сестра́ (одева́ться) ме́дленно. 5. Мы (за́втракать) и пото́м (отправля́ться) в шко́лу. 6. Днём мы (возвраща́ться) домо́й. 7. Мы (обе́дать) и идём гуля́ть. 8. Мы мно́го (говори́ть) о шко́ле. 9. Пото́м мы (гото́вить) уро́ки, (у́жинать) и (ложи́ться) спать. 10. Но́чью я (спать) хорошо́.

3. Pick out from the text the singular nouns in the accusative and prepositional case. Give the nominative case of these nouns.

4. Complete the following sentences, using the words on the right in the accusative or prepositional case as the sense requires:

1. Ле́том де́ти е́дут в … .
2. В … де́ти хорошо́ отдыха́ют. } дере́вня
3. Де́ти гуля́ют в … .
4. Они́ все вме́сте иду́т гуля́ть в … . } лес
5. Де́ти бегу́т в … .
6. Они́ лю́бят рабо́тать в … . } сад
7. Я бегу́ на … .
8. Я люблю́ купа́ться в … . } река́
9. Иди́те на … .
10. Как хорошо́ ле́том на … . } о́зеро

5. Indicate the adverbs of time used in the text.

6. Answer the following questions:

a) relating to the text

1. Куда́ иду́т тури́сты?
2. Что вы зна́ете об Абра́мцеве?
3. Что они́ хотя́т там ви́деть?
4. Где они́ остана́вливаются на ночле́г?
5. Как они́ прово́дят вре́мя ве́чером?
6. Когда́ тури́сты просыпа́ются?
7. Что они́ де́лают у́тром?

1. Когда́ вы встаёте: ра́но и́ли по́здно?
2. Де́лаете ли вы у́тром гимна́стику?
3. Лю́бите ли вы купа́ться в мо́ре?
4. Мно́го ли вы гуля́ете?
5. Игра́ете ли вы в ша́хматы?
6. Лю́бите ли вы рабо́тать в саду́?
7. Как вы себя́ чу́вствуете сего́дня?
8. Когда́ вы ложи́тесь спать: ра́но и́ли по́здно?
9. Хорошо́ ли вы спи́те но́чью?
10. Спи́те ли вы днём?
11. Куда́ вы е́здите ле́том?
12. Где вы лю́бите отдыха́ть?

7. Put the following sentences into the interrogative form by adding the particle _ли_ to the words in bold type. Change the order of the words.

Example: Вы **чита́ете** по-ру́сски. **Чита́ете** ли вы по-ру́сски?

а) Сего́дня **хоро́шая** пого́да. Со́лнце **све́тит.** Не́бо **я́сное.** Мо́ре **споко́йно.** На у́лице **тепло́. Ско́ро** наступа́ет весна́.

б) Вы **изуча́ете** ру́сский язы́к. Ваш брат **мно́го** чита́ет по-ру́сски. Он **игра́ет** в ша́хматы. Ва́ша сестра́ **хорошо́** поёт, у неё **хоро́ший** го́лос.

8. Translate into Russian:

To-day it is a fine summer day. We are out walking in the field. Evening is near. The sun is setting. We are returning to the village. In the evening our family gathers together. In summer we have supper in the garden. Night is approaching. I go to sleep. The night is warm. I sleep soundly at night. I wake up in the morning and do my exercises. I feel fine (hale, hearty).

6*

УРОК 28ª

Grammar:
Verbs Ending in -ся with Passive Meaning.
The Past Tense of Verbs Ending in -ся.
Russian Names and Patronymics.

ГРАММАТИКА

1. Verbs Ending in -*ся* with Passive Meaning

Some verbs ending in -**ся**, for instance, **стро́иться** *to be built*, **добыва́ться** *to be extracted*, **перераба́тываться** *to be processed* (*to be worked up*), have passive meaning. In such verbs the suffix -**ся** shows that the person or object performs no action, but is subject to some action performed by another person or object (which may or may not be mentioned.) Verbs of this kind correspond to the passive construction in English (to be + past participle).

Verbs ending in -**ся** which have the passive meaning are formed from transitive verbs. Compare:

В го́роде рабо́чие **стро́ят** дом.	The workers are building a house in the town.
В го́роде **стро́ится** дом.	A house is being built in the town.
Шахтёры **добыва́ют** руду́ и у́голь.	The miners are extracting (mining) coal and ore.
На Ура́ле **добыва́ется** руда́ и у́голь.	Coal and ore are extracted (mined) in the Urals.
Заво́ды **перераба́тывают** руду́.	The mills smelt (work up) ore.
Руда́ **перераба́тывается** на заво́дах.	Ore is smelted (worked up) at the mills.

2. The Past Tense of Verbs Ending in -*ся*

Verbs ending in -**ся**, irrespective of their meaning, retain the particle -**ся** in the past tense and are formed in the same way as verbs without the particle -**ся** (-**сь**) (cf. Lesson 27ª).

Verbs in the past tense ending in -**л** take the particle -**ся**: одева́л + ся = одева́лся and the particle -**сь** if they end in а, о, и, i. e. in the feminine and neuter singular and also in the plural: одева́ла + сь, одева́ло + сь, одева́ли + сь.

Verbs ending in -**ся**(-**сь**) in the past tense are conjugated in the same way as verbs without the particle:

Infinitive: **одеваться** I *to dress oneself*

Past Tense	
Singular	**Plural**
я одева́лся *m*, одева́лась *f* ты одева́лся *m*, одева́лась *f* он одева́лся она́ одева́лась оно́ одева́лось	мы вы } одева́лись они́

Infinitive: **ложи́ться** II *to lie down*

Past Tense	
Singular	**Plural**
я ложи́лся *m*, ложи́лась *f* ты ложи́лся *m*, ложи́лась *f* он ложи́лся она́ ложи́лась оно́ ложилось	мы вы } ложи́лись они́

3. Russian Names and Patronymics

In Russian it is common practice to address grown-ups by their first name and the patronymic, which is derived from the father's name:

Никола́й Ива́нович	*(Nikolai, son of Ivan)*
Ви́ктор Никола́евич	*(Victor, son of Nikolai)*
Мари́я Ива́новна	*(Maria, daughter of Ivan)*
Ве́ра Никола́евна	*(Vera, daughter of Nikolai)*

How the Patronymic is Formed

The patronymic is formed from the proper name of the father. Whenever that proper name ends in a hard consonant the suffix **-ович** (for persons of the male sex) or the suffix **-овна** (for persons of the female sex) is added:

Ива́н { + ович   Ива́нович *m*
        { + овна   Ива́новна *f*

Whenever the proper name of the father ends in -й this letter is dropped and the suffix -евич (for persons of the male sex) or -евна (for persons of the female sex) is added:

$$\text{Никола́й} \begin{cases} + \text{евич} & \text{Никола́евич } m \\ + \text{евна} & \text{Никола́евна } f \end{cases}$$

Whenever the proper name of the father ends in -a or -я this ending is dropped for the suffix -ич (for persons of the male sex) or -инична, -ична (for persons of the female sex):

$$\text{Ники́та} \begin{cases} + \text{ич} & \text{Ники́тич } m \\ + \text{ична} & \text{Ники́тична } f \end{cases}$$

$$\text{Илья́} \begin{cases} + \text{ич} & \text{Ильи́ч } m \\ + \text{инична} & \text{Ильи́нична } f \end{cases}$$

СЛОВАРЬ

28 два́дцать во́семь twenty-eight
стро́ить II to build
стро́иться II to be built
добыва́ть I to extract, to mine
добыва́ться I to be extracted, to be mined
перераба́тывать I to work up, to process, to rework

перераба́тываться I to be worked up, to be processed, to be reworked
шахтёр m miner
руда́ f ore
у́голь m coal
купа́ться I to bathe

Никола́й Ива́нович
Ви́ктор Никола́евич
Мари́я Ива́новна
Ве́ра Никола́евна
Ники́тич
Ники́тична [Ники́тишна]
Ильи́ч
Ильи́нична [Ильи́нишна]

} Russian names and patronymics

Замечание к словарю

Do not confuse: у́голь *coal* and у́гол *corner*.

УПРАЖНЕНИЯ

1. Read and translate into English:

1. Тури́сты находи́лись высоко́ на горе́. 2. На не́бе загора́лись звёзды. 3. Со́лнце сади́лось, день конча́лся. 4. Был ве́чер, мы возвраща́лись домо́й. 5. Моя́ сестра́ всегда́ просыпа́лась ра́но у́тром, за́втракала и отправля́лась в шко́лу. 6. В го́роде стро́ились высо́кие дома́. 7. Ле́том де́ти купа́лись в мо́ре. 8. Встава́ло со́лнце, у́тро начина́лось. 9. В па́рке раздава́лась му́зыка. 10. Зимо́й де́ти ра́но ложи́лись спать.

2. Add to the following verbs the particle *-ся* or *-сь*:

1. Мы отправля́ли- на Восто́к. 2. Кора́бль находи́л- в мо́ре.
3. Вдали́ раздава́л- гром. 4. Начина́ла- гроза́. 5. Мо́ре всё вре́мя
меня́ло-. 6. Наш бе́рег находи́л- далеко́.

3. Conjugate the verbs *отправля́ться, сади́ться, стро́иться* in the past tense.

4. Fill in the blank spaces in the sentences below, selecting appropriate nouns or pronouns from among the following:

не́бо, пого́да, де́ти, ве́тер, со́лнце, вода́, пти́цы, все, день, мы

1. Вчера́ стоя́ла хоро́шая ... . 2. ... бы́ло я́сно. 3. Я́рко све-
ти́ло ... . 4. Дул тёплый ... . 5. Высоко́ в не́бе лета́ли ... .
6. В мо́ре ... была́ тёплая. 7. ... мно́го купа́лись. 8. ... лежа́ли
на со́лнце. 9. ... был хоро́ший. 10. Ве́чером ... ката́лись на
ло́дке.

5. Fill in the blank spaces with verbs from the right-hand column, using the correct form of the past tense:

1. Ле́том учени́ца Та́ня ... в дере́вне.	жить
2. Она́ там хорошо́	отдыха́ть
3. Ле́том мы ... ра́но.	встава́ть
4. Та́ня бы́стро ... и	одева́ться, умыва́ться
5. Все де́ти ... гимна́стику.	де́лать
6. Пионе́р Ва́ся ... на берегу́ мо́ря.	отдыха́ть
7. Он мно́го ... в реке́.	купа́ться
8. Ва́ся и Ко́ля ... в футбо́л.	игра́ть
9. Ве́чером де́ти ... и	петь, танце-ва́ть
10. Де́ти ... ле́том на во́здухе.	есть
11. Все ... спать в одно́ вре́мя.	ложи́ться
12. Но́чью де́ти кре́пко	спать
13. Та́ня в дере́вне мно́го	чита́ть
14. Де́ти ... в колхо́з «Побе́да».	отправля́ться

6. Form the patronymics for persons of the male and female sex from the names given in the right-hand column. Join these to the names in the left-hand column:

Name:	The father's name:
Влади́мир, Ве́ра	Михаи́л
Ви́ктор, Мари́я	Никола́й
Ива́н, Татья́на	Влади́мир
Михаи́л, Со́фья	Ива́н
Васи́лий, Еле́на	Ники́та
Никола́й, Ни́на	Васи́лий

167

УРОК 28б

НА УРОКЕ

Вчера́ у нас был уро́к. Наш учи́тель Никола́й Ива́нович интере́сно расска́зывал. Мы внима́тельно слу́шали. На стене́ висе́ла ка́рта СССР. Никола́й Ива́нович говори́л:

«Приро́да на земле́ неоднокра́тно меня́лась. Мо́ре залива́ло су́шу и сно́ва отступа́ло. Вот на ка́рте Вели́кая ру́сская равни́на. Когда́-то, о́чень давно́, здесь бы́ло мо́ре. Там, где ра́ньше бы́ли морски́е зали́вы, тепе́рь гео́логи нахо́дят у́голь, нефть, соль; где когда́-то шуме́ли морски́е прибо́и, где разбива́лись морски́е во́лны, тепе́рь лежа́т фосфори́ты. Там, где ра́ньше находи́лись морски́е острова́, тепе́рь добыва́ется руда́.

На ка́рте вы ви́дите Донба́сс. Когда́-то, о́чень давно́, здесь росли́ могу́чие леса́. А тепе́рь в Донба́ссе глубоко́ в земле́ лежи́т ка́менный у́голь. Тепе́рь здесь механизи́рованные ша́хты.

Вот Ура́л. Здесь о́чень дре́вние го́ры. На Ура́ле гео́логи нахо́дят руду́, драгоце́нные ка́мни, нефть и други́е бога́тства. На Ура́ле рабо́тают тепе́рь огро́мные заво́ды, где руда́ перераба́тывается в мета́лл: чугу́н, медь и сталь».

СЛОВАРЬ

интере́сно interestingly
расска́зывать *I* to relate, to tell
приро́да *f* nature
неоднокра́тно *adv* repeatedly, often
меня́ться *I* to change
залива́ть *I* to flood
су́ша *f* land
сно́ва *adv* again
отступа́ть *I* to retreat
равни́на *f* plain, **Вели́кая ру́сская равни́на** *f* the Great Russian Plain
ра́ньше previously, before
морск‖о́й, -а́я, -о́е; -и́е sea
зали́в *m* bay
нефть *f* oil
прибо́й *m* breakers
разбива́ться *I* to break
волна́ *f* wave; **во́лны** *pt*

фосфори́т *m* phosphorite
о́стров *m* island
Донба́сс *m* (= **Доне́цкий бассе́йн**) Donbas, Donets Basin
могу́ч‖ий, -ая, -ее; -ие mighty
глубоко́ *adv* deep, deeply
ка́мень *m* stone
ка́менный у́голь *m* anthracite
механизи́рованн‖ый, -ая, -ое; -ые mechanized
дре́вн‖ий, -яя, -ее; -ие old, ancient
драгоце́нн‖ый, -ая, -ое; -ые precious
бога́тство *n* wealth, riches
огро́мн‖ый, -ая, -ое; -ые huge, vast
мета́лл *m* metal
чугу́н *m* cast iron
медь *f* copper
сталь *f* steel

СЛОВООБРАЗОВАНИЕ

The Adjectival Suffix -ск-
(continued)

The following adjectives are formed from nouns by adding the suffix -ск-:

Nouns:	Adjectives:
Сове́т Soviet	сове́тский Soviet
мо́ре sea	морско́й sea

Произношение

Note the pronunciation of the sounds indicated:

ы	быть, был, добыва́ть, зали́вы, заво́ды, ша́хты, го́ры
л	был, чита́л, говори́л, расска́зывал, была́, чита́ла, говори́ла, расска́зывала
ж	желе́зо, лежи́т, мо́жет, жи́ли
ш	ша́хта, хорошо́, слу́шали

УПРАЖНЕНИЯ

In the text of this Lesson pick out the verbs ending in -ся(-сь) in the past tense and indicate the gender and number of the noun or pronoun to which the verb refers.

Explain how the particle -ся(-сь) changes the meaning of the verbs occurring in the text. Translate into English the sentences in which these verbs occur.

Give the infinitive of the past tense verbs in the text which end in -ся: Example: находи́лся — находи́ться

Answer the following questions (according to the text):

1. О чём расска́зывал Никола́й Ива́нович?
2. Что нахо́дят гео́логи на Ура́ле?
3. Что добыва́ется в Донба́ссе?
4. Каки́е леса́ росли́ здесь когда́-то?
5. Давно́ ли э́то бы́ло?

Translate into Russian:

a) Vasili Ivanovich worked in the Donbas for a very long time. He worked in a pit in which coal is mined. Previously it was a small pit. Now it is a huge mechanized pit.

b) Engineer Maria Nikolayevna lived for a long time in the Urals. She worked at a plant where ore was worked up into iron. Previously the plant was small. Now it is a huge plant.

Урок 29ᵃ

Grammar:
    The Future Tense of the Verb **быть.**
    The Compound Future Tense.
    The Expression **у меня будет.**
    The Verb **буду,** etc. as a Link-Verb
    The Preposition **через** Denoting Time.

ГРАММАТИКА

1. The Future Tense of the Verb *быть*

The verb **быть** *to be* takes the same endings in the future as verbs of Conjugation I in the present tense. The stem of this verb in the future tense is different from that of the infinitive. The imperative of this verb is formed from the stem of the future tense: **буд-ешь — будь, будьте.**

Infinitive: **быть** I *to be*

Future Tense			
Singular		Plural	
я буду	I shall be	мы будем	we shall be
ты будешь	you will be	вы будете	you will be
он	he	они будут	they will be
она } будет	she } will be		
оно	it		
Endings: -у, -ешь, -ет; -ем, -ете, -ут.			
Imperative: будь, будьте			

In the 1st person singular and the 3rd person plural in the stem of the verb **быть** *to be* (**буду, будут**) the д is pronounced hard; in all other persons of the present tense the д is pronounced softly [дь].

2. The Compound Future Tense

The compound future tense is formed by combining the future tense of the auxiliary verb **быть** *to be*: **буду, будешь, будет,** etc., and the infinitive of the main verb: **буду читать.**

The conjugation to which the main verb belongs and whether it has the particle **-ся** or not have no bearing upon the formation of the compound future or the way it is conjugated.

Infinitives: **чита́ть** I *to read*; **одева́ться** I *to dress oneself*

Compound Future Tense		
Singular		Plural
я бу́ду ты бу́дешь он бу́дет она́ бу́дет оно́ бу́дет } чита́ть, одева́ться		мы бу́дем вы бу́дете они́ бу́дут } чита́ть, одева́ться

The above table shows that only the auxiliary verb is conjugated, the main verb remaining throughout in the infinitive (compare with future forms in English such as *shall, will*).

3. The Expression *у меня́ бу́дет*

The expressions **у меня́ бу́дет, у меня́ бу́дут** correspond to the English *shall have*:

Person	Singular		Plural	
1st 2nd 3rd	у меня́ у тебя́ у него́ у неё у него́	бу́дет кни́га бу́дут кни́ги	у нас у вас у них	бу́дет кни́га бу́дут кни́ги

As distinct from the present tense form **у меня́ есть,** the verb forms **бу́дет** and **бу́дут** are not dropped in the construction **у меня́ бу́дет, у меня́ бу́дут** (cf. Lesson 19ª).

4. The Verb *бу́ду*, etc., as a Link-Verb

The verb **бу́ду** in all its forms is used as a link-verb:

Ночь бу́дет тепла́. The night will be warm.

The expression **я до́лжен бу́ду** corresponds to the English *I shall have to*:

Мы должны́ бу́дем рабо́тать. We shall have to work.

171

5. The Preposition *через* Denoting Time

The preposition **через** may indicate not only the place of action (**через дорогу** *across the road*) but also the period of time, after which an action takes place:

через час	in an hour	**через месяц**	in a month
через день	in a day	**через год**	in a year
через неделю	in a week		

The preposition **через** is used only with the accusative case.

СЛОВАРЬ

29 двадцать девять twenty-nine

буду (*future tense of the verb* to be) *I shall be*

у меня будет I shall have (*with a singular object*)

у меня будут I shall have (*with a plural object*)

завтра to-morrow

неделя *f* week

послезавтра the day after to-morrow

год *m* year

Произношение

д → [дь]

Pronounce the д softly in the words:
будешь, будет, будем, будете
and hard .in the words:
буду, будут

УПРАЖНЕНИЯ

1. Read and translate into English:

1. Инженер Белов едет на Урал. 2. Он **будет строить** там новый завод. 3. Этот завод **будет перерабатывать** руду в металл. 4. В Донбассе **будет строиться** новая шахта. 5. В шахте **будет добываться** каменный уголь. 6. Товарищи Иванов и Никитин **будут** там **работать**. 7. Через месяц **наступают** каникулы. 8. Мы **будем отдыхать** и **купаться** в море. 9. Где вы **будете жить** летом? 10. Я **буду отдыхать** на юге.

2. Fill in the blank spaces with the correct form of the future tense of the verb *быть*.

1. Завтра у нас ... урок. 2. Ты ... рассказывать о Москве. 3. Я ... внимательно слушать. 4. Мы ... читать по-русски. 5. Наш учитель ... диктовать. 6. Все ... старательно писать. 7. Вы, как всегда, ... писать хорошо.

3. Put the verbs which are in the past tense into the future (compound future):

1. Летом у меня **был** отпуск. 2. Я **жил** на Кавказе. 3. Там **проводил** время и Николай Иванович. 4. Мы **купались** в море. 5. Мой брат **отдыхал** летом в деревне. 6. Он много **читал** и **ходил**. 7. Зимой мы должны **были** много **работать**.

4. Indicate the nouns in the accusative and prepositional cases singular in Exercises 1 and 3.

УРОК 29б

ПИСЬМО

Дорогой Миша!

Наступает лето, и я уже думаю об отдыхе. Может быть, у тебя и у меня отпуск будет летом и мы будем отдыхать вместе. Помнишь, однажды мы проводили время на Кавказе? Тогда мы много путешествовали. Теперь я предлагаю отдыхать на озере Селигер. Там мы ещё не были. На озере есть туристская база.

Селигер — очень красивое озеро. Там прекрасная природа. Большие пляжи. Тишина. Воздух чист и свеж. На берегу густой лес. Зелень отражается в воде, как в зеркале. Хорошо там!

На Селигере есть парусные лодки. На лодке мы будем совершать прогулки; часто будем ночевать в лесу; мы будем готовить обед и ужин на костре.

Ты будешь в лесу рисовать, а я, как всегда, буду читать вслух. У нас будет прекрасный отдых.

Итак, надеюсь, мы будем вместе проводить наш отпуск. Пиши. Надо будет готовить всё необходимое.

Привет.

Твой друг Коля.

СЛОВАРЬ

письмо́ *n* letter
дорог‖о́й, -а́я, -о́е; -и́е dear
ду́мать *II* to think
о́тдых *m* rest
о́тпуск *m* vacation, holiday
вме́сте together
по́мнить *II* to remember
одна́жды *adv* once
проводи́ть (провожу́, прово́дишь) *II*
   to spend
путеше́ствовать (путеше́ствую, пу-
   теше́ствуешь) *I* to travel
предлага́ть *I* to offer, to propose
Селиге́р *(the name of a lake)*
ба́за *f* centre
прекра́сн‖ый, -ая, -ое; -ые beautiful
приро́да *f* nature
пляж *m* beach
тишина́ *f* quiet, silence
во́здух *m* air
чи́ст‖ый, -ая, -ое; -ые clean, pure

све́ж‖ий, -ая, -ее; -ие fresh
густ‖о́й, -а́я, -о́е; -ы́е dense, thick
зе́лень *f* verdure
отража́ться *I* to be reflected
зе́ркало *n* mirror
па́рус *m* sail
па́русн‖ый, -ая, -ое; -ые sail
ло́дка *f* boat
соверша́ть *I* to make
ночева́ть (ночу́ю, ночу́ешь) *I* to
   spend the night
гото́вить (гото́влю, гото́вишь) *II* to
   cook, to prepare
вслух *adv* aloud
ита́к and so
наде́яться *I* to hope
проводи́ть (провожу́, прово́дишь)
   II to spend
необходи́мое *n here*: that which is
   necessary (cf. the text)
приве́т *m* greetings, good-bye

Выражения

проводи́ть о́тпуск, ле́то, вре́мя   to spend the vacation, summer, time
соверша́ть прогу́лку   to take a walk

УПРАЖНЕНИЯ

1. State the person and number of the verbs in the future tense which occur in the text.

2. Are there any verbs in the past tense in the text?

3. Answer the following questions on the text:

    1. Где Ми́ша и Ко́ля бу́дут проводи́ть ле́то?
    2. Есть ли на о́зере Селиге́р тури́стская ба́за?
    3. Кака́я приро́да на берегу́ о́зера Селиге́р?
    4. Каки́е там пля́жи?
    5. Как отража́ется зе́лень в о́зере?
    6. Каки́е прогу́лки бу́дут соверша́ть Ко́ля и Ми́ша?
    7. Где они́ бу́дут ночева́ть?
    8. Как они́ бу́дут гото́вить обе́д и у́жин?

4. Indicate the singular nouns in the accusative and prepositional case in the text and determine the word upon which the case depends. Put these nouns in the nominative case.

УРОК 30²

ГРАММАТИКА

1. Summary of the Conjugations

Verbs without the Particle -ся (-сь)

Infinitive: **рабо́тать** I *to work*

Singular	Plural
Present Tense	
я рабо́таю ты рабо́таешь он она́ } рабо́тает оно́	мы рабо́таем вы рабо́таете они́ рабо́тают
Past Tense	
я рабо́тал, -а ты рабо́тал, -а он рабо́тал она́ рабо́тала оно́ рабо́тало	мы вы } рабо́тали они́ }
Compound Future Tense	
я бу́ду ты бу́дешь он бу́дет } рабо́тать она́ бу́дет оно́ бу́дет	мы бу́дем вы бу́дете } рабо́тать они́ бу́дут
Imperative: рабо́тай, рабо́тайте	

Infinitive: **строить** II *to build*

Singular	Plural
Present Tense	
я стро́ю ты стро́ишь он она́ } стро́ит оно́	мы стро́им вы стро́ите они́ стро́ят
Past Tense	
я стро́ил, -а ты стро́ил, -а он стро́ил она́ стро́ила оно́ стро́ило	мы вы } стро́или они́
Compound Future Tense	
я бу́ду ты бу́дешь он бу́дет } стро́ить она́ бу́дет оно́ бу́дет	мы бу́дем вы бу́дете } стро́ить они́ бу́дут
Imperative: строй, стро́йте	

Verbs with the Particle *-ся (-сь)*

Infinitive: **надеяться** I *to hope*

Singular	Plural
Present Tense	
я наде́юсь ты наде́ешься он она́ } наде́ется оно́	мы наде́емся вы наде́етесь они́ наде́ются
Past Tense	
я наде́ялся, -лась ты наде́ялся, -лась он наде́ялся она́ наде́ялась оно́ наде́ялось	мы вы } наде́ялись они́

Singular	Plural
Compound Future Tense	
я бу́ду ты бу́дешь он бу́дет она́ бу́дет оно́ бу́дет } надѐяться	мы бу́дем вы бу́дете } надѐяться они́ бу́дут
Imperative: надѐйся, надѐйтесь	

Infinitive: **учи́ться** II *to study*

Singular	Plural
Present Tense	
я учу́сь ты у́чишься он она́ } у́чится оно́	мы у́чимся вы у́читесь они́ у́чатся
Past Tense	
я учи́лся, -лась ты учи́лся, -лась он учи́лся она́ учи́лась оно́ учи́лось	мы вы } учи́лись они́
Compound Future Tense	
я бу́ду ты бу́дешь он бу́дет она бу́дет оно́ бу́дет } учи́ться	мы бу́дем вы бу́дете } учи́ться они́ бу́дут
Imperative: учи́сь, учи́тесь	

2. The Present Tense with a Future Meaning

За́втра я бу́ду рабо́тать.	To-morrow I shall work.
За́втра я рабо́таю.	To-morrow I work.

In both examples the word за́втра *to-morrow* indicates the future. In the first example the verb is in the future tense, in the second — it is in the present, but with a future meaning. We also find this use of the present indefinite tense in English.

177

3. The Meaning of the Preposition *при*

The preposition **при** may indicate:

a) proximity:

При шко́ле есть сад (*meaning: near the school*). There is a garden at the school.

b) relationship between objects:

При заво́де есть клуб. The plant has its own club. (*The club is not necessarily at the factory but it belongs to the factory.*)

The preposition **при** is used only with the prepositional case.

4. The Prepositions *в, на* with the Accusative Denoting Time

Nouns in the accusative case when used with the prepositions **в, на** may denote time:

Раз **в неде́лю** у нас быва́ет конце́рт.	Once (in) a week we have concerts.
Я е́ду в о́тпуск **на ме́сяц.**	I am going away on vacation for a month.

The names signifying the days of the week are used in the accusative case and are preceded by the preposition **в (во)** when they answer to the questions **когда́?** *when?*, **в како́й день?** *on what day?*

Nominative:	Accusative:	
воскресе́нье *n* Sunday	в воскресе́нье	on Sunday
понеде́льник *m* Monday	в понеде́льник	on Monday
вто́рник *m* Tuesday	во вто́рник	on Tuesday
среда́ *f* Wednesday	в сре́ду	on Wednesday
четве́рг *m* Thursday	в четве́рг	on Thursday
пя́тница *f* Friday	в пя́тницу	on Friday
суббо́та *f* Saturday	в суббо́ту	on Saturday

There is no difference in meaning between the prepositions **в** and **во**. The difference is only in spelling and pronunciation. The preposition **во** is generally used when the word which follows it begins with two voiceless consonants: во вто́рник on Tuesday.

5. Adverbs Denoting Time

The words **сего́дня** *to-day*, **вчера́** *yesterday*, **позавчера́** *the day before yesterday*, **за́втра** *to-morrow*, **послеза́втра** *the day after to-morrow* — are adverbs denoting time.

СЛОВАРЬ

30 три́дцать thirty
стро́ить *II* to build
наде́яться *I* to hope
учи́ться *II* to study
при *pr (cf. Grammar)*
неде́ля *f* week

ме́сяц *m* month
сего́дня to-day
вчера́ yesterday
позавчера́ the day before yesterday
за́втра to-morrow
послеза́втра the day after to-morrow

Замечание к словарю

Do not confuse the verbs **учи́ть** *to teach, to learn, to study* and **учи́ться** *to study.*

The first of these verbs is transitive and requires an object in the accusative case, for example, **учи́ть грамма́тику** *to learn grammar;* **учи́ть кого́-нибудь** *to teach somebody.* The second is intransitive and does not require an object in the accusative case:

> Она́ у́чится хорошо́. She studies well.

Произношение

Pronounce the **в** like an [ф]:

в → [ф] в понеде́льник, в сре́ду, в четве́рг, в пя́тницу, в суб-бо́ту, за́втра, вчера́, позавчера́

УПРАЖНЕНИЯ

1. Read and translate into English. Determine the case of the nouns in bold type:

1. Сего́дня среда́. В **сре́ду** ве́чером я бу́ду до́ма. 2. Вчера́ был вто́рник. Во **вто́рник** у́тром мы рабо́тали. 3. За́втра четве́рг. В **четве́рг** мы идём в музе́й. 4. Позавчера́ был понеде́льник. В **понеде́льник** ве́чером моя́ сестра́ была́ в конце́рте. 5. Послеза́втра пя́тница. В **пя́тницу** наш оте́ц е́дет в Ленингра́д. 6. Ско́ро бу́дет суббо́та. В **суббо́ту** у нас на заво́де собра́ние. 7. Пото́м бу́дет воскресе́нье. В **воскресе́нье** мы отдыха́ем. 8. **Че́рез год** при клу́бе бу́дет о́чень больша́я библиоте́ка.

2. Conjugate the verbs *ду́мать* and *собира́ться* in the present, past and future tenses. Give the imperative form of these verbs.

3. Answer the following questions:

1. Како́й сего́дня день?
2. Како́й день был вчера́?
3. Како́й день был позавчера́?
4. Како́й день бу́дет за́втра?
5. Како́й день бу́дет послеза́втра?
6. Бу́дет ли у вас во вто́рник уро́к?
7. Бу́дет ли у вас уро́к в четве́рг?
8. Ка́ждый ли день у вас уро́к?
9. Идёте ли вы на конце́рт в суббо́ту?

4. Compose eight sentences with verbs in the present, past and future tenses, as well as in the imperative mood (two sentences for each form).

УРОК 30б

НАШ КЛУБ

У нас при автозаво́де хоро́ший клуб. Он занима́ет большо́е и краси́вое зда́ние.

Сего́дня понеде́льник. На стене́ при вхо́де виси́т но́вая афи́ша.

Молоды́е рабо́чие Ви́тя и Ва́ня чита́ют афи́шу. Ря́дом стои́т ста́рый те́хник Фёдор Фёдорович. Ви́тя говори́т:

— Смотри́те, Фёдор Фёдорович, за́втра, во вто́рник, в клу́бе бу́дет нау́чно-популя́рная ле́кция «Но́вое в те́хнике». Ле́кцию чита́ет инжене́р Жа́ров. В пя́тницу то́же бу́дет ле́кция на те́му: «Высо́тные зда́ния в Москве́». Чита́ть бу́дет архите́ктор Ники́тин.

— И ещё бу́дет ле́кция, — добавля́ет Ва́ня, — о физкульту́ре. Ле́кцию чита́ет до́ктор Ивано́в.

— Слу́шайте да́льше, — продолжа́ет Ви́тя. В сре́ду в клу́бе кинофи́льм «Сме́лые лю́ди». Я уже́ ви́дел э́тот фильм — э́то о́чень интере́сный фильм. В суббо́ту — конце́рт. В конце́рте бу́дут выступа́ть лу́чшие арти́сты. Пото́м бу́дут та́нцы.

— Му́зыку и пе́ние я о́чень люблю́, — говори́т Фёдор Фёдорович, — и танцева́ть ра́ньше люби́л, тепе́рь уже́ не могу́. А что бу́дет в воскресе́нье?

— В воскресе́нье наш драмкружо́к пока́зывает пье́су «Победи́тели».

— Я уже́ ви́дел, — говори́т Ва́ня. — Непло́хо игра́ют.

— Осо́бенно наш инжене́р Ивано́в и рабо́тница Ве́ра. У них большо́й драмати́ческий тала́нт.

— Вы, молодёжь, мо́жете посеща́ть клуб ка́ждый ве́чер: в клу́бе всегда́ есть что́-нибудь интере́сное.

— Нет, ка́ждый день мы не мо́жем быва́ть в клу́бе, — сказа́л Ви́тя. — Ве́чером, че́рез день, мы хо́дим учи́ться. Мы у́чимся в понеде́льник, в сре́ду и в пя́тницу.

— Но в суббо́ту и́ли в воскресе́нье, — говори́т Ва́ня, — мы непреме́нно посеща́ем клуб. Здесь хоро́ший спорти́вный зал, больша́я библиоте́ка. Мы лю́бим проводи́ть в клу́бе свобо́дное вре́мя.

СЛОВА́РЬ

зда́ние *n* building
клуб *m* club
вход *m* entrance
афи́ша *f* bill, poster
Фёдор Фёдорович *(masculine name and patronymic)*
нау́чно-популя́рн‖ый, -ая, -ое; -ые popular science
ле́кция *f* lecture
те́ма *f* topic, subject
на те́му on the subject
высо́тн‖ый, -ая, -ое; -ые tall, multi-storeyed
архите́ктор *m* architect
добавля́ть *I* to add
физкульту́ра (= физи́ческая культу́ра) *f* physical culture
да́льше *adv* farther, further
кинофи́льм, фильм *m* film
выступа́ть *I* to perform
арти́ст *m* performer, actor
пото́м *adv* later
та́нец *m* dance; та́нцы *pl*

му́зыка *f* music
пе́ние *n* singing
драмкружо́к (= драмати́ческий кружо́к) *m* dramatic circle
пока́зывать *I* to show
пье́са *f* play
пока́зывать пье́су to show, to present a play
победи́тель *m* victor
«Победи́тели» "The Victors" *(the name of a play)*
непло́хо *adv* not bad
осо́бенно *adv* especially
тала́нт *m* talent
молодёжь *f* youth
посеща́ть *I* to attend, to visit
ка́жд‖ый, -ая, -ое; -ые each
непреме́нно *adv* without fail, certainly
спорти́вн‖ый, -ая, -ое; -ые sport
спорти́вный зал *m* gymnasium
библиоте́ка *f* library

УПРАЖНЕ́НИЯ

1. Name the days of the week.

2. Enumerate the various undertakings carried out by the factory club in the order of the days of the week.

3. Answer the following questions on the text:

1. Како́й клуб при заво́де?
2. Где виси́т но́вая афи́ша?
3. Кто чита́ет афи́шу?
4. Каки́е ле́кции бу́дут в клу́бе?
5. Кто бу́дет чита́ть э́ти ле́кции?
6. Когда́ в клу́бе конце́рт?
7. Кто бу́дет выступа́ть в конце́рте?

8. В какóй день драмкружóк бýдет покáзывать пьéсу «Победи́тели»?
9. Кто игрáет в пьéсе?
10. Хóдят ли Ви́тя и Вáня кáждый день в клуб?

4. Write out from the text the nouns in the accusative and then the nouns in the prepositional case, indicating the words which govern the cases of the nouns.

Example:

Nouns in the accusative case: Nouns in the prepositional case:

      чéрез день   при вхóде
      читáет афи́шу   на стенé

5. Indicate in the text instances of the use of the present tense with a future meaning.

6. Conjugate the verbs *купáться, выступáть, находи́ться, люби́ть* in the present, past and future tenses. Give the imperative form of these verbs (cf. table in Lesson 30ª).

7. Translate into Russian:

1. On Friday I am going to a concert. 2. On Wednesday we shall have a lesson. 3. The day after to-morrow we shall go to (are going to) the village. 4. I get the newspaper every day. 5. We have a lesson every other day: on Tuesday, Thursday and Saturday. 6. Our teacher is going to Moscow for a month. 7. On Wednesday I listened to a lecture on sports. 8. On Sunday we rest. 9. In a week my brother will be here. 10. In a month I shall speak and write Russian still better.

УРОК 31

Recapitulation of Part III
(from Lesson 23 to Lesson 30)

КИНОЖУРНАЛ

В пя́тницу мы смотрéли киножурнáл. На экрáне мы ви́дели сéвер СССР: Бéлое мóре, гóрод Архáнгельск. Там тепéрь веснá. В порту стоя́т парохóды, грýзится лес.

Затéм показывали совхóз «Гигáнт» на ю́ге СССР. Там тепéрь лéто. В пóле кипи́т рабóта. Рабóтают комбáйны и другóе маши́ны. Грузовики́ доставля́ют зернó на элевáтор. Кáдры в киножурнáле чáсто меня́лись. Мы ви́дели на экрáне большóй пионéрский лáгерь-курóрт — Артéк. Дéти лежáли на пля́же, купáлись в мóре. Кáждый год в Артéк éздят отдыхáть мнóгие совéтские шкóльники.

Потóм на экрáне покáзывали клуб при фáбрике «Крáсная Рóза». Там был концéрт. На концéрте выступáли хорóшие арти́сты, а та́кже пел хор. Хор пел ру́сские пе́сни. В клу́бе хоро́ший чита́льный зал, библиоте́ка и большо́й спорти́вный зал. Рабо́чие, инжене́ры и те́хники мо́гут здесь культу́рно проводи́ть свобо́дное вре́мя и хорошо́ отдыха́ть.

В конце́ киножурна́ла мы ви́дели на экра́не, как молоды́е гео́логи отправля́лись на Ура́л. Они́ бу́дут там рабо́тать.

Ме́жду про́чим, в суббо́ту я бу́ду смотре́ть но́вый киножурна́л и нау́чно-популя́рный фильм «Но́вое в те́хнике».

СЛОВА́РЬ

31 три́дцать оди́н thirty-one
киножурна́л *m* newsreel
ви́деть (ви́жу, ви́дишь) *II* to see
порт *m* port
парохо́д *m* ship, steamer
гига́нт *m* giant *(here: the name of a state farm)*

кадр *m* shot
Арте́к *m* *(a health resort in the Crimea where a Young Pioneers' camp is located)*
год *m* year
чита́льный зал reading-room
ме́жду про́чим by the way

Замеча́ние к словарю́

Do not confuse:

1) the words **смотре́ть** *to look* and **ви́деть** *to see*;
2) the word **лес** meaning *woods* and **лес** meaning *timber*.

УПРАЖНЕ́НИЯ

1. Pick out from the first two paragraphs of the text the nouns in the accusative and prepositional cases and analyse them as follows:

Noun in the accusative or prepositional case and the word in the text which governs or requires it	Nominative	Gender	Number	Case in which the noun is in the text	Question to the noun
Мы смо́трим киножурна́л на экра́не	киножурна́л экра́н	m m	sing sing	acc prep	что? где?, на чём?

2. Analyse in the following way the verbs given in the text:

Verb	Ending	Tense	Person or Gender	Number	Conjugation
смо́трим смотре́ла	-им -а	present past	1st f	plural sing	II

N o t e: For verbs in the past tense singular only the gender and not the person need be indicated in column 4.

The conjugation of a verb may be identified by the endings for person in the present tense.

3. Which of the verbs in brackets can be used with the following nouns:

ла́мпа, кни́га, ска́терть, ка́рта, занаве́ска, учени́ца
(стои́т, лежи́т, виси́т, сиди́т)

4. Fill in the blank spaces with suitable prepositions such as *о (об), в (во), на, через*:

1. Рабо́тницы Ма́ша и Та́ня рабо́тают ... фа́брике «Кра́сная Ро́за». 2. У́тром они́ иду́т ... рабо́ту. 3. Ве́чером Ма́ша и Та́ня ча́сто хо́дят ... клуб. 4. Там Ма́ша поёт ... хо́ре. 5. ... суб-бо́ту ... клу́бе бу́дет конце́рт. 6. Ма́ша то́же бу́дет выступа́ть ... конце́рте. 7. Та́ня изуча́ет ... кружке́ англи́йский язы́к. 8. Она́ хо́дит ... уро́к ... день. 9. Ма́ша и Та́ня ча́сто хо́дят ... чита́льню. 10. Там ... столе́ всегда́ лежа́т но́вые журна́лы и газе́ты. 11. Вчера́ де́вушки чита́ли ... теа́тре.

5. Rewrite the sentences below filling in the blank spaces with suitable verbs in the correct form of the present tense:

Verbs: соверша́ть, де́лать, игра́ть, выступа́ть, проводи́ть, находи́ться, жить, посеща́ть

1. У́тром я ... гимна́стику. 2. Вы хорошо́ ... в ша́хматы. 3. Кто сего́дня ... в конце́рте? 4. Где ... ва́ша шко́ла? 5. Как вы ... вре́мя ле́том? 6. Ле́том я ... в дере́вне. 7. Мы ... прогу́лки. 8. Зимо́й мой брат ча́сто ... клуб.

6. Fill in the blank spaces in Exercise 5 with the same verbs in the past tense.

7. Give the tense forms of the following verbs as shown in the table below:

Present	Past	Future
ви́жу, ви́дишь	ви́дел	бу́ду ви́деть

смотре́ть, слу́шать, рисова́ть, посеща́ть, есть, пить, находи́ться, стуча́ть, расска́зывать, возвраща́ться

8. Translate into Russian the words given below. Orally compose sentences, using these words.

to-day, yesterday, the day before yesterday, to-morrow, the day after to-morrow, in the morning, in the daytime, in the evening, at night, in winter, in summer, in autumn, in spring, every day, every other day, on Tuesday, on Friday, in a week

PART IV

УРОК 32ª

Grammar:
The Genitive Case of the Noun.
The Present Tense Used to Signify the
Imperative Mood.

ГРАММАТИКА

1. The Genitive Case of the Noun

Principal Meaning of the Genitive Case without a Preposition

The Russian genitive case of a noun used without a preposition corresponds to the English possessive case (my father's book) and to the *of*-phrase (picture of Moscow). The genitive case in Russian may have the following meaning:

a) relationship of one person to another (kinship, friendship, etc.):

сын **учи́тельницы** (*gen*) the son of a teacher

това́рищ **бра́та** (*gen*) the comrade of my brother

The genitive case in the above examples answers to the question **чей?** *whose?*

Чей сын? **Учи́тельницы.** Whose son? The teacher's (son).

Чей това́рищ? **Бра́та.** Whose comrade? The brother's (comrade).

b) possession of something by a person:

стол **това́рища** (*gen*) the table of the comrade

кни́га **де́вочки** (*gen*) the girl's book

In these examples the nouns in the genitive case also answer to the question **чей?** *whose?*

Чей стол? **Това́рища.** Whose table? The comrade's.

Чья кни́га? **Де́вочки.** Whose book? The girl's.

c) relation of whole to part of the whole:

нача́ло **письма́** (*gen*) the beginning of the letter
у́гол **ко́мнаты** (*gen*) a corner of the room

Questions:

Нача́ло **чего́? Письма́.** The beginning of what? Of the letter.
У́гол **чего́? Ко́мнаты.** A corner of what? Of the room.

In the above examples the genitive case of the noun **письма́**
shows that it is the whole in relation to its part **нача́ло**, and the
noun **ко́мнаты** is the whole in relation to its part **у́гол.**

d) the performer of an action:

чте́ние **ученика́** (*gen*) the reading of the pupil
игра́ **арти́ста** (*gen*)　the acting of the actor

The question is **чей?, чья?, чьё?, чьи? (кого?)**

Чьё чте́ние? **Ученика́.** Whose reading? The pupil's.
Чья игра́? **Арти́ста.**　Whose acting? The actor's.

In the above examples the nouns in the genitive case **ученика́**
and **арти́ста** denote the performer of the action (compare: **уче-
ни́к** чита́ет, **рабо́чий** рабо́тает).

e) the object which is acted upon:

чте́ние **журна́ла** (*gen*) the reading of the magazine
вы́бор **пье́сы** (*gen*)　the choosing (choice) of the play

In the above examples the nouns in the genitive case **журна́ла**
and **пье́сы** denote the object which is acted upon (compare: чи-
та́ть **журна́л** (*acc*) and выбира́ть **пье́су** (*acc*) *to read a magazine*
and *to choose a play*).

Questions:

Чте́ние **чего́? Журна́ла.** The reading of what? Of the magazine.
Вы́бор **чего́? Пье́сы.**　The choice of what? Of the play.

f) designation, purpose, quality:

парк **культу́ры** и **о́тдыха** (*gen*) park of culture and rest

Question: **како́й?** *of what? what kind?*

Како́й парк?　　　　What kind of park?
Культу́ры и **о́тдыха.** A park of culture and rest.

In the above examples the nouns in the genitive case **куль-
ту́ры** and **о́тдыха** qualify or give added meaning to the word
парк.

Thus nouns in the genitive may answer to the different questions: **кого́?** *whose? (of whom?)*, **чего́?** *of what?*, **чей?** *whose?*,
како́й? *what kind?*

Noun Endings in the Genitive Singular

I

Case	Masculine	Feminine	Neuter
Nominative	студе́нт	страна́	окно́
Genitive	студе́нта	страны́	окна́

II

Case	Masculine	Feminine	Neuter
Nominative	учи́тель	земля́	по́ле
Genitive	учи́теля	земли́	по́ля

2. The Present Tense Used to Signify the Imperative Mood

When a certain intonation is used the 1st person plural of the present tense may sometimes act as the imperative:

Идём гуля́ть!	Let's go walking!
Бу́дем игра́ть!	Let's play!
Е́дем в Москву́!	Let's go to Moscow!

СЛОВАРЬ

32 три́дцать два thirty-two
де́вочка *f* girl
вы́бор *m* choosing; choice
пье́са *f* play
чте́ние *n* reading
парк *m* park
культу́ра *f* culture
о́тдых *m* rest

парк культу́ры и о́тдыха park of culture and rest
кого́ of whom
чего́ of what
мно́гие many
ма́льчик *m* boy
програ́мма *f* program
план *m* plan
агроно́м *m* agronomist

Произношение

The combination of two nouns one of which is in the genitive is pronounced in liaison, almost as one word:

центр го́рода, парк культу́ры, у́гол у́лицы, план до́ма

УПРАЖНЕНИЯ

1. Read and translate into English:

1. Кни́га студе́нта Ивано́ва лежи́т на столе́. 2. Расска́з учи́тельницы был интере́сный. 3. Го́лос ма́льчика звуча́л бо́дро. 4. В саду́ раздава́лось пе́ние пти́цы. 5. Мы слу́шали пе́ние хо́ра. 6. На углу́ у́лицы стои́т автомоби́ль. 7. Програ́мма кон-

черта́ была́ интере́сная. 8. Мы слы́шали **шум мо́ря**. 9. Всю́ду был я́ркий **свет со́лнца**. 10. Урожа́й виногра́да был большо́й.

2. Indicate in the preceding exercise which nouns in the genitive case are translated into English by 's (father's) and which with the help of the preposition *of*.

3. In each pair of nouns given below put the second noun in the genitive.

Example: това́рищ, брат — това́рищ бра́та (чей това́рищ?)
бе́рег, мо́ре — бе́рег мо́ря (бе́рег чего́?)
уро́к, му́зыка — уро́к му́зыки (уро́к чего́?, како́й уро́к?)

а) това́рищ, брат; кни́га, учи́тельница; письмо́, оте́ц; план, архите́ктор; земля́, колхо́з; парк, заво́д; жена́, учи́тель; де́ти, сестра́; ме́сто, учени́ца; рабо́та, Та́ня
б) центр, Москва́; бе́рег, река́; стена́,. ко́мната; у́гол, стол; нача́ло, кни́га; окно́, дом; у́лица, го́род
в) уро́к, му́зыка; урожа́й, пшени́ца; план, дом; населе́ние, дере́вня; парк, культу́ра и о́тдых; ме́сто, конце́рт

4. Fill in the blank spaces with a possessive pronoun: *его́, её, их.*

1. Ми́ша Бело́в — студе́нт. ... мать рабо́тает в колхо́зе. 2. Моя́ сестра́ архите́ктор. ... муж — дире́ктор заво́да. 3. Вот рабо́чие Мака́ров и Ники́тин. ... де́ти — студе́нты. 4. Моя́ дочь лю́бит рисова́ть. Вот ... каранда́ш и бума́га. 5. Мой оте́ц живёт в дере́вне. ... дом большо́й и све́тлый. 6. Мои́ ученики́ лю́бят чита́ть. На столе́ лежа́т ... кни́ги. 7. В го́роде Ста́линске стро́ится но́вая шко́ла. Кла́ссы ... больши́е и све́тлые. 8. Улица Ле́нина пряма́я и широ́кая. ... вид о́чень краси́в. 9. На берегу́ реки́ большо́й парк. ... зе́лень украша́ет го́род.

5. Insert the question *чей?* Make it agree with the noun:

1. ... брат живёт здесь? — Мой.
2. ... сестра́ рабо́тает в шко́ле? — Твоя́.
3. ... де́ти гуля́ют в саду́? — На́ши.
4. ... кни́га лежи́т на столе́? — Ва́ша.
5. ... журна́л у вас? — Студе́нта Ивано́ва.
6. ... э́то письмо́? — Моё.
7. ... газе́ты здесь? — Никола́я Ивано́ва.

6. Rewrite the following sentences, using the nouns in brackets in the required case:

1. Агроно́м Ивано́в е́дет в (колхо́з) «Искра». 2. В це́нтре (дере́вня) стои́т но́вая шко́ла. 3. На берегу́ (река́) больша́я фе́рма (колхо́з). 4. В (дере́вня) на углу́ (у́лица) библиоте́ка и клуб. 5. В (библиоте́ка) (колхо́з) всегда́ есть но́вые кни́ги и журна́лы. 6. Оте́ц (агроно́м) — колхо́зник. 7. Дом (колхо́зник Ивано́в) но́вый, в его́ саду́ хоро́шие фру́кты.

УРОК 32<u>б</u>

Word-Building:
    The Suffixes of Verbal Nouns -ени-е, -ани-е
    (continued)
    The Adjectival Suffix -н- (continued)

НАЧАЛО БИОГРАФИИ

Детство Игоря Макарова и его юность проходили в городе Сталинске. Игорь хорошо помнит, как строился этот молодой советский город. Он помнит, как создавался огромный металлургический комбинат имени Сталина, строились новые здания.

Лучшие советские инженеры и архитекторы обсуждали план города. Теперь в городе большие каменные дома, прямые широкие улицы, красивые площади и скверы. Зелень и фонтаны украшают город. На берегу реки большой парк культуры и отдыха.

В городе хорошие театры, кино, библиотеки, школы и вузы. Население Сталинска быстро растёт.

Родители Игоря, его отец и мать, живут в Сталинске давно. Их квартира находится в центре города, на углу улицы Ленина. Отец Игоря — рабочий. Сестра Игоря — учительница. Её муж — архитектор. Вся семья живёт вместе.

Игорь учился в Сталинске: сначала в школе, потом в техникуме. Учился он всегда хорошо. Теперь Игорь уже год работает на заводе. В то же время он готовится в вуз. Он хочет ехать в Москву и держать там экзамен в Горный институт.

— Это твоё решение? — спрашивает Игоря мать.

— Не только моё, — отвечает сын.

— А чьё же ещё?

— Директора завода.

— Где же ты хочешь работать потом?

— Конечно у нас, в Сталинске. Видишь, как растёт наш молодой город.

— Вот что, Игорь, — говорит отец, — через неделю я должен ехать в Москву на профсоюзный съезд. Едем вместе.

— Очень хорошо.

И через неделю отец и сын отправляются в Москву.

нача́ло *n* beginning
биогра́фия *f* biography
де́тство *n* childhood
Игорь *(Russian masculine name)*
Мака́ров *(Russian surname)*
ю́ность *f* youth
Ста́линск *m (the name of a city)*
по́мнить (по́мню, по́мнишь) *II* to remember
создава́ться *I* to be built, to be created
металлурги́ческий комбина́т *m* iron and steel mills
и́мя *n* name *(first name)*; и́мени *gen*; имена́ *pl*
лу́чш‖ий, -ая, -ее; -ие the best
обсужда́ть *I* to discuss
прям‖о́й, -а́я, -о́е, -ы́е straight
пло́щадь *f* public square
сквер *m* square (garden)
фонта́н *m* fountain
украша́ть *I* to adorn
теа́тр *m* theatre

вуз (= вы́сшее уче́бное заведе́ние) *m* higher school
населе́ние *n* population
роди́тели *pl* parents
центр *m* centre
те́хникум *m* professional school, technicum
гото́виться (гото́влюсь, гото́вишься) *II* to prepare
держа́ть (держу́, де́ржишь) *II* to hold
экза́мен *m* examination
держа́ть экза́мен to take an examination
го́рн‖ый, -ая, -ое; -ые mining
институ́т *m* institute
реша́ть *I* to decide
реше́ние *n* decision
дире́ктор *m* director
профсою́з *m* trade union
профсою́зн‖ый, -ая, -ое; -ые trade union
съезд *m* congress

Замечания к словарю

1. Do not confuse the words пло́щадь *square* and площа́дка *grounds*.
2. Compare the meaning of the verb проходи́ть *to pass* in: челове́к прохо́дит *a person passes by* and вре́мя прохо́дит *time passes*.
3. Compare the meanings of the verb держа́ть *to keep* in: я держу́ кни́гу *I am holding a book* and я держу́ экза́мен *I am taking an examination*.

Выражения

гото́виться в вуз to prepare for entrance examinations to the higher school.

держа́ть экза́мен to take an examination

СЛОВООБРАЗОВАНИЕ

1. The Suffixes of Verbal Nouns *-ени-е, -ани-е*

Many Russian nouns are formed from verbs with the help of the suffixes **-ени-е, -ани-е**:

реша́ть — реше́ние
чита́ть — чте́ние
знать — зна́ние

2. The Adjectival Suffix *-н-* (continued)

The following adjectives are formed from nouns with the help of the suffix *-н-*:

гора́ — го́рный
профсою́з — профсою́зный

УПРАЖНЕНИЯ

1. Put the nouns in the brackets into the required case. Translate into English:

Example: нача́ло (биогра́фия) — нача́ло биогра́фии.

1. Вид (го́род Ста́линск) о́чень краси́в. 2. Населе́ние (го́род) лю́бит гуля́ть в (парк культу́ра и о́тдых). 3. В (центр, го́род) краси́вая пло́щадь. 4. Улицы (го́род) прямы́е и широ́кие. 5. В (Ста́линск) большо́й заво́д. 6. При (заво́д) хоро́ший клуб. 7. В (зал, клуб) ча́сто быва́ют конце́рты. 8. Арти́сты (столи́ца) выступа́ют в (теа́тр, го́род Ста́линск).

2. Group together words of the same root. Underline the root:

Example: гора́, го́рный

зда́ние, рабо́чий, е́здить, мета́лл, ка́мень, снача́ла, зе́лень, создава́ть, начина́ть, зелёный, де́ти, жизнь, учи́ться, съезд, рабо́тать, де́тство, жить, ка́менный, учи́тельница, металлурги́ческий, учени́к

3. Underline the root in the words given below. Indicate the alternation of consonants that is observed:

краси́вый — прекра́сный — украше́ние

4. Rewrite the verbs and verbal nouns. In the latter underline the suffixes. Translate into English:

Example: реша́ть — реше́ние

———

знать — зна́ние, учи́ть — уче́ние, объясня́ть — объясне́ние, чита́ть — чте́ние, рисова́ть — рисова́ние, петь — пе́ние

5. Indicate in which instances the genitive case denotes the person or thing performing the action and in which instances the person or thing acted upon:

1. Оте́ц реша́ет вопро́с. ⎰ Реше́ние отца́.
⎱ Реше́ние вопро́са.

2. Учени́к чита́ет кни́гу. ⎰ Чте́ние ученика́.
⎱ Чте́ние кни́ги.

3. Учи́тель объясня́ет пра́вило. ⎰ Объясне́ние учи́теля.
⎱ Объясне́ние пра́вила.

4. Арти́ст поёт пе́сню. ⎰ Пе́ние арти́ста.
⎱ Пе́ние пе́сни.

5. Това́рищ зна́ет грамма́тику. ⎰ Зна́ние това́рища.
⎱ Зна́ние грамма́тики.

6. Answer the following questions:

a) relating to the text

1. Где проходи́ло де́тство Игоря Мака́рова?
2. Что по́мнит Игорь?

3. Где живут родители Игоря?
4. Кто отец Игоря? Кто его сестра?
5. Где учился Игорь?
6. Где он теперь работает?
7. Куда он хочет ехать держать экзамены?
8. Где он будет работать потом?
9. Чьё это решение?
10. Кто создавал план города Сталинска?
11. Какие дома в Сталинске?
12. Какие там улицы, площади?
13. Какой парк на берегу реки?
14. Какой комбинат в Сталинске?
15. Быстро ли растёт население города?
16. Помнит ли Игорь, как строился этот город?

b) not relating to the text

1. Где проходило ваше детство?
2. Где живут (или жили) ваши родители?
3. Где вы учились в школе?
4. В каком городе вы живёте теперь?
5. Какие там дома, улицы и площади?
6. Есть ли в городе скверы?

УРОК 33ª

Grammar:
The Prepositions из, с, от, до, у, о́коло,
вокру́г, ми́мо, посреди́, вдоль, про́тив
with the Genitive Case.

ГРАММАТИКА

The Prepositions *из, с, от, до, у, о́коло, вокру́г, ми́мо, посреди́, вдоль, про́тив* with the Genitive Case

1) The prepositions **из** *out* and **с** meaning *from* indicate:

a) movement away from something or somewhere:

Мы е́дем **из** го́рода.	We are riding from the city.
Я беру́ цветы́ **с** окна́.	I am taking the flowers from the window.

Do not confuse the two prepositions **из** and **с**. Note the corresponding features of:

1. **из** and **в**
2. **с** and **на**

1. Мы е́дем **из** го́рода. — We are riding from the city.
   Мы е́дем **в** го́род. — We are riding to the city.

2. Я беру́ цветы́ **с** окна́. — I am taking the flowers from the window.

   Я ста́влю цветы́ **на** окно́. — I am putting the flowers on the window.

b) the preposition **из** may indicate the material from which an object is made:

па́мятник из мра́мора	a monument of marble
стол из де́рева	a table of wood

Questions: **из чего́?** *of what?*, **како́й?** *what kind?*

Из чего́ па́мятник?	} Из мра́мора.	Of what is the monument made?
Како́й па́мятник?		What kind of monument is it? Of marble.
Из чего́ стол?	} Из де́рева?	Of what is the table made?
Како́й стол?		What kind of table is it? Of wood.

c) the preposition **c** may indicate the time when the action begins:

Сего́дня я рабо́таю **с** утра́.	To-day I have been working since the morning.
Я отдыха́ю **с** понеде́льника.	I have been resting since Monday.
И́горь **с** де́тства зна́ет город Ста́линск.	Igor has known the town of Stalinsk since his childhood.

Questions: **с како́го вре́мени?** *since when?*, **с како́го дня?** *since which day?*

С како́го вре́мени вы рабо́таете? **С** утра́.	Since when have you been working? Since the morning.
С како́го дня вы отдыха́ете? **С** понеде́льника.	Since which day have you been resting? Since Monday.

The preposition **c** may take the form **co** when the noun it precedes begins with two consonants. For example:

со стола́	from the table
со вто́рника	since Tuesday

2) The preposition **от** (also means *from*) may indicate:

the starting point of some movement:

Мы е́хали **от** вокза́ла на автомоби́ле.	We rode from the station by car.

Questions: **отку́да?** *where from?*, **от чего́?** *from what (place)?*

Отку́да вы е́хали? **От** вокза́ла.	Where did you ride from? From the station.

3) The preposition **до** *until, as far as* may indicate:

a) a definite limit in space or duration of time:

Мы е́хали **до** Ленингра́да.	We travelled as far as Leningrad.
Я отдыха́л **до** понеде́льника.	I rested until Monday.

Questions: **до како́го ме́ста?** *as far as what place?*, **до како́го вре́мени (дня)?** *until what time (day)?*

До како́го ме́ста вы дое́хали? **До** Ленингра́да.	As far as what place have you travelled? As far as Leningrad.
До како́го дня вы отдыха́ли? **До** понеде́льника.	Until which day did you rest? Until Monday.

194

b) a measure of distance or an interval of time (together with the preposition **от**):

От стола́ до окна́ совсе́м бли́зко.	From the table to the window it is quite near.
Мы е́хали от Москвы́ до Ленингра́да.	We travelled from Moscow to Leningrad.

Questions: **от чего?** *from which object?*, **до чего?** *as far as which object?*, **откуда?** *from which place?*, **до како́го ме́ста?** *as far as which place?*

От чего́ до окна́ бли́зко? **От стола́.**	From what object is it near to the window? From the table.
От стола́ до чего́ бли́зко? **До окна́.**	From the table to what object is it near? To the window.
Отку́да вы е́хали? **От Ленингра́да.**	From which place did you travel? From Leningrad.
До како́го ме́ста вы е́хали? **До Москвы́.**	As far as which place did you travel? As far as Moscow.

4) The preposition **у** *by, with, at* may indicate:

a) the person to whom an object belongs (cf. the expression «у меня́», Lesson 19ª):

У това́рища но́вая кварти́ра.	The comrade has a new flat.
У сестры́ в дере́вне но́вый дом.	My sister has a new house in the country.

Question: **у кого́?** *who has?*

У кого́ но́вая кварти́ра? **У това́рища.**	Who has a new flat? The comrade has.
У кого́ но́вый дом? **У сестры́.**	Who has a new house? My sister has.

b) the presence of a person with another person:

Я был у до́ктора.	I was with the doctor.
Рабо́чий был у инжене́ра.	The worker was with the engineer.

Question: **у кого́?** *with whom?*

У кого́ вы бы́ли? **У до́ктора.**	With whom were you? With the doctor.

c) the location of an object:

Стол стои́т у окна́.	The table stands at (by) the window.
У вхо́да в теа́тр виси́т афи́ша.	At the entrance to the theatre there is a poster hanging.

7*

Question: **где?** *where?*

Где стои́т стол? **У** окна́.	Where does the table stand? At (by) the window.
Где виси́т афи́ша? **У** вхо́да в теа́тр.	Where is the poster hanging? At the entrance to the theatre.

5) The preposition **о́коло** *near* may indicate:

a) the location of an object:

Большо́й лес **о́коло** реки́.	A great forest is near the river.
О́коло до́ма сад.	Near the house there is a garden.

Question: **где?** *where?*

Где большо́й лес? **О́коло** реки́.	Where is a great forest? Near the river.
Где сад? **О́коло** до́ма.	Where is the garden? Near the house.

b) time (implying "approximately"):

Я жил в Москве́ **о́коло** го́да.	I lived in Moscow for about a year.
Мы гуля́ли в па́рке **о́коло** ча́са.	We walked in the park for about an hour.

Question: **как до́лго?** *how long?*

Как до́лго вы жи́ли в Москве́? **О́коло** го́да.	How long have you lived in Moscow? About a year.
Как до́лго вы гуля́ли в па́рке? **О́коло** ча́са.	How long have you been walking in the park? About an hour.

6) The prepositions **вокру́г** *around, round,* **посреди́** *in the middle,* **вдоль** *along,* **про́тив** *opposite to,* **ми́мо** *past by* may indicate the location of a person or object:

a) Мы сиди́м **вокру́г** стола́.	We are sitting round the table.
Де́ти стоя́ли **вокру́г** учи́теля.	The children were standing round the teacher.

Questions: **где?** *where?*, **вокру́г кого́?** *round whom?*, **вокру́г чего́?** *round what?*

Где (**вокру́г чего́**) мы сиди́м? **Вокру́г** стола́.	Where (round what) are we sitting? Round the table.
Вокру́г кого́ стоя́ли де́ти? **Вокру́г** учи́теля.	Round whom did the children stand? Round the teacher.
b) **Посреди́** скве́ра фонта́н.	In the middle of the square is a fountain.
Посреди́ о́зера о́стров.	In the middle of the lake is an island.

Где (посреди чего) фонтан? **Посреди** сквера.	Where (in the middle of what) is the fountain? In the middle of the square.
Где (посреди чего) остров? **Посреди** озера.	Where (in the middle of what) is the island? In the middle of the lake.

c) Вдоль улицы высокие дома. — Along the street there are tall houses.

Вдоль реки большой парк. — Along the river there is a big park.

Questions: **где?** *where?*, **вдоль чего?** *along what?*

Где (вдоль чего) высокие дома? **Вдоль** улицы.	Where (along what) are there tall houses? Along the street.
Где (вдоль чего) большой парк? **Вдоль** реки.	Where (along what) is there a big park? Along the river.

d) Картина висит **против** окна. — The picture hangs opposite the window.

Вася сидит **против** Коли. — Vasya sits opposite Kolya.

Questions: **где?** *where?*, **против чего?** *opposite what?*, **против кого?** *opposite whom?*

Где (против чего) висит картина? **Против** окна.	Where (opposite what) does the picture hang? Opposite the window.
Где (против кого) сидит Вася? **Против** Коли.	Where (opposite whom) does Vasya sit? Opposite Kolya.

e) Мы ехали **мимо** деревни. — We rode past the village.
Вася проходил **мимо** фабрики. — Vasya walked past the factory.

Questions: **мимо кого?** *past whom?*, **мимо чего?** *past what?*

Мимо чего мы ехали? **Мимо** деревни.	Past what did we ride? Past the village.
Мимо чего проходил Вася? **Мимо** фабрики.	Past what did Vasya walk? Past the factory.

СЛОВАРЬ

33 тридцать три thirty-three
из from
из чего of what
с (+ *gen*) from
от from
от кого? from whom?
от чего? from what?
откуда? from where?
до as far as (place), until (time), to, till
у with (*in the sense of* at), at
около near
около кого? near whom?

около чего? near what?
вокруг round, around
мимо past
лёгк∥ий, -ая, -ое; -ие easy, light
посреди in the middle
вдоль along
против opposite
против кого? opposite whom?
против чего? opposite what?
час *m* hour
остров *m* island; **острова** *pl*

УПРАЖНЕНИЯ

1. Read and translate into English the following:

1. Из дере́вни тури́сты отправля́ются в лес. 2. Они́ иду́т **ми́мо по́ля.** 3. **С по́ля** ду́ет лёгкий ве́тер. 4. Идти́ ну́жно **про́тив со́лнца.** 5. **От дере́вни до ле́са** недалеко́. 6. Тури́сты садя́тся отдыха́ть **у о́зера. 7. Вокру́г о́зера** зелёные дере́вья. 8. **Посреди́ о́зера** небольшо́й о́стров. 9. **По́сле о́тдыха** и **обе́да** тури́сты отправля́ются да́льше. 10. Они́ иду́т **вдоль реки́.** 11. **Около реки́** большо́й пионе́рский ла́герь.

2. Fill in the blank spaces with nouns in the required case. State to what questions the nouns in the genitive case answer. Translate orally into English each sentence and question.

1. У ... сын студе́нт.
   Я был у ... .
   У ... стои́т стол.
   Учени́к стои́т у ...

   | това́рищ Ивано́в
   | до́ктор
   | окно́
   | доска́

2. В ... всегда́ но́вые кни́ги.
   Я беру́ кни́ги из ... домо́й.
   На ... о́чень ти́хо.
   Эта скаме́йка из ... .
   Де́ти сидя́т на ... .
   Сла́бый ве́тер ду́ет с ... .
   Мы жи́ли на ... .
   Мы е́дем на ... .
   Самолёт лети́т с ... .

   | библиоте́ка
   | библиоте́ка
   | мо́ре
   | де́рево
   | скаме́йка
   | мо́ре
   | восто́к
   | восто́к
   | восто́к

3. Мы до́лго жи́ли на ... .
   Мой брат прие́хал с ... .
   За́втра я е́ду на ... .
   Самолёт лети́т с ... на ... .

   | юг
   | юг
   | юг
   | юг, се́вер

4. Мы остана́вливаемся о́коло ... .
   Около ... мы жи́ли в ... .

   | заво́д
   | год, колхо́з

198

5. Я сижу́ про́тив .... | Ма́ша
   Но́вый высо́тный дом стро́ится про́тив ... | вокза́л

6. От ... до ... недалеко́. | Москва́, Ленингра́д
   От ... до ... два дня. | суббо́та, вто́рник
   Вчера́ бы́ло письмо́ от ... . | сестра́

7. Вдоль ... высо́кие дома́. | у́лица
   Посреди́ ... краси́вый па́мятник. | сквер
   Автомоби́ль е́хал ми́мо ... . | парк
   Вокру́г ... большо́й сад. | дом

3. Fill in the blank spaces with prepositions to suit the meaning. Note the case of the nouns.

а) 1. Вчера́ мы смотре́ли ... теа́тре пье́су «Победи́тели». ... теа́тра мы е́хали домо́й на автомоби́ле. 2. ... у́лице большо́е движе́ние. Я слы́шу шум ... у́лицы. 3. Я до́лго жил ... се́вере. Тепе́рь я е́ду ... се́вера ... юг. 4. У́тром де́ти ... шко́ле. ... шко́лы они́ иду́т домо́й. 5. Де́вушка Ма́ша рабо́тает ... фа́брике. Она́ идёт ... фа́брики ... клуб. 6. ... колхо́зе «Но́вый путь» хоро́шая фе́рма. Наш заво́д получа́ет молоко́ и ма́сло ... колхо́за «Но́вый путь». 7. Мы сиди́м ... уро́ке. ... уро́ка мы идём домо́й.

б) ... това́рища Бело́ва больша́я и све́тлая ко́мната. ... ко́мнате стои́т удо́бная ме́бель. ... ко́мнаты лежи́т большо́й ковёр. Пи́сьменный стол това́рища Бело́ва стои́т ... окна́. Окно́ выхо́дит ... восто́к. ... окна́ мы хорошо́ ви́дим у́лицу. ... у́лице зелёные дере́вья. Това́рищ Бело́в живёт ... зда́ния телегра́фа. ... теа́тра краси́вый сквер.

УРОК 33б

В ЦЕНТРЕ МОСКВЫ

Товáрищ Макáров и егó сын Игорь берýт таксú и éдут с вокзáла в гостúницу «Москвá».

Быстро мчúтся автомобúль «Побéда». Путь от вокзáла до гостúницы интерéсный. Вот ужé плóщадь Свердлóва и Большóй теáтр. Автомобúль останáвливается у светофóра. Отéц и сын смóтрят на Большóй теáтр, лýчший в СССР теáтр óперы и балéта.

Здáние теáтра óчень красúво. Прóтив теáтра большóй сквер и фонтáн. Теперь лéто. Дерéвья и травá зéлены. Фонтáн блестúт на сóлнце. Вокрýг фонтáна крáсные рóзы, бéлые лúлии и другúе цветы. Цветы в сквéре похóжи на яркий ковёр.

Автомобúль éдет мúмо теáтра и вскóре останáвливается у подъéзда гостúницы «Москвá».

Гостúница «Москвá» — большóе нóвое здáние в цéнтре гóрода. Кóмната у товáрища Макáрова наверхý. Окна в кóмнате большúе, однó выхóдит на зáпад.

Товáрищ Макáров смóтрит в окнó. Из окнá гостúницы хорошó виднá Москвá, её ýлицы, здáния и сквéры.

Игорь пéрвый раз в Москвé. С дéтства он мнóго читáл о Москвé, но ещё никогдá нé был в столúце.

Он выхóдит из кóмнаты на балкóн. Внизý большáя плóщадь. Налéво возвышáется Кремль. Яркое лéтнее сóлнце освещáет этот замечáтельный пáмятник архитектýры.

Гостúница «Москвá» совсéм блúзко от Кремля. Игорь хорошó вúдит егó старúнные стéны и бáшни. Внизý, вдоль кремлёвской стены до Москвы-реки, густóй зелёный сад.

Кремль — центр столúцы. В Кремлé жúли и рабóтали велúкие В. И. Лéнин и И. В. Стáлин.

Около Кремля, налéво, Крáсная плóщадь. Посредú плóщади у кремлёвской стены стоúт Мавзолéй. Это Мавзолéй В. И. Лéнина и И. В. Стáлина.

Игорь о́коло ча́са стои́т на балко́не. Вдали́ он ви́дит высо́кие дома́. Их бе́лые сте́ны я́рко блестя́т на со́лнце.

А вот напра́во, недалеко́ от гости́ницы, ста́рое зда́ние университе́та и совсе́м бли́зко — у́лица Го́рького. На у́лице Го́рького краси́вые больши́е зда́ния, вдоль у́лицы зелёные дере́вья.

Всю́ду большо́е движе́ние, кипу́чая жизнь столи́цы.

СЛОВА́РЬ

такси́ *n (not declined)* taxi
  брать такси́ to take a taxi
вокза́л *m* railway station
гости́ница *f* hotel
мча́ться (мчусь, мчи́шься) *II* to speed along
побе́да *f* victory (*here:* the name of a car of Soviet make)
пло́щадь Свердло́ва Sverdlov Square
Большо́й теа́тр Bolshoi Theatre
остана́вливаться *I* to stop, to halt
светофо́р *m* traffic light
о́пера *f* opera
бале́т *m* ballet
подъе́зд *m* entrance
наверху́ on the top floor
выходи́ть (выхожу́, выхо́дишь) *II* to go out
окно́ выхо́дит the window overlooks

ви́ден, видна́, ви́дно, видны́ *pl* is seen;
никогда́ never
балко́н *m* balcony
освеща́ть *I* to light, illumine
внизу́ below
возвыша́ться *I* to rise, to tower above
Кремль *m* Kremlin
стари́нн||ый, -ая, -ое; -ые ancient
архитекту́ра *f* architecture
бли́зко near
кремлёвск||ий, -ая, -ое; -ие Kremlin
стена́ *f* wall
Кра́сная пло́щадь Red Square
мавзоле́й *m* mausoleum
университе́т *m* university
движе́ние *n* movement, traffic
кипу́ч||ий, -ая, -ее; -ие teeming

1. Do not confuse the words **стáрый** *old* and **стари́нный** *ancient*.
2. Compare the meaning of the verb **выходи́ть** in the following sentences:

Товáрищ **выхóдит** из кóмнаты.	The comrade *is going out* of the room.
Окнó **выхóдит** на у́лицу.	The window *overlooks* the street.
Это **выхóдит** хорошó.	It *is turning out* all right.

СЛОВООБРАЗОВАНИЕ

The Prefix *вы-* in Verbs of Motion

Verbs of motion with the prefix **вы-** denote movement out of some place:

ходи́ть — выходи́ть		to go; to go out
бéгать — выбегáть	откýда?	to run; to run out
летáть — вылетáть	из, с	to fly; to fly out
éздить — выезжáть	кудá?	to ride; to ride out
носи́ть — выноси́ть	в, на	to carry; to carry out
вози́ть — вывози́ть		to carry, to cart, to drive, to bring; to carry out, to cart, to drive out, to bring out

The above verbs answer to the questions: **кудá?** *where?*, **откýда?** *from where?*

Whenever a verb of motion with the prefix **вы-** answers to the question **кудá?** it requires the preposition **в** or **на** after it.

Дéти **выбегáют** в сад.	The children are running out into the ·garden.

Whenever a verb of motion with the prefix **вы-** answers to the question **откýда?** *where from?* it requires after it the preposition **из** or **с**:

Дéти **выбегáют** из сáда.	The children are running out of the garden.

УПРАЖНЕНИЯ

1. Copy out from the text phrases with the nouns in the genitive and group them into two columns as follows:

The Genitive without a Preposition:	The Genitive with a Preposition:
в цéнтре Москвы́	с вокзáла
плóщадь Свердлóва	от вокзáла

2. Fill in the blank spaces with one of the verbs below, using the present tense in the required form:

вылета́ть, выходи́ть, выноси́ть, выезжа́ть, вывози́ть, выбега́ть

1. Мы ... из до́ма. 2. Самолёт ... из го́рода. 3. Автомоби́ль ... из го́рода. 4. Колхо́з ... зерно́ с по́ля. 5. Де́ти ... из са́да. 6. Ва́ся ... стул из ко́мнаты.

8. Answer the following questions relating to the text:

1. Куда́ е́дут с вокза́ла това́рищ Мака́ров и его́ сын?
2. Что ви́дят они́ на пло́щади Свердло́ва?
3. Где остана́вливается автомоби́ль?
4. Куда́ выхо́дят о́кна ко́мнаты в гости́нице?
5. Что ви́дит И́горь с балко́на?

4. Indicate the person, number and conjugation of the verbs in the present tense used in the text of this Lesson.

5. Give the opposites of the words in bold type. Use them to fill in the blank spaces:

1. Мы живём **бли́зко** от вокза́ла. Това́рищ Ивано́в живёт ... от вокза́ла.
2. На́ша кварти́ра **наверху́**. Подъе́зд ... .
3. Окна кварти́ры това́рища Ивано́ва выхо́дят на **юг**. Окна ко́мнаты това́рища Мака́рова ... .
4. Зда́ние университе́та **напра́во**. Большо́й теа́тр ... .

6. From the words below pick out those with the same root and underline the root. Indicate which of the words occur in the text of the Lesson. Note the roots in which the sounds [т] and [щ] occur alternately:

гость, вид, свет, ви́дит, све́тлый, освеща́ть, подъе́зд, разноцве́тный, ви́ден, светофо́р, гости́ница, е́здить, стари́нный, цветы́, ста́рый, съезд

7. Describe in Russian the centre of the city in which you now live or lived previously, making use of the prepositions given in this Lesson.

УРОК 34^а

Grammar:

The Genitive Case of the Noun with the Words нет, нé было, не бýдет.

The Expressions у меня́ нет, у меня́ нé было, у меня́ не бýдет with the Genitive Case.

The Genitive Case with Transitive Verbs in the Negative.

The Negative Particle ни.

The Negative Pronoun никтó.

The Prepositions без, для, пóсле, из-за with the Genitive Case.

ГРАММАТИКА

1. The Genitive Case of the Noun with the Words
нет, не было, не будет

The word **нет** may mean not only *no* but also *is not, is no . . .* . Only in the latter sense does the word **нет** *no* require a noun in the genitive case. Compare:

Студéнт (*nom*) дóма.	The student is at home.
Студéнта (*gen*) нет дóма.	The student is not at home.

N o t e: In short answers **нет** repeated twice may stand next to each other and have different meaning: *no* and *is not*. For example:

Есть сегóдня урóк? Нет, нет.	Is there a lesson to-day? No, there is not.

In the past tense the phrase **нé было** *was not* is used and also requires a noun in the genitive case. Compare:

На столé былá газéта (*nom*).	There was a newspaper on the table.
На столé нé было газéты (*gen*).	There was no newspaper on the table.

In the future tense the phrase **не бýдет** *will not be* is used and also requires a noun in the genitive case. Compare:

Зáвтра бýдет урóк (*nom*).	There will be a lesson to-morrow.
Зáвтра не бýдет урóка (*gen*).	To-morrow there will be no lesson.

In these constructions the noun answers to the questions **кого?** *who?*, **чего?** *what?*

For example:

Кого́ нет до́ма? Студе́нта.
    Who is not at home? The student.

Чего́ не́ бы́ло на столе́? Газе́ты.
    What was not on the table? A newspaper.

Expressions with the words **нет, не́ бы́ло, не бу́дет** are impersonal constructions. They have no subject (i. e. no noun or pronoun in the nominative case). Do not confuse these phrases with corresponding personal constructions. Compare:

Това́рищ не́ был в теа́тре.
    The comrade was not at the theatre.
Това́рищ не бу́дет в теа́тре.
    The comrade will not be at the theatre.
} Personal phrase (with the subject expressed by a noun in the nominative).

Това́рища не́ бы́ло в теа́тре.
    The comrade was not at the theatre.
Това́рища не бу́дет в теа́тре.
    The comrade will not be at the theatre.
} Impersonal phrase (there is no subject expressed by a noun in the nominative).

Impersonal phrases formed with the words **нет, не́ бы́ло, не бу́дет** and with nouns in the genitive case, are used more frequently than the corresponding personal phrases (cf. examples). Russian personal and impersonal phrases are translated into English in the same way.

In these phrases the words **нет, не́ бы́ло, не бу́дет** do not agree in gender or number with the nouns to which they refer.

2. The Expressions *у меня нет, у меня не было, у меня не будет* with the Genitive Case

The expressions **у меня́ нет** *I have no ...* , **у меня́ не́ бы́ло** *I had no ...* , **у меня́ не бу́дет** *I shall have no ...* also require the genitive case.

Affirmative		Negative	
Present Tense			
У меня́ есть У тебя́ есть У него́ есть У неё есть У нас есть У вас есть У них есть	} *nom* каранда́ш, газе́та.	У меня́ нет У тебя́ нет У него́ нет У неё нет У нас нет У вас нет У них нет	} *gen* каранда́ша, газе́ты.

Affirmative	Negative

Past Tense

Affirmative		Negative	
У меня был, -á У тебя был, -á У негó был, -á У неё был, -á У нас был, -á У вас был, -á У них был, -á	*nom* карандáш, газéта.	У меня нé было У тебя нé было У негó нé было У неё нé было У нас нé было У вас нé было У них нé было	*gen* карандашá. газéты.

Future Tense

Affirmative		Negative	
У меня бýдет, бýдут У тебя бýдет, бýдут У негó бýдет, бýдут У неё бýдет, бýдут У нас бýдет, бýдут У вас бýдет, бýдут У них бýдет, бýдут	*nom* карандáш, карандаши, газéта, газéты.	У меня не бýдет У тебя не бýдет У негó не бýдет У неё не бýдет У нас не бýдет У вас не бýдет У них не бýдет	*gen* карандашá, газéты.

3. The Genitive Case with Transitive Verbs in the Negative

Transitive verbs in the negative usually require the genitive case (instead of the accusative). Compare:

Я **пишу** письмó (*acc*).	I am writing a letter.
Я **не пишý** письмá (*gen*).	I am not writing a letter.
Вы **берёте** книгу (*acc*).	You are taking a book.
Вы **не берёте** книги (*gen*).	You are not taking a book.

4. The Negative Particle *ни*

The negative particle **ни** is used to emphasize the negation in the predicate. Compare:

Вы берёте и книгу и письмó (*acc*).	You are taking both the book and the letter.
Вы **не** берёте **ни** книги, **ни** письмá (*gen*).	You are taking neither the book nor the letter.
Сегóдня дождь и вéтер (*nom*).	To-day there is rain and wind.
Сегóдня **нет ни** дождя, **ни** вéтра (*gen*).	To-day there is neither rain nor wind.

The particle **ни** may be used before a noun in the singular in the meaning of *not a single*.

Example:

На не́бе ни обла́чка. There is not a cloud in the sky (= not a single cloud).

5. The Negative Pronoun *никто́*

The particle **ни** may form part of a pronoun. Compare, for example: **кто** and **никто́** *who* and *no one, nobody.*

In sentences with the pronoun **никто́** the verb takes the negative particle **не**. For example:

Сейча́с никто́ не пи́шет.   Now nobody is writing.

6. The Prepositions *без, для, после, из-за* with the Genitive Case

a) The preposition **без** *without* indicates the absence of something or somebody:

Я изуча́л ру́сский язы́к **без учи́теля.**	I studied Russian without a teacher.
Эта ру́чка **без пера́.**	This pen is without a nib.
Нет ды́ма **без огня́.**	There is no smoke without fire.
Мы ни мину́ты не сиде́ли **без де́ла.**	We did not sit for a minute without work.
Эта исто́рия **без нача́ла и без конца́.**	This story is without beginning and without end.

Questions: **без кого́?** *without whom?*, **без чего́?** *without what?*, **как?** *how?*, **како́й?** *what kind?*

Как (без кого́) вы изуча́ли ру́сский язы́к? **Без учи́теля.**	How (without whom) did you study Russian? Without a teacher.
Без чего́ нет ды́ма? **Без огня́.**	Without what is there no smoke? Without fire.

b) The preposition **для** *for* denotes the person for whom an object is intended or determines for what purpose an object is intended:

Эта кни́га **для това́рища.**	This book is for the comrade.
Эта ко́мната **для рабо́ты.**	This room is for working.

Questions: **для кого́?** *for whom?*, **для чего́?** *for what?*, **како́й?** *what kind?*

Для кого́ эта кни́га? **Для това́рища.**	For whom is this book? For the comrade.
Для чего́ (кака́я) эта ко́мната? **Для рабо́ты.**	For what purpose is this room? For work.

c) The preposition **по́сле** *after* is used to denote the time or the sequence of an action:

По́сле уро́ка мы идём домо́й.	After the lesson we go home.
По́сле грозы́ сно́ва све́тит со́лнце.	After the storm the sun shines again.

Questions: **когда́?** *when?*, **по́сле чего́?** *after what?*, **по́сле кого́?** *after whom?*

Когда́ (по́сле чего́) мы идём домо́й? **По́сле уро́ка.**	When (after what) do we go home? After the lesson.
Когда́ (по́сле чего́) сно́ва све́тит со́лнце? **По́сле грозы́.**	When (after what) does the sun shine again? After the storm.

d) The preposition **и́з-за** *from behind* indicates the starting point of the action:

Из-за ле́са встаёт со́лнце.	The sun is rising from behind the forest.
Из-за до́ма выбега́ют де́ти в сад.	The children are running out into the garden from behind the house.

Questions: **отку́да?** **(из-за чего́?)** *from where? (from behind what?)*

Отку́да встаёт со́лнце? **Из-за ле́са.**	From where does the sun rise? From behind the forest.
Отку́да выбега́ют де́ти? **Из-за до́ма.**	From where are the children running out? From behind the house.

The preposition **и́з-за** is a compound preposition and is spelt with a hyphen.

СЛОВАРЬ

34 три́дцать четы́ре thirty-four
нет no, not, there is not
нет кого́? who is not there?
нет чего́? what is not there?
у меня́ нет I have not
не́ было there was not
кого́ не́ было? who was not there?
чего́ не́ было? what was not there?
у меня́ не́ было I had not
не бу́дет there will not be
чего́ не бу́дет? what will not be?
кого́ не бу́дет? who will not be?
у меня́ не бу́дет I shall not have
ни ... ни neither ... nor

без (+ *gen*) without
для (+ *gen*) for
по́сле (+ *gen*) after
и́з-за (+ *gen*) from behind
мину́та *f* minute
исто́рия *f* story; history
де́ло *n* matter, affair, business
нача́ло *n* beginning
коне́ц *m* end; **конца́** *gen*; **концы́** *pl*
тру́дно it is difficult
ого́нь *m* fire; **огня́** *gen*; **огни́** *pl*
дым *m* smoke
никто́ nobody, no one

208

УПРАЖНЕНИЯ

1. Read and translate into English:

1. Сего́дня на уро́ке **нет** ученика́ Джо́на. 2. В ко́мнате **не́ было** ме́ста для шка́фа. 3. За́втра в клу́бе **не бу́дет** конце́рта, а **бу́дет** ле́кция. 4. У вас **есть** сестра́? Нет, у меня́ **нет**. 5. У меня́ **нет** ни сестры́, ни бра́та. 6. У вас **был** вчера́ уро́к? Нет, **не́ был**. 7. Вчера́ у нас **не́ было** уро́ка. 8. Вчера́ на уро́ке **не́ было** ученика́ Джо́на: он **был** бо́лен. 9. За́втра дире́ктора **не бу́дет** на заво́де: он выступа́ет на съе́зде. 10. Вы получа́ете журна́л «Нау́ка и жизнь»? Нет, я не получа́ю журна́ла «Нау́ка и жизнь». 11. Вчера́ **была́** о́чень тёмная ночь: **не́ было** ни звёзд, ни луны́.

2. Translate the following sentences into English. Put questions to which the nouns in bold type are answers:

1. **Без уче́бника** тру́дно изуча́ть ру́сский язы́к. 2. **По́сле уро́ка** мы идём домо́й. 3. Озеро Селиге́р — хоро́шее ме́сто для **о́тдыха**. 4. Вот хоро́шая кни́га для **тури́ста**. 5. Я иду́ в теа́тр **оди́н, без бра́та**. 6. Не́бо я́сно, на не́бе нет ни **о́блака**. 7. **Из-за ле́са** встаёт со́лнце. 8. **Из-за до́ма** выезжа́ет автомоби́ль. 9. Осо́бенно чист во́здух **по́сле грозы́**. 10. Я не люблю́ чай **без лимо́на**. 11. Тру́дно рабо́тать **без пла́на**.

3. Insert nouns from the right-hand column, using the correct grammatical form, and indicate the case of the noun:

а) 1. Ле́том шко́льники жи́ли в ... | дере́вня
2. Вокру́г ... был большо́й сад. | ла́герь
3. Ла́герь нахо́дится недалеко́ от ... . | колхо́з
4. Де́ти ча́сто ходи́ли на ... . | фе́рма
5. Они́ ходи́ли в колхо́з ми́мо ... . | гидроста́нция
6. Они́ собира́ли расте́ния для ... . | шко́ла
7. По́сле ... де́ти отдыха́ли. | обе́д
8. Из ... де́ти возвраща́ются в ... , | дере́вня, го́род
9. Они́ иду́т в ... бо́дрые и весёлые. | шко́ла

б) 1. Колхо́зное по́ле недалеко́ от ... . | дере́вня
2. Со́лнце освеща́ет ... и ... . | по́ле, фе́рма
3. Колхо́зники конча́ют ... . | рабо́та
4. Они́ возвраща́ются с ... в ... . | по́ле, дере́вня
5. По́сле ... колхо́зники отдыха́ют. | рабо́та
6. Молодёжь собира́ется о́коло ... . | клуб
7. Эта ста́рая кни́га без ... . | коне́ц

209

4. Translate into English and state where the word *нет* takes the place of the verb with a negative particle and where it takes the place of the word *да:*

1. Вы хорошо помните новое правило? — **Нет**, не очень.
2. Есть у вас сегодня урок? — **Нет**, сегодня урока нет.
3. Вы не изучаете грамматики? — **Нет**, я изучаю грамматику.
4. Вы не читали журнала «Наука и жизнь»? — **Нет**, читал.
5. У вас есть журнал «Новое время»? — **Нет**, у меня **нет** журнала.
6. Вы не студент? — **Нет**, я студент.
7. Сегодня есть ветер? — **Нет** (ветра), нет.
8. Вы не были в Москве? — **Нет**, был.
9. **Нет** жизни без воздуха.
10. **Нет** дыма без огня.

5. Put the predicate in the negative, changing the case of the noun which depends upon it:

а) 1. Сегодня на улице снег. 2. Вчера на небе **было** солнце. 3. Завтра будет мороз. 4. Я **люблю** зиму.

б) 1. На столе **были** и письмо, и газета, и журнал. 2. Сейчас Вася дома. 3. Он готовит урок. 4. Завтра в клубе **будет** концерт.

УРОК 34б

ВЕЧЕРОМ

Старая туркменка Бахриниссо стоит у калитки сада и смотрит на шоссе: она ожидает внучку из города.

Тихо. Ветра нет. На небе ни облака. Солнце садится. Его лучи освещают огромные хлопковые поля и фруктовые сады. Бахриниссо слышит смех и пение в деревне: колхозники отдыхают после работы. Наступает вечер, ещё жарко, — уже давно не было дождя. «Но ничего, — думает Бахриниссо, — в колхозе есть каналы: теперь ни люди, ни земля не страдают без воды. Земля даёт богатый урожай».

Прежде в деревне не было ни школы, ни библиотеки, ни клуба. Теперь у них новая средняя школа, хорошая библиотека и большой клуб. Внуки Бахриниссо учатся в школе, а любимая внучка Хафиза уже студентка, будущий врач. Она учится в городе Ашхабаде.

Старая Бахриниссо живёт у сына. Он тоже колхозник. У него новый дом и большой сад. В доме для семьи есть всё необходимое. «Мои внуки не знают нужды», — думает Бахриниссо.

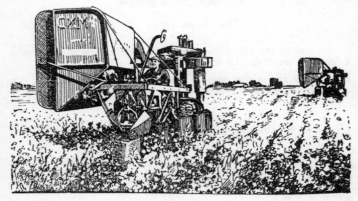

Со́лнце сади́тся. Краси́во и ти́хо вокру́г. Наступа́ет ве́чер. Бахрини́ссо ещё сто́ит у кали́тки са́да.

Стано́вится темно́. На шоссе́ и в дере́вне зажига́ется электри́чество. Наконе́ц, из-за поворо́та выезжа́ет автомоби́ль и остана́вливается у кали́тки са́да.

СЛОВАРЬ

туркме́нка *f* Turkmenian woman
Бахрини́ссо *(Turkmenian feminine name)*
кали́тка *f* wicket, gate
ожида́ть *I* to wait
вну́чка *f* grand-daughter
луч *m* ray
хло́пков‖ый, -ая, -ое; -ые cotton
фрукто́в‖ый, -ая, -ое; -ые fruit
   фрукто́вый сад *m* orchard
слы́шать *II* to hear
смех *m* laughter
пе́ние *n* singing
ничего́ nothing; it does not matter
страда́ть (страда́ю, страда́ешь) *I*
   to suffer
бога́т‖ый, -ая, -ое; -ые rich

пре́жде *adv* before
сре́дн‖ий, -яя, -ее; -ие middle
   сре́дняя шко́ла middle school
внук *m* grandson
Хафи́за *(Turkmenian feminine name)*
люби́м‖ый, -ая, -ое; -ые favourite
бу́дущ‖ий, -ая, -ее; -ие future
Ашхаба́д *(the capital of the Turkmenian Soviet Socialist Republic)*
необходи́мое that is necessary
нужда́ *f* need
зажига́ться *I* to light up
электри́чество *n* electricity
наконе́ц at last, finally
поворо́т *m* turn, turning
выезжа́ть *I* to ride out of
остана́вливаться *I* to stop

Замечания к словарю

Do not confuse the verbs:

1. ви́деть *to see* and смотре́ть на *to look at*
2. слы́шать *to hear* and слу́шать *to listen*

СЛОВООБРАЗОВАНИЕ

The Noun Suffix -к-

By adding the suffix -к- to a noun in the masculine gender a feminine noun can be formed:

внук — вну́чка (in the stem of this word the consonants к — ч alternate); туркме́н — туркме́нка

УПРАЖНЕНИЯ

1. Copy out from the text phrases which have nouns in the genitive case and group them as follows:

Negative Phrases:	Phrases with Prepositions:
ве́тра нет	у кали́тки
ни о́блака	из го́рода

2. Answer the following questions on the text:

    1. Где стои́т ста́рая туркме́нка?
    2. Кого́ она́ ожида́ет?
    3. Что освеща́ет заходя́щее со́лнце?
    4. Что слы́шит Бахрини́ссо?
    5. У кого́ живёт Бахрини́ссо?
    6. Как живёт семья́ её сы́на?
    7. Где у́чится вну́чка Бахрини́ссо?

3. Group together words of the same root. Underline the root. Indicate which of these words occur in the text:

    смех, петь, по́мнить, бу́ду, ну́жно, виногра́д, сме́яться, ходи́ть, бу́дущий, хло́пок, вспомина́ть, нужда́, виногра́дник, пе́ние, хло́пковый, пе́сня, необходи́мый

4. Translate into Russian:

    To-day it is fine weather. There is not a cloud in the sky. It will not rain. Yesterday there was a big grey cloud in the sky. From behind the cloud the sun was not seen, but there was no thunderstorm. It is calm to-day. There is no wind.

УРОК 35ª

ГРАММАТИКА

The Dative Case of the Noun

a) Principal Meanings of the Dative Case without a Preposition

1. The dative case without a preposition is used to denote the person or object towards whom (or which) the action is directed. Hence, the dative case is governed, for example, by verbs such as **дава́ть** *to give*, **писа́ть** *to write*, **отвеча́ть** *to answer*, **нока́зывать** *to show*, **сове́товать** *to advise*, **приноси́ть** *to bring*, **помога́ть** *to help*, etc.:

Я **даю́** уро́к това́рищу.	I am giving the comrade a lesson.
Вы **помога́ете** сестре́.	You are helping my sister.
Ко́ля **пи́шет** письмо́ отцу́.	Kolya is writing a letter to his father.
Мы **сове́туем** бра́ту е́хать в Москву́.	We advise our brother to go to Moscow.

The nouns formed from these verbs also require the dative case after them:

письмо́ отцу́	a letter to ·the father
отве́т това́рищу	an answer to the comrade
по́мощь сестре́	help to the sister

In all the above examples the dative case answers to the question **кому́?** *to (for) whom?*

Кому́ письмо́? Отцу́. For whom is the letter? For father.

In English the meaning of the dative case is often expressed by the preposition *to*.

2. The word **рад** *glad* is used in combination with a noun in the dative case:

Я **рад** успе́ху това́рища.	I am glad of the comrade's success.
Мы **ра́ды** весне́.	We are glad of spring.

The principal interrogative words to which a noun in the dative case replies are: **кому́?** *to whom?*, **чему́?** *(to) what?*

Чему́ я рад? Успе́ху това́- рища.	What am I glad of? The com- rade's success.
Чему́ мы ра́ды? Весне́.	What are we glad of? Spring.

The word **рад** *glad* has the form of a short adjective and similarly it changes for gender and number:

Я (ты, он) рад *m.*	I am (you are, he is) glad.
Я (ты, она́) ра́да *f.*	I am (you are, she is) glad.
Оно́ ра́до *n.*	It is glad.
Мы (вы, они́) ра́ды *pl.*	We (you, they) are glad.

b) Principal Meanings of the Dative Case with the Prepositions *к* and *по*

1) The preposition **к** may indicate:

a) The direction of movement as well as approach to something or somebody and corresponds to the English preposition *to*. In Russian the preposition **к** is used exclusively with the dative case:

Я иду́ **к** учи́тельнице.	I am going to the teacher.
Това́рищ подхо́дит **к** столу́.	The comrade is approaching the table.

In the above examples the interrogatory words requiring the dative in the reply are: **к кому́?** *to whom?*, **к чему́?** *to what?*

К кому́ я иду́? **К** учи́тель- нице.	To whom am I going? To the teacher.
К чему́ подхо́дит това́рищ? **К** столу́.	What is the comrade approach- ing? The table.

b) The approach of a certain time, action or event:

К ве́черу я до́лжен быть здесь.	By evening I must be here.
К пя́тнице всё бу́дет гото́во.	By Friday all will be ready.
Лётчик был гото́в **к** полёту.	The flyer was ready for the flight.

In examples of this kind the interrogatory words to which the nouns in the dative reply are: **когда́?** *when?*, **к чему́?** *for what?*

Когда́ вы бу́дете здесь? **К** ве́- черу.	When will you be here? By the evening.

2) The preposition **по** is mostly used with the dative case. When it governs the dative, it indicates:

a) The place of the action:

Я иду́ по у́лице.	I am walking along the street.
По не́бу плыву́т облака́.	Clouds float in the sky.

Question: **где?** *where?*

Где я иду́? **По** у́лице.	Where am I walking? Alóng the street.
Где плыву́т облака́? **По** не́бу.	Where do clouds float? In the sky.

b) Kinship or close association:

Това́рищ по рабо́те.	Comrade at work.
Мой дя́дя по отцу́.	My uncle on my father's side.

Question: **како́й?** *what kind?*

Како́й това́рищ? **По** рабо́те.	What kind of comrade? Comrade at work.

c) Distribution of things singly:

Сего́дня мы получа́ем по кни́ге.	To-day we are each getting a book.
Де́ти беру́т по я́блоку.	The children are taking an apple each.

Questions: **что?** *what?*, **по ско́льку?** *how much?, how many?*

По ско́льку книг мы получа́ем? **По** кни́ге.	How many books each of us is getting? A book each.
По ско́льку я́блок беру́т де́ти? **По** я́блоку.	How many apples each of the children is taking? An apple each.

d) The preposition **по** may correspond to the word **согла́сно** *according to, in accordance with,* etc.:

Мы рабо́таем по пла́ну.	We work according to plan.
Спортсме́ны выхо́дят на стадио́н по кома́нде.	The sportsmen come into the stadium (at the command of) when the command is given.

Noun Endings in the Dative Singular

I

Case	Masculine	Feminine	Neuter
Nominative	студе́нт	сестра́	окно́
Dative	студе́нту	сестре́	окну́

II

Case	Masculine	Feminine	Neuter
Nominative	учи́тель	земля́	по́ле
Dative	учи́телю	земле́	по́лю

In the dative case masculine and neuter nouns have the same endings: **-у**, **-ю**, while feminine nouns end in **-е**.

СЛОВАРЬ

35 три́дцать пять thirty-five
дава́ть (даю́, даёшь) *I* to give
пока́зывать *I* to show
сове́товать (сове́тую, сове́туешь) *I* to advise
приноси́ть (приношу́, прино́сишь) *II* to bring
помога́ть *I* to help
по́мощь *f* help
отве́т *m* answer
кому́? to whom?

чему́? to what?
к *pr* to
к кому́? to whom?
по *pr* along, each, according to, etc.
по чему́? along what
рад, -а, -о; -ы (+ *dat*) glad
успе́х *m* success
гото́в, -а, -о; -ы ready
по кома́нде at the command (of)
стадио́н *m* stadium

УПРАЖНЕНИЯ

1. Read and translate into English:

1. Отвеча́йте **учи́тельнице** по-ру́сски. 2. Мы идём **к дире́ктору.** 3. Я несу́ журна́л **учи́телю.** 4. Вы сове́туете **сестре́ Ве́ре** е́хать на юг? 5. Я помога́ю **отцу́** рабо́тать в огоро́де. 6. Мы ра́ды **со́лнцу.** 7. **К суббо́те** на́ша рабо́та бу́дет гото́ва. 8. Мой това́рищ **по шко́ле** е́дет на Ура́л. 9. **По мо́рю** плывёт большо́й кора́бль. 10. **К ве́черу** он бу́дет здесь. 11. Все ученики́ уже́ бы́ли **по ра́зу** в музе́е. 12. Мы изуча́ем ру́сский язы́к **по уче́бнику.**

2. Insert a noun in the required case from those given in the right-hand column. Indicate the case and gender of the nouns you have inserted and state to which interrogatory word they reply.

а) 1. Наш заво́д помога́ет ... .
2. Учи́тель объясня́ет уро́к ... .
3. Мой брат отвеча́ет ... на письмо́.
4. Вы даёте уро́ки му́зыки ... .
5. Де́ти хорошо́ отвеча́ют уро́к ... .
6. Что вы говори́ли ... о шко́ле?
7. Где вы ви́дели ... ?
8. Да́йте ... журна́л и ... .
9. Мы ра́ды ... това́рища.
10. Де́ти ра́ды ... .

колхо́з
класс
сестра́
Та́ня
Никола́й Ива́нович
учи́тельница
учи́тельница
това́рищ, кни́га
успе́х
со́лнце

б) 1. Ма́стер подхо́дит к … .   маши́на
   2. Това́рищ Мака́ров идёт к … .   до́ктор
   3. Кто сего́дня идёт к … ?   учи́тельница
   4. С … пого́да была́ хоро́шая.   ве́чер
   5. К … не́бо бу́дет я́сное.   у́тро
   6. Рабо́чие иду́т на … .   фа́брика
   7. Мы подхо́дим к … .   фа́брика
   8. Рабо́чие иду́т с … .   фа́брика
   9. Де́ти иду́т в … .   шко́ла
  10. Учи́тельница идёт на … .   уро́к
  11. Мы подхо́дим к … .   шко́ла
  12. Тури́сты приближа́ются к … .   река́
  13. Ве́чером мы идём к … .   Ва́ся
  14. Я бу́ду здесь к … .   четве́рг

в) 1. По … плывёт ло́дка.   река́
   2. По … идёт кора́бль.   мо́ре
   3. Сего́дня на … ти́хо.   мо́ре
   4. Де́ти до́лго бе́гали по … .   сад
   5. Де́ти спа́ли днём по … .   час
   6. Ко́ля — мой това́рищ по … .   университе́т
   7. Мы учи́лись вме́сте в … .   университе́т
   8. Вчера́ мы е́здили по … .   го́род
   9. Мы до́лго бы́ли в … го́рода.   центр
  10. Тури́сты шли по … реки́.   бе́рег
  11. Они́ шли вдоль … реки́.   бе́рег

3. Fill in the blank spaces with prepositions selected from the following: из, в, до, к, по, че́рез, на, у. State which case the preposition governs:

1. Автомоби́ль «Побе́да» бы́стро мчи́тся … доро́ге. 2. Он везёт … го́рода … дере́вню но́вые кни́ги и газе́ты. 3. Автомоби́ль приближа́ется · … реке́. 4. Уже́ ви́ден но́вый мост … ре́ку. 5. Автомоби́ль е́дет ме́дленно … мо́сту … друго́й бе́рег и поднима́ется немно́го … го́ру. 6. Он уже́ недалеко́ … колхо́за «И́скра». 7. Автомоби́ль приближа́ется … колхо́зу. 8. Он остана́вливается … вхо́да в клуб. 9. … клу́ба выхо́дят колхо́зники. 10. Они́ подхо́дят … автомоби́лю и беру́т … автомоби́ля кни́ги и газе́ты. 11. Они́ несу́т кни́ги и газе́ты … клуб.

УРОК 35^б

Word-Building:

The Prefixes при- and под- with Verbs
   of Motion.
The Suffixes -чик, -чиц-а, -ист, -истк-а
   Denoting Person.

ПЕРВЫЙ ПРЫЖОК

Ли́да Моро́зова рабо́тает на фа́брике. Она́ хоро́шая спорт-
сме́нка. Ли́да член спортклу́ба.

Де́вушка изуча́ет в спортклу́бе парашю́тное де́ло.

Ли́де мно́го помога́ет инстру́ктор. Он объясня́ет де́вушке
устро́йство парашю́та, пока́зывает, как на́до скла́дывать и на-
дева́ть парашю́т.

Ли́да внима́тельно слу́шает инстру́ктора, мно́го трениру́ется,
ча́сто лета́ет на самолёте.

Одна́жды инстру́ктор подхо́дит к Ли́де и говори́т:

— Бу́дьте гото́вы ко вто́рнику. Во вто́рник по пла́ну ваш
пе́рвый прыжо́к.

Во вто́рник Ли́да с утра́ на аэродро́ме. Пого́да хоро́шая.
По не́бу плыву́т небольши́е облака́.

Ли́да подхо́дит к самолёту и сади́тся в каби́ну. По её лицу́
не ви́дно, как она́ волну́ется.

Лётчик ведёт маши́ну по кру́гу. Самолёт поднима́ется
вверх. Дома́ и у́лицы уже́ едва́ видны́.

Вот лётчик даёт Ли́де кома́нду. Ли́да волну́ется, но она́
сме́ло выхо́дит на крыло́ самолёта. Земля́ внизу́ едва́ видна́.

По кома́нде лётчика Ли́да пры́гает с самолёта и дёргает
кольцо́. В тот же миг раскрыва́ется огро́мный бе́лый зонт.

Де́вушка начина́ет пла́вно спуска́ться вниз. Вот уже́ ви́дно
широ́кое по́ле. Парашюти́стка приближа́ется к земле́. Ещё ми-
ну́та, и де́вушка приземля́ется. Бе́лый зонт ложи́тся на траву́.

Пе́рвый прыжо́к зака́нчивается хорошо́. Самолёт лети́т
к аэродро́му.

Ве́чером к Ли́де прихо́дят её това́рищи по рабо́те. Они́
ра́ды успе́ху Ли́ды.

— Ско́ро у тебя́ бу́дет значо́к парашюти́ста, — говоря́т Ли́де
её подру́ги Та́ня и Ма́ша.

СЛОВАРЬ

прыжо́к *m* jump; прыжка́ *gen;* прыж-
ки́ *pl*
Ли́да *(feminine name, diminutive from
Ли́дия)*
спортклу́б *m* sports club
член спортклу́ба sports club member
парашю́тн‖ый, -ая, -ое; -ые parachute
парашю́тное де́ло parachute-jump-
ing
инстру́ктор *m* instructor
устро́йство *n* structure, arrangement,
make, system
парашю́т *m* parachute
скла́дывать *I* to fold
надева́ть *I* to put on
тренирова́ться (трениру́юсь, трени-
ру́ешься) *I* to practise
одна́жды once
подходи́ть (подхожу́, подхо́дишь) *II*
to come up to, to approach
аэродро́м *m* aerodrome
плыть (плыву́, плывёшь) *I* to float
каби́на *f* cockpit
волнова́ться (волну́юсь, волну́ешь-
ся) *I* to be excited, to be agitated,
to be nervous
лётчик *m* flyer

вести́ (веду́, ведёшь) *I* to guide, to
lead
круг *m* circle
по кру́гу in (along) a circle
поднима́ться *I* to rise, to ascend, to
go up
вверх up, upwards
едва́ hardly, scarcely
кома́нда *f* command
по кома́нде by command, at the
command (of)
крыло́ *n* wing
пры́гать *I* to jump
дёргать *I* to pull
кольцо́ *n* ring; ко́льца *pl*
миг *m* moment, instant, flash
в тот же миг that very instant
раскрыва́ться *I* to open up
зонт *m* umbrella
пла́вно *adv* smoothly
спуска́ться *I* to descend, to drop
down, to go down
вниз *adv* down
приближа́ться *I* to approach
приземля́ться *I* to land
зака́нчиваться *I* to finish
значо́к *m* badge
парашюти́ст *m* parachutist

Замечания к словарю

1. In Russian the word **маши́на** is frequently used instead of the words
автомоби́ль *motor-car* and **самолёт** *aeroplane.*

2. Compare the meanings of the verb, **вести́** *to lead, to conduct, to drive:*

вести́ дете́й   *to lead* children
вести́ маши́ну   *to drive* a car
вести́ уро́к   *to conduct* a lesson

Do not confuse the verbs **вести́ (я веду́)** *to lead* and **везти́ (я везу́)**
to carry, to cart.

СЛОВООБРАЗОВАНИЕ

1. The Prefixes *при-* and *под-* with Verbs of Motion

The prefixes **при-** and **под-** with verbs of motion express
approach and are generally rendered into English by a verb and
preposition:

a) **при**ходи́ть   to come (up to)
прибега́ть   to run in (or up)
прилета́ть   to fly in
приезжа́ть   to arrive
приноси́ть   to bring (in)
привози́ть   to cart in, to import

из (from) + *genitive*
(question: **отку́да?** *from
where?*)

в (in) + *accusative*
(question: **куда́?** *where?*)

b)

подходи́ть	to come up to, to approach	
подбега́ть	to run up to	**к** (to, towards) +
подлета́ть	to fly up to	*dative*
подъезжа́ть	to ride up to, to drive up to	(questions: **к ко-**
подноси́ть	to bring up to, to offer	**му́?** *to whom?*,
подвози́ть	to bring up to	**к чему́?** *to what?*)

2. The Suffixes -*чик,* -*чиц-а,* -*ист,* -*истк-а* Denoting Persons

To form nouns which signify persons of definite professions, the following suffixes are used:

For persons of the male sex
-чик, -ист
ле́тчик airman
парашюти́ст parachutist

For persons of the female sex
-чиц-а, -истк-а
ле́тчиц-а airwoman
парашюти́стк-а parachutist

Произноше́ние

Note the pronunciation of the sounds in bold type:

е → [ə]   рабо́те, Ли́де

тся. ться → [ццə] поднима́ется, спуска́ется, раскрыва́ется, зака́нчивается, поднима́ться, спуска́ться, зака́нчиваться

УПРАЖНЕНИЯ

1. Copy from the text the verbs requiring nouns in the dative case together with these nouns as follows:

Verb + Noun in the Dative Case

a) without preposition	b) with preposition
помога́ет Ли́де *f*	подхо́дит к Ли́де *f*

Underline the endings of the nouns and indicate their gender.

2. Pick out the verbs of Conjugation II contained in the text and state their person and number.

3. Give the 1st and 2nd person singular present tense of the following verbs:

подходи́ть, подноси́ть, подъезжа́ть, подбега́ть, подвози́ть, подлета́ть

Show where the stress should be marked and underline the alternation of consonants in the root.

Example: подхожу́ — подхо́дишь

4. Insert a suitable verb in the present tense from those given in Exercise 3.

1. Де́ти ... к учи́телю. 2. Грузови́к ... зерно́ к ме́льнице. 3. Я ... к окну́. 4. Ва́ся ... тетра́дь к ла́мпе. 5. Автомоби́ль ... к до́му. 6. Та́ня ... кни́гу к ла́мпе. 7. Мы ... к го́роду. 8. Пти́цы ... к окну́.

Read the above sentences changing the present to the past tense.

5. In the sentences below insert a suitable verb (in the past tense) from the following:

приноси́ть, приходи́ть, приезжа́ть, привози́ть, прилета́ть

1. Колхо́зники ... о́вощи на грузовике́ в го́род. Они́ ... ча́сто на ры́нок. 2. Ле́том колхо́зница Ма́ша ча́сто ... в пионе́рский ла́герь. Она́ ... с фе́рмы молоко́ и ма́сло. 3. Самолёт ча́сто ... в колхо́з «И́скра». Он ... в колхо́з но́вые кни́ги и газе́ты.

6. Answer the following questions on the text:

1. Где рабо́тает Ли́да Моро́зова?
2. Где она́ изуча́ет парашю́тное де́ло?
3. Кто помога́ет Ли́де?
4. Что объясня́ет инстру́ктор Ли́де?
5. Как Ли́да слу́шает инстру́ктора?
6. Мно́го ли Ли́да трениру́ется?
7. Куда́ прихо́дит Ли́да во вто́рник?
8. Волну́ется ли она́?
9. Кто ведёт самолёт?
10. Куда́ выхо́дит Ли́да по кома́нде лётчика?
11. Видна́ ли внизу́ земля́?
12. Отку́да пры́гает Ли́да?
13. Како́й зонт раскрыва́ется в тот же миг?
14. Как де́вушка начина́ет спуска́ться вниз?
15. К чему́ приближа́ется парашюти́стка?
16. Где ложи́тся бе́лый зонт?
17. Как зака́нчивается пе́рвый прыжо́к?
18. Кто прихо́дит к Ли́де ве́чером?
19. Чему́ ра́ды това́рищи Ли́ды?
20. Что говоря́т Ли́де её подру́ги?

7. From the words below write out those with the same root. Underline the root.

лета́ть, де́ло, я́сно, земля́, лете́ть, сове́т, де́лать, приземля́ться, лётчик, сове́товать, объясня́ть

8. Underline the alternating consonants in the following pairs of words:

пры́гать, прыжо́к; успе́х, успе́шно; бли́зко, бли́же, приближа́ться; знак, значо́к

9. Translate into Russian:

1. The pupil gives replies (answers) on the lesson to the teacher. Yesterday the teacher explained a new rule to the class. I advised the comrade to read the "New Times" magazine. My brother helped the comrade to study Russian. 2. The worker Ivanov is at home now. He goes up to the cupboard. His books and magazines are in the cupboard. Comrade Ivanov takes the magazine "Science and Life" from the cupboard, sits down at the window and reads. 3. We are at the airfield. I go up to the aeroplane and sit down in the cockpit. The airman guides the plane in a circle. The aeroplane rises upwards. We are flying to Moscow. The aeroplane is now approaching the town. Another minute — and we land. I get out of the cockpit.

УРОК 36ᵃ

Grammar
The Instrumental Case of the Noun.

ГРАММАТИКА

The Instrumental Case of the Noun

1) Its Principal Meaning Without a Preposition

The principal meaning of the instrumental case when used without a preposition is to signify:

a) The instrument or agent by which something is done:

Я рабо́таю инструме́нтом.	I work with an instrument.
Он пи́лит пило́й.	He saws with a saw.
Они́ ру́бят топоро́м.	They chop with an axe.
Мы па́шем плу́гом.	We plough with a plough.

Note that whereas in English we use the preposition *with*, no preposition is required in Russian.

Various objects may serve as an instrument or agent: *a pencil* and *a pen* are instruments for writing *a spoon* and *a fork* are instruments for eating, and so on.

Я ем ло́жкой и ви́лкой.	I eat with a spoon and fork.
Ты пи́шешь перо́м.	You write with a pen.

In all the above examples the noun answers to the question **чем?** *with what?*

Чем мы пи́шем? Перо́м.	What do we write with? A pen.
Чем вы еди́те? Ло́жкой и ви́л-кой.	What do you eat with? A spoon and fork.

The English verb requires the preposition *with* in all the examples mentioned.

b) The receiver of the action. Verbs such as **управля́ть** *to operate, to run,* **руководи́ть** *to manage, to lead, to guide, to direct, to supervise* require nouns in the instrumental case:

Лётчик управля́ет самолётом.	The flyer navigates the plane.
Инжене́р руководи́т рабо́той це́ха.	The engineer supervises the work of the shop.

223

The questions to which the above nouns in the instrumental case answer are: **кем?** *whom?*, **чем?** *what?*

Чем управля́ет лётчик?	What does the airman navigate?
Самолётом.	The aeroplane.
Чем руководи́т инжене́р?	What does the engineer supervise?
Рабо́той це́ха.	The work of the shop.

c) The object of the action at a given moment or permanently:

Я занима́юсь грамма́тик**ой**.	I am busy with my grammar.
Вы интересу́етесь му́зык**ой**.	You are interested in music.
Мой това́рищ по́льзуется словарём.	My comrade is using the dictionary.

In the majority of cases these nouns are used mainly with verbs ending in **-ся**: **занима́ться** *to be engaged in something, to be busy with something*, **интересова́ться** *to be interested in something* or *somebody*, **по́льзоваться** *to make use of something*.

In such constructions the preposition *with* is used in English.

Questions: **кем?** *with whom?*, **чем?** *with what?*

Чем вы занима́етесь?	What are you busy with?
Грамма́тик**ой**.	I am busy with my grammar.

d) The word **дово́лен** *to be pleased, to be satisfied* requires the instrumental case without a preposition:

Учи́тель **дово́лен** ученико́м.	The teacher is pleased with the pupil.
Та́ня **дово́льна** кни́гой.	Tanya is pleased with the book.
Чем дово́льна Та́ня? Кни́гой.	What is Tanya pleased with? The book.

Here, too, the preposition *with* is used in English.

The word **дово́лен** is in the short adjectival form and like it changes for gender and number:

Я (ты, он) дово́лен. *m*	I am (you are, he is) pleased.
Я (ты, она́) дово́льна. *f*	I am (you are, she is) pleased.
Оно́ дово́льно. *n*	It is pleased.
Мы (вы, они́) дово́льны. *pl*	We (you, they) are pleased.

The neuter form of **дово́льно** is used as an adverb and corresponds to the English *enough, it will do*.

Вы чита́ли уже́ мно́го.	You have already read a lot.
Дово́льно чита́ть.	Enough reading.

Thus the principal interrogative words to which the instrumental case replies are: **кем?** *with whom?*, **чем?** *with what?*

2) Principal Meaning of the Instrumental Case with the Preposition *c*

The preposition **c** when it governs the instrumental case corresponds to the English preposition *with*. When it governs the instrumental case it indicates:

a) Association or compatibility:

Я рабо́таю вме́сте с това́рищем.	I work together with my comrade.
Он пьёт чай с лимо́ном.	He drinks tea with lemon.

Questions: **с кем?** *with whom?*, **с чем?** *with what?*

С кем я рабо́таю? **С** това́рищем.	With whom do I work? With a comrade.
С чем он пьёт чай? **С** лимо́ном.	With what does he drink tea? With lemon.

In the above examples the preposition **c** is close in meaning to the conjunction **and**. Compare:

Мой това́рищ **и** я рабо́таем вме́сте.	My comrade and I work together.
Я ем хлеб **с** ма́слом.	I eat bread and butter.
Вот стака́н **с** молоко́м.	Here is a glass of (with) milk.

Question: **с чем?** *with what?*

С чем ты ешь хлеб? **С** ма́слом.	What do you eat bread with? With butter.
С чем э́тот стака́н? **С** молоко́м.	What is this glass (filled) with? With milk.

b) The attitude to an action:

Мы рабо́таем **с** интере́сом.	We work with interest.

Question: **как?** *how?*

Как мы рабо́таем? **С** интере́сом.	How do we work? With interest.

The preposition **c** may sometimes take the form of **со**: со сту́лом.

Noun Endings in the Instrumental Case Singular

I

Case	Masculine	Feminine	Neuter
Nominative Instrumental	студе́нт студе́нтом	страна́ страно́й	окно́ окно́м

Case	Masculine	Feminine	Neuter
Nominative Instrumental	учи́тель учи́телем	земля́ землёй	по́ле по́лем

Masculine and neuter nouns in the instrumental case have the same endings: **-ом, -ем** or **-ём**.

Feminine nouns in the instrumental case may have the endings **-ой** or **-ою** (страно́й, страно́ю), **-ей** or **-ею** (дере́вней, дере́внею), **-ёй** or **-ёю** (землёй, землёю). The endings **-ой, -ей, -ёй** are most frequently used in modern Russian, particularly in colloquial speech.

Орфография

After the consonants **ж, ч, ш, щ** and **ц**, nouns in the instrumental case, singular number, are spelt with an **о** if the stress falls on the last syllable, and with an **е** if the last syllable is unstressed. This applies to nouns of all three genders. For example:

врач — врачо́м *m*
нож — ножо́м *m*
лицо́ — лицо́м *n*
лапша́ — лапшо́й *f*

} Here the stress falls on the last syllable (after the **sibilants** and **ц** the vowel **о** is written).

това́рищ — това́рищем *m*
учени́ца — учени́цей *f*
ту́ча — ту́чей *f*
ка́ша — ка́шей *f*

} Here the stress does not fall on the ending (after the **sibilants** and **ц** the vowel **е** is written).

СЛОВАРЬ

36 три́дцать шесть thirty-six
инструме́нт *m* instrument
пили́ть (пилю́, пи́лишь) *II* to saw
пила́ *f* saw
руби́ть (рублю́, ру́бишь) *II* to chop
топо́р *m* axe
чем? with what?
управля́ть (управля́ю, управля́ешь) *I* to operate, to run
руководи́ть (руковожу́, руково-ди́шь) *II* to manage, to guide, to direct
занима́ться *I* to be engaged in, to be busy with
кем? by whom?.

интересова́ться *I* to be interested in
по́льзоваться (по́льзуюсь, по́ль-зуешься) *I* to make use of
дово́лен, дово́льн‖а, -о; -ы pleased, satisfied
дово́льно enough, it will do
с, со (*+ instr*) with
с кем?, с чем? with whom?, with what?
интере́с *m* interest
лимо́н *m* lemon
лапша́ *f* noodles
ка́ша *f* porridge
аппети́т *m* appetite

УПРАЖНЕНИЯ

1. Translate into English. Indicate the cases where the Russian phrase having no preposition would be translated into English with the help of the preposition *with*:

1. На столе́ лежи́т ру́чка с перо́м. Сейча́с я пишу́ **перо́м.**
2. Ко́ля бы́стро пи́шет **карандашо́м.** Ко́ля сиди́т у стола́ **с карандашо́м** в руке́. 3. Вот нож **с ви́лкой.** Я ем мя́со **ви́лкой.**
4. Мы ви́дели тра́ктор **с плу́гом.** 5. Ты подхо́дишь к де́реву **с топоро́м.** Ты ру́бишь де́рево **топоро́м.** 6. Я хорошо́ управля́ю **автомоби́лем.** 7. Това́рищ Бело́в руководи́т **рабо́той** це́ха. 8. Моя́ сестра́ интересу́ется **му́зыкой.** 9. Рабо́чий по́льзуется **инструме́нтом.** 10. Мы бы́ли дово́льны **концерто́м.** 11. Сего́дня я дово́лен **пого́дой.**

2. Rewrite the following sentences, adding endings in the instrumental case. Explain why in certain cases the letter *o* is used in the endings and in others *e*:

1. Я иду́ на конце́рт с това́рищ-. 2. Вчера́ мы говори́ли с врач-. 3. Де́ти игра́ли с Ма́ш-. 4. Наш учи́тель дово́лен учени́ц- Та́н-. 5. Ва́ся рабо́тает вме́сте с кузнец- Серге́-. 6. Я рису́ю портре́т карандаш-. 7. Де́ти е́дут на о́тдых в пионе́рский ла́герь с учи́тел-.

3. In the following sentences use the preposition *с* + the instrumental case instead of the preposition *без*:

1. Я е́ду в о́тпуск без сестры́. 2. Вчера́ де́ти гуля́ли без Та́ни. 3. На столе́ лежа́ла ру́чка без пера́. 4. У́тром был дождь без ве́тра. 5. Зимо́й быва́ют больши́е моро́зы без сне́га. 6. На столе́ стои́т графи́н без воды́. 7. Э́тот суп без карто́феля. 8. Я не люблю́ чай без лимо́на. 9. Мой брат по́сле обе́да пьёт ко́фе без молока́. 10. Сего́дня я обе́дал без аппети́та. 11. Мы смотре́ли ста́рый фильм без интере́са.

4. Indicate what case, genitive or instrumental, is required by the preposition *с* in the following sentences:

1. Самолёт поднима́ется с (аэродро́м). 2. Самолёт лети́т с (се́вер) на юг в колхо́з «Но́вая жизнь». 3. В каби́не сиди́т лётчик с (агроно́м). 4. С (самолёт) уже́ видна́ колхо́зная земля́ и фе́рма. 5. В по́ле тра́ктор с (плуг). 6. Самолёт приземля́ется в по́ле. Агроно́м с (лётчик) выхо́дят из каби́ны.

5. Conjugate the verbs *руководи́ть* and *руби́ть* in the present tense.

УРОК 36б

Word-Building:
The Noun Suffixes **-ник** and **-ниц-а** Denoting
Persons.

ТЕКСТ

1. В МТС стоя́т сельскохозя́йственные маши́ны и ору́дия. Тра́ктор и комба́йн — э́то маши́ны, плуг — ору́дие. Колхо́зники па́шут зе́млю тра́ктором и плу́гом, они́ убира́ют хлеб комба́йном.

2. Лопа́та — ору́дие садо́вника. Садо́вник копа́ет зе́млю лопа́той.

3. Топо́р и пила́ — инструме́нты столяра́ и пло́тника. Пло́тник ру́бит де́рево топоро́м, пи́лит де́рево пило́й. Руба́нок и молото́к — то́же инструме́нты столяра́ и пло́тника. Столя́р строга́ет до́ску руба́нком, а гво́зди забива́ет молотко́м.

4. Иго́лка слу́жит инструме́нтом для шитья́. Швея́ шьёт иго́лкой с ни́ткой. Посло́вица говори́т: «куда́ иго́лка, туда́ и ни́тка».

5. На столе́ лежа́т ло́жка, ви́лка и нож. Я ем суп ло́жкой. Сего́дня я ем суп с лапшо́й. Мы ре́жем мя́со ножо́м, зате́м берём его́ ви́лкой. Сего́дня я ем мя́со с карто́фелем. Я ем хлеб с ма́слом. У́тром мы пьём ко́фе с молоко́м, ве́чером я люблю́ пить чай с лимо́ном.

6. Каранда́ш и ру́чка с перо́м — на́ши ору́дия письма́. Каранда́шом мы че́ртим и рису́ем, иногда́ пи́шем. Обы́чно мы пи́шем перо́м. Я всегда́ пишу́ перо́м.

7. Мы занима́емся грамма́тикой. Мы занима́емся грамма́тикой с интере́сом. Мой брат занима́ется спо́ртом. Моя́ сестра́ интересу́ется му́зыкой. Я интересу́юсь игро́й в ша́хматы. При перево́де ру́сского те́кста мы по́льзуемся словарём. Рабо́чий по́льзуется инструме́нтом.

8. Инжене́р Бело́в дово́лен рабо́той це́ха. На́ша учи́тельница дово́льна отве́том ученика́. Мы с интере́сом чита́ем журна́л «Но́вый мир». Мы занима́емся с интере́сом.

9. Дире́ктор управля́ет заво́дом. Рабо́чий управля́ет маши́ной. Лётчик управля́ет самолётом. Шофёр управля́ет автомоби́лем. Учи́тель руководи́т кла́ссом. Инжене́р Бело́в руководи́т рабо́той це́ха. Това́рищ Ивано́в руководи́т кружко́м в клу́бе.

лопа́та *f* shovel, spade
садо́вник *m* gardener
копа́ть *I* to dig
столя́р *m* joiner
пло́тник *m* carpenter
руба́нок *m* plane
молото́к *m* hammer
строга́ть *I* to plane
гвоздь *m* nail
забива́ть *I* to nail
иго́лка *f* needle
шитьё *n* needlework, sewing

швея́ *f* seamstress
шить (шью, шьёшь) *I* to sew
с (+ *instr*) with
ни́тка *f* thread
посло́вица *f* saying
туда́ *adv* there
ре́зать (ре́жу, ре́жешь) *I* to cut
черти́ть (черчу́, че́ртишь) *II* to draw
    (to draft)
рисова́ть (рису́ю, рису́ешь) *I* to draw
по́льзоваться *I* to use, to make use of
мир *m* world

Замечания к словарю

1. Do not confuse the word **письмо́** meaning *a letter* with the word **письмо́** meaning *writing*, as used in this Lesson.

2. Distinguish between **мир** meaning *world* and **мир** meaning *peace*.

СЛОВООБРАЗОВАНИЕ

The Noun Suffixes -*ник* and -*ниц-а* Denoting Persons

Nouns denoting persons of certain occupation are formed with the help of the following suffixes:

Masculine	Feminine
-ник	-ниц-а
колхо́зник	колхо́зница
учени́к	учени́ца
пло́тник	(the feminine is not used)

УПРАЖНЕНИЯ

1. **Write out from paragraphs 1—5 of the text all the nouns in the instrumental case together with the words which require that case. Underline the endings of the instrumental case.**

Example:

a) without preposition: | b) with preposition:

руководи́ть рабо́то<u>й</u> | рабо́тать с интере́с<u>ом</u>

2. **Of the nouns in the instrumental case you have written out for Exercise 1, indicate those which denote the agent or instrument of the action. State the nominative of these nouns and their gender.**

Example:

Instrumental	Nominative
пило́й	пила́ *f*

3. Insert in the sentences below a suitable verb from the following: *пилить, рубить, руководить, шить, работать, рисовать, есть, управлять, забивать*. State the case of the noun which these verbs require:

1. Плотник ... дерево топором. 2. Столяр ... доску пилой. 3. Швея ... иголкой. 4. Инженер ... работой цеха. 5. Мой брат хорошо ... автомобилем. 6. Вася ... гвозди молотком. 7. Коля ... карандашом. 8. Лётчик ... самолётом. 9. Володя ... суп ложкой. 10. Чем вы ... ? Иголкой.

4. Write out the words having the same root. Underline the root:

стол, работа, рука, направо, слово, интерес, занятие, пила, сад, водить, интересоваться, руководить, работать, заниматься, шитьё, садовник, рабочий, пилить, пословица, управлять, столяр

5. Answer the following questions on the text:

1. Чем колхозники пашут землю?
2. Чем они убирают хлеб?
3. Чем вы едите суп?
4. С чем вы едите мясо?
5. С чем вы едите хлеб?
6. Чем вы режете мясо?
7. С чем вы любите пить чай?
8. Чем садовник копает землю?
9. Чем плотник рубит дерево?
10. Чем он пилит доску?
11. Чем столяр строгает доску?
12. Чем он забивает гвозди?
13. Чем мы шьём?
14. Чем вы пишете?
15. Чем вы интересуетесь?
16. Чем вы занимаетесь?
17. С кем вы занимаетесь русским языком?
18. Чем доволен инженер Белов?
19. Кем доволен учитель?
20. Чем управляет лётчик?
21. Чем управляет шофёр?
22. Чем руководит учитель?
23. Чем пользуется рабочий?

УРОК 37ª

Grammar:
    The Instrumental Case with Link-Verbs.
    The Prepositions над, под, между, перед, за
        with the Instrumental Case.

ГРАММАТИКА

1. The Instrumental Case with Link-Verbs

In Russian, the following verbs may be used as link-verbs,
i. e. verbs which serve to connect the subject and the predicative:

быть *to be*   **становиться** *to become, to grow*
являться *to appear, to be*   **делаться** *to become*
казаться *to seem*   **служить** *to serve*

1) The verb **быть** *to be* may be used in the past and future
tenses with a noun in the nominative but more often in the instrumental case:

Мой товарищ **будет** инженé-ром. *instr*	My comrade will be an engineer.
Он **будет** музыкáнт. *nom* (музыкáнтом. *instr*)	He will be a musician.
Мой отéц дóлго **был** учи́телем. *instr*	My father was a teacher for a long time.
Он **был** большóй поэт. *nom*	He was a great poet.

The remaining verbs mentioned above require the instrumental
case in all forms:

Постепéнно ручéй **становится** рекóй. *instr*	Gradually the stream becomes a river.
Бéрег реки́ **служи́л** мéстом (*instr*) óтдыха.	The river bank served as a place of rest.
Высокó в нéбе самолёт бýдет **казáться** тóчкой. *instr*	High in the sky the plane will seem a dot.
Егó жизнь **служи́ла** примéром (*instr*) для сы́на.	His life served as an example to his son.

Conjugation of the Verbs *казаться, становиться*
Infinitives: *казáться to seem, станови́ться to become*

Person	Present Tense	Past Tense	Future Tense
1st 2nd	кажýсь, становлю́сь кáжешься, становишься, etc.	казáлся, становился казáлся, становился, etc.	бýду казáться, становиться бýдешь казáться, становиться, etc.

231

2. The Prepositions над, под, между, перед, за with the Instrumental Case

The prepositions над *over, above,* под *under,* между *between, among,* перед *before, in front of,* за *behind, beyond* indicate the location of an object or tell where the action takes place, and are used with a noun in the instrumental case:

Над рекóй большúе облакá.	Above the river there are big clouds.
Под мостóм плывёт лóдка.	Under the bridge a boat is sailing.
Я жил **под** Москвóй (= óколо Москвы).	I lived near Moscow.
За рекóй мы вúдим лес.	Beyond the river we see a wood.
Мы сидúм **за** столóм.	We are sitting at the table.
Мéжду лéсом и дерéвней большóе пóле.	Between the forest and the village there is a big field.
Пéред дóмом большóй сад.	In front of the house there is a big garden.

All the nouns governed by the prepositions in the above examples answer to the question **где?** *where?*

Где большúе облакá? **Над** рекóй.	Where are big clouds? Above the river.
Где большóй сад? **Пéред** дóмом.	Where is the big garden? In front of the house.

The preposition **пéред** *before* is also used to indicate time:

Пéред урóком мы бы́ли в библиотéке.	Before the lesson we were at the library.

In such cases the noun in the instrumental case used with the preposition answers to the question **когдá?** *when?*

Когдá вы бы́ли в библиотéке? — Пéред началом урóка.	When were you at the library? — Before the beginning of the lesson.

СЛОВАРЬ

под under
между between
перед before
за beyond, behind

то́чка *f* dot, full stop, period
Орло́в *(a Russian surname)*
Образцо́во *(the name of a village)*
са́мый большо́й largest, biggest

Произношение

The sound **o** is pronounced indistinctly in the unstressed endings of the instrumental case and is close to **a** [ʌ]. The sound **e** is pronounced almost like **и** [ĭ]. Compare:

Unstressed ending: **o** → [ʌ] Во́лгой, До́ном
  »   »   **e** → [ə] мо́рем

УПРАЖНЕНИЯ

1. Read and translate into English:

1. **Ме́жду го́родом** и **дере́вней** хоро́шее шоссе́. 2. **Под горо́й** течёт глубо́кая река́. 3. Со́лнце сади́лось **за ле́сом**. 4. **Пе́ред шко́лой** был большо́й сад. 5. **Ме́жду за́втраком** и **обе́дом** де́ти гуля́ли. 6. Де́вушки **с пе́сней** возвраща́лись с по́ля.

2. Fill in the blank spaces with one of the following prepositions: *под, над, ме́жду, пе́ред за* and underline the endings of the instrumental case:

1. Высоко́ ... реко́й плыву́т облака́. 2. Гео́логи нахо́дят у́голь и нефть ... землёй. 3. ... дере́вней широ́кое по́ле. 4. ... по́лем лета́ют пти́цы. 5. Со́лнце сади́тся ... горо́й. 6. На доро́ге ... поворо́том слы́шен гудо́к автомоби́ля. 7. На реке́ ... мосто́м плывёт ло́дка. 8. Река́ течёт ... дере́вней. 9. ... реко́й шумя́т зелёные дере́вья. 10. Ле́том я люблю́ сиде́ть на траве́ ... де́ревом. 11. ... ле́сом голубо́е не́бо. 12. ... го́родом и дере́вней хоро́шая доро́га. 13. ... колхо́зом «Искра» и колхо́зом «Побе́да» широ́кое по́ле.

3. Read and translate into English:

1. Това́рищ Орло́в — инжене́р. 2. Когда́-то он был ма́стером. 3. Мой отец до́лго был учи́телем. 4. Мой брат хо́чет быть архите́ктором. Моя́ сестра́ бу́дет учи́тельницей. 5. Моя́ мать — врач. Мой отец то́же был врачо́м. 6. Это ме́сто стано́вится куро́ртом. 7. Издали кора́бль ка́жется ма́ленькой то́чкой. 8. Колхо́зная дере́вня Образцо́во стано́вится го́родом. 9. Ста́рый парк каза́лся ле́сом.

4. Fill in the blank spaces with the nouns and pronouns on the right, using the required case:

1.	Над ... свети́ло со́лнце.	земля́
2.	Парохо́д шёл вниз по	река́
3.	С ... дул тёплый ве́тер.	юг
4.	Мы сиде́ли у	окно́
5.	Вокру́г ... большо́й парк.	дом
6.	Ру́сская а́рмия возвраща́лась с	побе́да
7.	Этот парк ка́жется	лес
8.	Ме́жду ... и ... большо́й сад.	фе́рма, по́ле
9.	За ... раздава́лось пе́ние.	стена́
10.	Тру́дно бы́ло идти́ про́тив	ве́тер
11.	Я интересова́лся	литерату́ра
12.	Мы занима́емся	спорт
13.	Издали самолёт ка́жется	пти́ца
14.	... бу́дет ваш брат?	кто
15.	... вы интересуетесь?	что
16.	Я рису́ю ви́ды Волги	каранда́ш
17.	Мы чита́ли газе́ту с	интере́с
18.	Он явля́ется ... . заво́да.	дире́ктор

5. Give the 3rd person singular and plural of the present tense (using the pronouns *он* and *они́*) of the following verbs:

каза́ться, де́латься, станови́ться, называ́ться, явля́ться, служи́ть

Example: он ка́жется — они́ ка́жутся

УРОК 37б

ВОЛГА

Во́лга — вели́кая ру́сская река́, са́мая больша́я река́ в Евро́пе. Исто́к Во́лги — ма́ленький руче́й на се́вере от Москвы́. Постепе́нно руче́й расширя́ется и стано́вится большо́й реко́й.

Грандио́зные кана́лы соединя́ют с Во́лгой моря́: Бе́лое, Балти́йское, Чёрное и Азо́вское. Кана́л и́мени Москвы́ соединя́ет с Во́лгой Москву́-реку́. Кана́л и́мени Ле́нина соединя́ет Во́лгу с До́ном.

Са́мые больши́е прито́ки Во́лги — Ока́ и Ка́ма. Вме́сте с Во́лгой они́ образу́ют во́дный путь ме́жду Москво́й и Ура́лом.

Зимо́й Во́лга лежи́т под сне́гом. Пе́ред нача́лом весны́ снег темне́ет. Вели́кая река́ разлива́ется и ка́жется мо́рем.

Во́лга — широ́кий во́дный путь. Весно́й, ле́том и о́сенью по Во́лге иду́т теплохо́ды, парохо́ды, ба́ржи. С се́вера на юг по Во́лге идёт лес, с ю́га на се́вер иду́т хлеб, нефть, ры́ба, соль, фру́кты, о́вощи.

Во́лга течёт с се́вера на юг и впада́ет в Каспи́йское мо́ре. Над исто́ком Во́лги кача́ются темнозелёные е́ли, ду́ют холо́дные се́верные ве́тры. Над де́льтой Во́лги жа́ркое со́лнце и голубо́е ю́жное не́бо. В де́льте Во́лги цветёт ло́тос.

Во́лга бога́та ры́бой.

Замеча́тельные пе́сни поёт сове́тский наро́д о Во́лге и называ́ет её «ма́тушкой-реко́й» и «краса́вицей».

СЛОВАРЬ

са́мый большо́й the biggest
исто́к *m* source
руче́й *m* brook, stream; **ручьи́** *acc*; **ручьи́** *pl*
постепе́нно *adv* gradually
расширя́ться *I* to widen
впада́ть *I* to fall into
грандио́зн‖ый, -ая, -ое; -ые vast, immense, grandiose

соединя́ть (соединя́ю, соединя́ешь) *I* to join
Бе́лое мо́ре White Sea
Балти́йское мо́ре Baltic Sea
Чёрное мо́ре Black Sea
Азо́вское мо́ре Azov Sea
Кана́л и́мени Москвы́ Moscow Canal
прито́к *m* tributary

Ока́ f ⎫
Ка́ма f ⎬ (tributaries of the Volga)

образова́ть (образу́ю, образу́ешь)
  I to form
во́дн||ый, -ая, -ое; -ые water
темне́ть I to grow dark
разлива́ться I to overflow
теплохо́д m motor-ship
парохо́д m steamer
ба́ржа f barge
течь (теку́, течёшь) I to flow
Каспи́йское мо́ре Caspian Sea
кача́ться I to rock

темнозелён||ый, -ая, -ое; -ые dark
  green
над (+ instr) over, above
ель f fir-tree
де́льта f delta
ло́тос m lotus
бога́т, -а, -о; -ы rich
замеча́тельн||ый, -ая, -ое; -ые won-
  derful
наро́д m people
называ́ть (+ instr) to call, to name
ма́тушка-река́ f mother river
краса́вица f beauty

Замечания к словарю

1. The word идти́ has several meanings, for example:

Челове́к идёт.	A person *is going (walking)*.
Лес идёт по реке́.	Timber *floats* down the river.
Парохо́д идёт.	A boat *is sailing*.
Уро́к идёт.	A lesson *is in progress*.

2. The verbs **называ́ть** *to call* and **называ́ться** *to be called* require the instrumental case after them:

Наро́д **называ́ет** Во́лгу краса́вицей. The people call the Volga a beauty.
  instr
Са́мая больша́я река́ в Евро́пе **назы-** The largest river in Europe is called
ва́ется Во́лгой. *instr* the Volga.

The adjective **бога́тый, бога́т** *rich* also takes the instrumental case:

Во́лга **бога́та** ры́бой. *instr* The Volga is rich in fish.

СЛОВООБРАЗОВАНИЕ

Compound Words with the Connecting Vowels *o* and *e*

Compound Russian words may be formed from the stems of nouns, adjectives and verbs with the addition of the connecting vowel **o**:

пар ... + ходи́ть ... = парохо́д steamer
тёмн(ый) ... + зелёный ... = темнозелёный dark green
по́лн(ый) ... + во́дный ... = полново́дный deep
рук(а) ... + води́ть ... = руководи́ть to lead, to guide, to supervise

УПРАЖНЕНИЯ

1. Write out from the text the nouns in the instrumental case, the verbs and other words which require this case. Underline the endings of the instrumental case.

Example:

a) without preposition: b) with preposition:
  явля́ется реко́й соединя́ют с Во́лгой

2. Indicate in the following compound words the two roots and the connecting vowel:

пароход, руководить, теплоход, полноводный, маловодный

3. Write out words which have the same root. Underline the root:

широкий, тёмный, красивый, дело, расширяться, темнеть, делать, красавица, прекрасный, делаться

4. Indicate in the following words of the same root the alternation of vowels and consonants:

течь, течение, исток, приток

5. Answer the following questions on the text:

1. Где находится исток Волги?
2. Какие каналы соединяют моря с Волгой?
3. Куда впадает Волга?
4. Какой канал соединяет Волгу с Москвой-рекой?
5. Как называются самые большие притоки Волги?
6. Когда Волга кажется морем?
7. Богата ли Волга рыбой?
8. Что идёт по Волге с севера на юг?
9. Что перевозят пароходы и баржи с юга на север?
10. Как называет советский народ Волгу?

6. Translate into Russian:

My table stands at the window. A lamp hangs over the table. Under the table there lies a carpet. Between the window and the divan stands a cupboard. To the right of the table stands the divan. Over the divan there hang pictures. In front of the divan stands another table. Books and magazines lie on the table. I am sitting at the table and reading. On the other side of the wall music is playing. Beyond the window the hooting of a car is heard. My sister is sitting with a pencil in her hand.

УРОК 38ᵃ

> Grammar:
>
> Declension of Singular Nouns (Summary).

ГРАММАТИКА

Declension of Singular Nouns (Summary)

(Nouns Ending in a Consonant or in the Vowels -a, -o)

Case	Question	Masculine	Feminine	Neuter
Nominative	кто? что?	студе́нт, стол	страна́	окно́
Genitive	кого́? чего́?	стола́	страны́	окна́
Dative	кому́? чему́?	столу́	стране́	окну́
Accusative	кого́? что?	студе́нта, стол	страну́	окно́
Instrumental	кем? чем?	столо́м	страно́й	окно́м
Prepositional	о ком? о чём?	(о) столе́	(о) стране́	(об) окне́

(Nouns Ending in a Consonant + ь or the Vowels -я, -e)

Case	Question	Masculine	Feminine	Neuter
Nominative	кто? что?	учи́тель, кора́бль	земля́	по́ле
Genitive	кого́? чего́?	корабля́	земли́	по́ля
Dative	кому́? чему́?	кораблю́	земле́	по́лю
Accusative	кого́? что?	учи́теля, кора́бль	зе́млю	по́ле
Instrumental	кем? чем?	кораблём	землёй	по́лем
Prepositional	о ком? о чём?	(о) корабле́	(о) земле́	(о) по́ле

Special Features of the Case Endings of Singular Nouns

1) Masculine nouns denoting inanimate objects have identical endings for the nominative and accusative:

Стол стои́т. *nom*	The table is standing.
Ви́жу стол. *acc*	I see a table.

2) Masculine nouns denoting animate beings have identical endings for the genitive and accusative:

Нет студе́нта. *gen*	There is no student.
Ви́жу студе́нта. *acc*	I see a student.

3) Some masculine nouns in the prepositional case used with the prepositions **в** or **на** (answering to the question **где?** *where?*) have the ending -**у** (this ending is always stressed — cf. Lesson 24ª): **в лесу́, в саду́, на полу́, в шкафу́, в углу́, на мосту́, на берегу́.**

4) The declension of nouns of the type of **стол, страна́, окно́** (i. e. nouns which in the nominative singular of the masculine gender end in a **hard consonant,** in the feminine gender in **a,** in the neuter gender in **o**) is called a d e c l e n s i o n w i t h "hard" e n d i n g s (or "hard" declination).

5) The declension of nouns of the type of **кора́бль, земля́, по́ле** (i. e. nouns which in the nominative singular of the masculine gender end in a **consonant + ь,** in the feminine gender in **я,** and in the neuter gender in **e**) is called a d e c l e n s i o n w i t h "s o f t" e n d i n g s (or "soft" declination). To the declension with 'soft" endings also belong masculine nouns ending in **й** (**музе́й** *museum,* **геро́й** *hero*).

6) The declension of nouns which have the consonants **ж, ш, ч, щ, ц** as well as **г, к, х** before the case ending, is called the m i x e d d e c l e n s i o n: most of the endings here belong to the declension with "hard" endings, some to the declension with "soft" endings, for example:

declension with "hard" endings	declension with "soft" endings
кни́га, кни́гу	кни́ги

7) In the instrumental case nouns of all the three genders after **ж, ч, ш, щ, ц** are declined according to the declension with "hard" endings (**-ом, -ой**), when the stress falls on the ending, and according to the declension with "soft" endings. (**-ем, -ей**), when the stress does not fall on the last syllable:

карандашо́м, лицо́м	the endings here are stressed
това́рищем, со́лнцем, ту́чей	the endings are unstressed

8) Neuter nouns in the singular number are declined in the same way as masculine nouns (inanimate).

Concerning the Stress in the Declension of Plural Nouns

1. In declining nouns, a shift of stress may occur. For example: in declining the word **стол,** in the oblique cases the stress is shifted to the last syllable: **стола́.**

2. In the declension of some feminine nouns, a shift of stress occurs only in the accusative case — when the stress is changed from the last to the first syllable. For example: **гора́, река́** *(nom)* — **го́ру, ре́ку** *(acc).*

УПРАЖНЕНИЯ

1. Fill in the blank spaces with the word *город* in the required case:

1. Наш ... большо́й. 2. Мы живём в це́нтре ... . 3. Мы ходи́ли по ... . 4. Я люблю́ наш ... . 5. За ... краси́вые леса́. 6. На́ша семья́ давно́ живёт в ... .

2. Fill in the blank spaces with the word *гора́* in the required case:

1. Здесь высо́кая ... . 2. На скло́не ... виногра́дники и сады́. 3. Тури́сты подхо́дят к ... . 4. Они́ поднима́ются на́ ... . 5. Со́лнце сади́тся за ... . 6. Колхо́з «Но́вая жизнь» нахо́дится на ... .

3. Decline the following nouns in all the cases (in written form, as in the example): *автомоби́ль, грузови́к, дере́вня, фе́рма, по́ле, не́бо*. Compare the endings of each pair of words:

Case	Masculine	Feminine	Neuter
Nominative	автомоби́ль, грузови́к	дере́вня, фе́рма	по́ле, не́бо

4. Rewrite the following sentences, using the nouns in brackets in the required case:

a) 1. О́коло (дом) стои́т автомоби́ль. 2. Сын (това́рищ Мака́ров) и я подхо́дим к (автомоби́ль). 3. Мы сади́мся в (автомоби́ль). 4. На́ша маши́на бы́стро мчи́тся по (доро́га). 5. Шофёр хорошо́ управля́ет (маши́на). 6. Мы е́дем на (автомоби́ль) в колхо́з. 7. До (колхо́з) недалеко́. 8. Вот шофёр остана́вливает (маши́на). 9. Мы выхо́дим из (автомоби́ль).

б) 10. За (фе́рма) (колхо́з) «Побе́да» широ́кое по́ле. 11. Вот и́з-за (лес) встаёт со́лнце. 12. Оно́ освеща́ет (река́, по́ле, дере́вня). 13. Колхо́зники с утра́ рабо́тают в (по́ле). 14. По (по́ле) дви́жется тра́ктор с (плуг). 15. День хоро́ший. Над (по́ле) я́сное не́бо. 16. С (земля́) поднима́ется тума́н. 17. Небольши́е бе́лые облака́ плыву́т по (не́бо). 18. В дере́вне ме́жду (шко́ла и клуб) большо́й сад. 19. Колхо́зники обраба́тывают (земля́). 20. Они́ па́шут (тра́ктор) с (плуг). 21. По́сле (рабо́та) они́ возвраща́ются с (по́ле) в (дере́вня). 22. Они́ иду́т домо́й с (пе́сня).

УРОК 38б

Word-Building:
The Prefixes **с-** and **про-** in Verbs of Motion.

ПУТЕШЕСТВИЕ ПО ВОЛГЕ

Путеше́ствие по Во́лге — прекра́сный о́тдых. Удо́бные и краси́вые пассажи́рские парохо́ды дви́жутся по Во́лге вверх и вниз. Ча́сто парохо́д слу́жит «до́мом о́тдыха». Сове́тские лю́ди лю́бят отдыха́ть на парохо́де, лю́бят путеше́ствовать по Во́лге. В путеше́ствие по Во́лге ча́сто отправля́ются из Москвы́.

Во вре́мя путеше́ствия вы не то́лько любу́етесь приро́дой, но мо́жете та́кже осма́тривать кру́пные промы́шленные города́ на Во́лге. Ве́рхнее тече́ние Во́лги о́чень живопи́сно, но сре́днее тече́ние осо́бенно интере́сно для путеше́ствия.

Пе́рвая больша́я при́стань здесь — го́род Го́рький, он располо́жен при впаде́нии в Во́лгу её прито́ка Оки́. С Во́лги го́род Го́рький хорошо́ ви́ден: он нахо́дится на скло́не горы́.

Го́род Го́рький — кру́пный промы́шленный центр СССР. В э́том го́род когда́-то жил вели́кий пролета́рский писа́тель Макси́м Го́рький. Го́род но́сит его́ и́мя.

Пароход идёт да́льше. Дни стоя́т хоро́шие. Над Во́лгой я́сное голубо́е не́бо. Я́рко све́тит ле́тнее со́лнце. Над водо́й лета́ют бе́лые пти́цы — ча́йки. Пассажи́ры прово́дят вре́мя на па́лубе. Они́ любу́ются краса́вицей Во́лгой.

Сле́ва по тече́нию, немно́го в стороне́ от реки́, стои́т го́род Каза́нь. Здесь учи́лся в университе́те Влади́мир Ильи́ч Ле́нин (Улья́нов). Каза́нь — кру́пный промы́шленный го́род, а та́кже ва́жный нау́чный центр СССР. С парохо́да видны́ кварта́лы го́рода, кремль и стари́нная ба́шня.

Ни́же, спра́ва по тече́нию, располо́жен го́род Улья́новск. В Улья́новске роди́лся Влади́мир Ильи́ч Ле́нин. Пассажи́ры схо́дят в Улья́новске с парохо́да и осма́тривают дом семьи́ Влади́мира Ильича́ Ле́нина. Тепе́рь здесь музе́й. Пароход до́лго стои́т в Улья́новске, и все пассажи́ры мо́гут осмотре́ть музе́й.

Ве́чером пассажи́ры возвраща́ются на парохо́д и плыву́т да́льше. Во́лга живёт: вверх и вниз по тече́нию иду́т теплохо́ды, парохо́ды, ба́ржи. С ю́га перево́зят на се́вер хлеб, о́вощи, фру́кты, ры́бу, нефть. Вниз по тече́нию плыву́т плоты́. Это се́верный лес идёт на юг.

Пе́ред го́родом Ку́йбышевом река́ повора́чивает впра́во и огиба́ет живопи́сные го́ры Жигули́. Ку́йбышев — кру́пный промы́шленный центр. Под Ку́йбышевом краси́вые да́чи и дома́ о́тдыха.

Пароход идёт да́льше, прохо́дит под мосто́м.

Спра́ва открыва́ется вид на Сара́тов. Пассажи́ры любу́ются го́родом. Сара́тов располо́жен на скло́не горы́. Это большо́й, краси́вый го́род. В Сара́тове роди́лся и жил вели́кий ру́сский мысли́тель и революцио́нный демокра́т Чернышевский.

Пассажи́ры отдыха́ют на парохо́де, не замеча́ют, как прохо́дят дни.

От Сара́това пароход идёт к Сталингра́ду. Вот пароход даёт гро́мкий гудо́к. Он приближа́ется к го́роду-геро́ю. С парохо́да открыва́ется замеча́тельный вид на сла́вный го́род.

Одни́ пассажи́ры садя́тся на друго́й парохо́д и е́дут по кана́лу и́мени Ле́нина, други́е продолжа́ют путеше́ствие по Во́лге. Ни́же Сталингра́да тече́ние Во́лги стано́вится ме́дленнее. Пароход прихо́дит в Астраха́нь.

Астраха́нь располо́жена в де́льте Во́лги. Астраха́нь — го́род ры́бы. Вокру́г бога́тый рыболо́вный райо́н.

Астраха́нь — после́дняя при́стань на Во́лге.

Пассажи́ры схо́дят с парохо́да. Путеше́ствие по Во́лге зака́нчивается.

СЛОВАРЬ

путеше́ствие *n* voyage, trip
пассажи́рск‖ий, -ая, -ое; -ие passenger
дом о́тдыха house of rest, rest home
путеше́ствовать (путеше́ствую, путеше́твуешь) *I* to travel
любова́ться (любу́юсь, л‑обу́ешься) *I* to admire
осма́тривать *I* to view
кру́пн‖ый, -ая, -ое; -ые large, important
промы́шленн‖ый, -ая, -ое; -ые industrial
ве́рхн‖ий, -яя, -ее; -ие upper
тече́ние *n* current
живопи́сен, живопи́сн‖а, -о; -ы picturesque
сре́дн‖ий, -яя, -ее; -ие middle
осо́бенно *adv* particularly
при́стань *f* landing-stage, quay
располо́жен, -а, -о; -ы situated, located
впаде́ние *n* confluence, mouth
склон *m* incline
пролета́рск‖ий, -ая, -ое; -ие proletarian
писа́тель *m* writer
ча́йка *f* sea-gull
пассажи́р *m* passenger
па́луба *f* deck
сле́ва *adv* to (at, on) the left

сторона́ *f* side
ва́жн‖ый, -ая, -ое; -ые important
нау́чн‖ый, -ая, -ое; -ые scientific
кварта́л *m* block
ни́же *adv* lower
спра́ва *adv* to (at, on) the right
роди́ться (рожу́сь, роди́шься) *II* to be born
музе́й *m* museum
вниз по тече́нию downstream
плот *m* raft
повора́чивать *I* to turn
впра́во *adv* to the right
огиба́ть (огиба́ю, огиба́ешь) *I* to round
да́ча *f* summer house
открыва́ться *I* to open
мысли́тель *m* thinker
революцио́нн‖ый, -ая, -ое; -ые revolutionary
демокра́т *m* democrat
гро́мк‖ий, -ая, -ое; -ие loud
гудо́к *m* whistle, hooting; гудка́ *gen*; гудки́ *pl*
сла́вн‖ый, -ая, -ое; -ые famous, glorious
ме́дленнее more slowly
рыболо́вн‖ый, -ая, -ое; -ые fishing
райо́н *m* district
после́дн‖ий, -яя, -ее; -ие last
сходи́ть (схожу́, схо́дишь) *II* to get down, to alight

Замечания к словарю

1. Compare the uses of the verb **дава́ть** in the following examples:

дава́ть уро́к — *to give* a lesson
дава́ть конце́рт — *to give* a concert
дава́ть гудо́к, звоно́к — *to blow* the horn, *to sound* the siren or whistle, *to ring* (a bell)

2. Compare the uses of the adverbs **вверх** *up* and **вниз** *down:*

Самолёт поднима́ется вверх. — The aeroplane is rising *upwards.*
Парохо́д идёт вверх по Во́лге. — The steamer is going *up* the Volga.
Самолёт спуска́ется вниз. — The aeroplane is *descending*
Парохо́д идёт вниз по Во́лге. — The steamer is going *down* the Volga.

3. The word **тече́ние** *current* may have the meaning of *part of a river.* Compare the following:

Бы́строе тече́ние реки́. — The swift *current* of the river.
Ве́рхнее тече́ние реки́. — The upper *reaches* of the river.

Выражения

сади́ться на парохо́д	to embark
сходи́ть с парохо́да	to disembark
Парохо́д идёт вниз (или вверх) по тече́нию.	The steamer is going downstream (upstream).
день за днём	day after day, day in and day out

СЛОВООБРАЗОВАНИЕ

The Prefixes *с-* and *про-* in Verbs of Motion

сходи́ть — to go down, to get off, to alight
сбега́ть — to run down
сноси́ть — to take down
съезжа́ть — to go down
слета́ть — to fly down
свози́ть — to take something down to, to bring something down to
проходи́ть — to go through, to pass by
проноси́ть — to carry past
проезжа́ть — to pass by, to ride by
пробега́ть — to run by
пролета́ть — to fly by
проводи́ть — to spend (the time)

Verbs of motion having the prefix **про-** are used with several prepositions which require a definite case. For example, проходи́ть **в, на, о́коло, вдоль** + the a c c u s a t i v e case; проходи́ть **ми́мо** + the g e n i t i v e case; проходи́ть **под, ме́жду** + the i n s t r u - m e n t a l case. These same verbs when they have the prefix **с-** are generally used with the preposition **с** and the noun in the g e n i t i v e case, or with the prepositions **на, в** and the noun in the a c c u s a t i v e case. For example:

Тури́сты **сходят с горы́** (*gen*). The tourists are going down the hill.

УПРАЖНЕНИЯ

1. Analyse all the nouns given in the first 5 paragraphs of the text (except those in the nominative) as follows in the table below and underline the endings of the nouns.

Noun together with the word which governs its case or is used with it	Nominative case of the noun	Gender	Case in which it appears in the text
по Во́лге домом о́тдыха	Во́лга о́тдых	f m	dat gen

2. Answer the following questions:

1. Какое течение Волги особенно интересно для путешествия?
2. Какие крупные промышленные города расположены на Волге?
3. Где родился Владимир Ильич Ленин?
4. Где Владимир Ильич Ленин учился в университете?
5. Где родился крупный мыслитель и революционер-демократ Чернышевский?
6. Какой город на Волге называется городом-героем?
7. Как называется последняя пристань на Волге?
8. Чем богата Астрахань?
9. Где самый большой мост через Волгу?

3. Indicate the gender of the following nouns. Add a suitable adjective to each of the nouns:

пристань, теплоход, музей, река, небо, день, кремль, путешествие

4. Translate into Russian:

The Volga is the biggest river in Europe. Steamers and barges go up and down the Volga. The Volga is rich in fish. A trip by boat along the Volga is the best (conceivable) recreation (rest). On the right bank of the Volga stands the heroic city of Stalingrad.

УРОК 39ª

Grammar:
Declension of Nouns in the Plural Number.
The Prepositions среди and по (continued).
"Indefinite Personal" Sentences.
The Conjunction и Used with Words in a Series.

ГРАММАТИКА

1. Declension of Nouns in the Plural

(Nouns Ending in a Consonant or the Vowels -а, -о)

Case	Question	Masculine	Feminine	Neuter
Nominative	кто? что?	студе́нты, столы́	же́нщины, стра́ны	о́кна
Genitive	кого́? чего́?	столо́в	стран	око́н
Dative	кому́? чему́?	стола́м	стра́нам	о́кнам
Accusative	кого́? что?	студе́нтов, столы́	же́нщин, стра́ны	о́кна
Instrumental	кем? чем?	стола́ми	стра́нами	о́кнами
Prepositional	о ком? о чём?	(о) стола́х	(о) стра́нах	(об) о́кна[x]

(Nouns Ending in a Consonant + ь or the Vowels -я, -е)

Case	Question	Masculine	Feminine	Neuter
Nominative	кто? что?	учителя́, корабли́	зе́мли	поля́
Genitive	кого́? чего́?	корабле́й	земе́ль	поле́й
Dative	кому́? чему́?	корабля́м	зе́млям	поля́м
Accusative	кого́? что?	учителе́й, корабли́	зе́мли	поля́
Instrumental	кем? чем?	корабля́ми	зе́млями	поля́ми
Prepositional	о ком? о чём?	(о) корабля́х	(о) зе́млях	(о) поля́х

Concerning the Declension of Masculine Nouns Ending in -й

Masculine nouns ending in -й, such as геро́й, урожа́й, are declined in the same way as the nouns учи́тель, кора́бль, i. e., they follow the rule for the declension with "soft" endings, with one exception: in the genitive plural the ending is -ев (and not -ей).

246

Note on the Endings of Plural Nouns

1) Plural nouns in the masculine and feminine gender, nominative case, take the ending -ы (in the declension with "hard" endings) or the ending -и (in the declension with "soft" endings). After the consonants ж, ч, ш, щ, г, к, х only the ending -и is possible (in keeping with the general rule for orthography).

2) Some plural nouns in the masculine have the ending -a or -я in the nominative case. For example: леса́, глаза́, берега́, города́, вечера́, голоса́, доктора́, учителя́ (or учи́тели).

The endings of masculine nouns in the nominative plural (-a or -я) are always stressed.

3) In the plural, neuter nouns have the ending -a (in the declension with "hard" endings), or -я (in the declension with "soft" endings). In some neuter nouns these endings may be stressed, in others unstressed.

4) The difference in the case endings of masculine, feminine and neuter nouns in the plural, is most marked in the genitive case.

In the genitive plural, masculine nouns take the endings -ов (declension with "hard" endings) and -ев, -ей (declension with "soft" endings). After the consonants ж, ч, ш, щ the ending is also -ей: домо́в, геро́ев, корабле́й, враче́й.

5) Feminine nouns have no endings in the genitive plural (the soft mark is not an ending, but merely denotes the softness of the final consonant). Neuter nouns in the genitive also have no endings.

Whenever the stem of a word ends in two consonants, an o or e is placed between them in the genitive plural of feminine as well as neuter nouns: о́кна — око́н, студе́нтка — студе́нток, зе́мли — земе́ль, etc. (This facilitates pronunciation.)

6) Nouns in the plural denoting inanimate objects have the same endings for the nominative and accusative in all three genders.

Nouns denoting persons and animate objects have different endings for the nominative and accusative cases, and identical endings for the genitive and accusative.

7) In all other cases, nouns denoting persons or animate objects, and also inanimate objects, have identical endings for all three genders: in the dative -ам (declension with "hard" endings) or -ям (declension with "soft" endings), in the instrumental -ами (declension with "hard" endings), -ями (declension with "soft" endings); in the prepositional -ах (declension with "hard" endings) or -ях (declension with "soft" endings).

Concerning the Stress in the Declension of Plural Nouns

In some nouns the stress, which in the nominative singular falls on the initial or middle syllable, is shifted in the plural to the last syllable. Compare:

кора́бль (*nom sing*) — корабли́ (*nom pl*) — корабле́й (*gen pl*)

In some nouns the stress, which in the singular falls on the last syllable, is shifted to the first syllable when they are declined in the plural. Compare:

страна́ (*nom sing*)
стра́ны (*nom pl*)
стра́н (*gen pl*)

In studying the case endings of plural nouns, the position of the stress should be memorized.

2. The Prepositions *среди* and *по* (continued)

1) The preposition **среди** *among, amidst* used with the genitive case of the noun may have the following meanings:

a) Place. It is used to signify place only with plural nouns, as distinct from the preposition **посреди** *among*, which is used with both singular and plural nouns:

Мы жи́ли **среди́** лесо́в и поле́й (*gen pl*).	We lived amidst woods and fields.
Среди́ цвето́в (*gen pl*) ви́ден фонта́н.	Amidst the flowers a fountain is seen.

Question: где? *where?*

Где мы жи́ли? **Среди́** лесо́в и поле́й.	Where did we live? Amidst woods and fields.
Где фонта́н? **Среди́** цвето́в.	Where is the fountain? Amidst the flowers.

b) Time:

Среди́ но́чи греме́л гром.	In the middle of the night it thundered.

Question: когда́? *when?*

Когда́ греме́л гром? **Среди́** но́чи.	When did it thunder? In the middle of the night.

c) Among others:

Среди́ студе́нтов был мой брат.	My brother was among the students.
Среди́ книг был рома́н «Сча́стье».	The novel "Happiness" was among the books.

Questions: среди кого? *among whom?*, среди чего? *among what?*

Среди́ чего́ был рома́н «Сча́стье»? **Среди́** книг.	Among what was the novel "Happiness?" Among the books.
Среди́ кого́ был ваш брат? **Среди́** студе́нтов.	Among whom was your brother? Among the students.

d) In a definite environment:

Среди наро́да популя́рны но́вые пе́сни.	Among the people new songs are popular.

Question: **среди́ кого́**? *among whom?*

Среди́ кого́ популя́рны но́вые пе́сни? **Среди́** наро́да.	Among whom are new songs popular? Among the people.

2) The preposition **по** *on, in* governing a plural noun in the dative case may imply the time when an action takes place:

По суббо́там в клу́бе быва́ют конце́рты.	On Saturdays there are concerts at the club.
По вечера́м мы до́ма.	In the evening(s) we are at home.

Question: **когда́?** *when?*

Когда́ в клу́бе быва́ют конце́рты? **По** суббо́там.	When are there concerts at the club? On Saturdays (i. e. regularly every Saturday).
Когда́ вы до́ма? **По** вечера́м.	When are you at home? In the evenings.

3. "Indefinite Personal" Sentences

Sentences which have no subject, and in which the predicate takes the form of a verb in the 3rd person plural (present, past or future tense), are called in Russian "i n d e f i n i t e   p e r s o n a l" sentences.

Пи́шут	} о гидроста́н-	It is written	} about the
Писа́ли	циях на Во́лге.	It was written	hydroelectric
Бу́дут писа́ть		It will be written	stations on the Volga.

Говоря́т	} о но́вой	It is talked	} about new
Говори́ли	те́хнике.	It was talked	technique.
Бу́дут говори́ть		It will be talked	

In these sentences the subject is indefinite and only implied. Sentences of this kind are used when it is not required to mention the performer of the action.

4. The Conjunction и Used with Words in a Series

In series of words the conjunction **и**, which corresponds to the English *and*, may be placed between each word for emphasis:

В зоопа́рке живу́т **и** слоны́, **и** ти́гры, **и** други́е зве́ри.	Elephants and tigers and other animals live in the Zoological Gardens.

A comma is not put before the first **и**.

39 три́дцать де́вять thirty-nine
же́нщина *f* woman
среди́ among, amidst
по (*pr denoting time*): **по вечера́м**
in the evenings
по суббо́там on Saturdays

зоопа́рк *m* (= зоологи́ческий парк)
Zoo
слон *m* elephant
тигр *m* tiger
зверь *m* animal, beast
ле́бедь *m* swan
ста́я *f* flock

УПРАЖНЕНИЯ

**1. Read the following sentences. State the case of the nouns in bold
type:**

1. **В сада́х колхо́зников** зре́ют я́блоки и гру́ши.
2. Утром рабо́чие иду́т **на фа́брики и заво́ды**. 3. Мно́гие рабо́-
чие ле́том отдыха́ют **в санато́риях**. 4. В це́нтре Москвы́ **вдоль
у́лиц** зелёные дере́вья. 5. **В гаража́х** МТС стоя́т сельскохо-
зя́йственные маши́ны. 6. **По сре́дам и суббо́там** в клу́бе быва́ют
конце́рты. 7. Я был рад **успе́хам това́рищей**. 8. На столе́ не́
было **ни пи́сем, ни журна́лов**; на нём лежа́ли газе́ты и кни́ги.
9. Учи́тель был дово́лен **ученика́ми**. 10. **На у́лицах** раздава́лись
гудки́ **автомоби́лей**.

**2. Translate the following sentences into English. Point out the differences
in the translation of the sentences in *a*), *б*) and *в*). Indicate the "indefinite
personal" sentences in the Russian text.**

1. а) Колхо́зники строя́т но́вые дома́. б) Для колхо́зников
строя́т но́вые дома́.
2. а) В газе́тах пи́шут о гидроста́нциях на Во́лге. б) Учёные
пи́шут о гидроста́нциях на Во́лге.
3. а) Говоря́т, за́втра бу́дет хоро́шая пого́да. б) Де́ти гово-
ря́т о пого́де.
4. а) Колхо́зники привозя́т о́вощи и молоко́ в го́род. б) Из
колхо́зов привозя́т о́вощи и молоко́ в го́род. в) Из колхо́зов при-
во́зятся о́вощи в го́род.
5. а) Ученики́ изуча́ют ру́сский язы́к в шко́ле. б) В шко́ле
изуча́ют ру́сский язы́к. в) В шко́ле изуча́ется ру́сский язы́к.
6. а) Здесь говоря́т по-ру́сски. б) Та́ня и Ко́ля говоря́т по-
ру́сски.
7. а) Профессора́ университе́та чита́ют ле́кции для студе́нтов
и для населе́ния. б) В университе́те чита́ют ле́кции для студе́нтов
и для населе́ния.
8. а) По Во́лге перево́зят нефть. б) Парохо́ды перево́зят
нефть по Во́лге. в) По Во́лге перево́зится нефть.
9. а) В клу́бе по суббо́там даю́т конце́рты. б) По суббо́там
арти́сты даю́т конце́рты в клу́бе. в) В клу́бе по суббо́там даю́тся
конце́рты.

3. Put the following adjectives and masculine nouns into the nominative plural:

большо́й го́род, густо́й лес, высо́кий бе́рег, ти́хий ве́чер

4. Insert the noun *слон* in the plural number:

1. В зоопа́рке есть молоды́е ... .
2. У ... ра́зные имена́.
3. Мы подходи́ли бли́зко к ... .
4. ... ко́рмят хорошо́.
5. Ря́дом со ... живу́т в зоопа́рке ти́гры.
6. Мы чита́ли кни́гу о ... .

5. Decline the word *слон* in the singular and plural number. Compare the singular and plural endings.

6. Insert the word *лебедь* in the plural in the correct case:

1. ... о́чень краси́вые пти́цы.
2. Ста́и ... пла́вали в пруда́х.
3. Де́ти броса́ли ... хлеб в во́ду.
4. Они́ корми́ли ... .
5. Мы до́лго любова́лись ... .
6. Де́ти мно́го говори́ли о ... .

7. Decline the noun *лебедь* in the singular and plural number. Compare the singular and plural endings. Compare the case endings of the words *лебедь* and *слон*.

УРОК 39^б

МОСКОВСКИЙ ЗООПАРК

Московский зоопарк очень популярен среди населения. Зоопарк посещают и взрослые, и школьники, и маленькие дети. Здесь бывают посетители по утрам и среди дня. Школы совершают экскурсии в зоопарк. Вместе с учениками приходят их учителя. Особенно много посетителей бывает в зоопарке по воскресеньям. Они с интересом осматривают парк.

В зоопарке живут звери, птицы и рыбы со всех концов земли. Посетителей интересуют слоны и львы, тигры и волки, лисицы и медведи. Взрослые и дети любят наблюдать, как кормят зверей и птиц. Дети подолгу могут смотреть на проделки обезьян.

Особенно хорошо в зоопарке летом. Летом здесь густые деревья, всюду цветы, зелёные лужайки, пруды и бассейны. Многие звери летом живут под открытым небом. Для слонов есть гора и глубокий бассейн. Слон «Москвич» родился в Москве. Недавно родился ещё один слонёнок. На лужайках свободно гуляют олени, фазаны. Стаи лебедей плавают в прудах. Какие это красивые птицы!

В зоопарке всегда движение, всегда шум. Здесь и там слышен рёв львов, тигров, волков и медведей. Летом раздаётся пение птиц.

Моско́вский зоопа́рк не то́лько «живо́й музе́й», э́то нау́чная ста́нция. В зоопа́рке рабо́тают учёные, нау́чные сотру́дники, студе́нты. Они́ изуча́ют привы́чки и поведе́ние обита́телей па́рка.

При зоопа́рке есть та́кже кружо́к шко́льников. Рабо́той шко́льников здесь руководя́т нау́чные сотру́дники. Они́ у́чат дете́й наблюда́ть приро́ду, звере́й и птиц, расска́зывают шко́льникам интере́сные исто́рии об обита́телях па́рка, пока́зывают на приме́рах, как ва́жно изуча́ть вопро́сы биоло́гии и зооло́гии.

В зоопа́рке посети́телям ча́сто чита́ют ле́кции. Кро́ме того́, сотру́дники зоопа́рка чита́ют ле́кции с кинофи́льмами на фа́бриках, заво́дах, в колхо́зах. Они́ веду́т перепи́ску с колхо́зниками. В пи́сьмах сотру́дники зоопа́рка даю́т колхо́зникам сове́ты по вопро́сам биоло́гии.

СЛОВА́РЬ

популя́рен, популя́рн‖а, -о; -ы popular
среди́ among
населе́ние n population
посеща́ть I to visit, to attend
посети́тель m visitor
по утра́м (see grammar) in the morning
экску́рсия f excursion, outing
осо́бенно adv particularly, especially
зверь m animal, beast
коне́ц m end; конца́ gen; концы́ pl
со всех концо́в from all parts
рёв m roar
лев m lion; льва gen; львы pl
волк m wolf
лиси́ца f fox
медве́дь m bear; медве́дя gen
наблюда́ть I to observe, to watch
подо́лгу for a long time
корми́ть (кормлю́, ко́рмишь) II to feed
проде́лки f pl tricks, antics
обезья́на f monkey

лужа́йка f lawn
пруд m pond
бассе́йн m pool, basin
откры́т‖ый, -ая, -ое; -ые open
под откры́тым не́бом in the open air
слонёнок „Москви́ч" (name of an elephant)
свобо́дно adv freely
оле́нь m deer
фаза́н m pheasant
ста́я f flock
шум m noise
ста́нция f station
сотру́дник m worker, employee, member of the staff
привы́чка f habi̇t
поведе́ние n conduct, behaviour
обита́тель m inhabitant
исто́рия f history
ва́жно adv important
биоло́гия f biology
зооло́гия f zoology
перепи́ска f correspondence

Выраже́ния

дава́ть сове́ты — to give advice
чита́ть ле́кции — to deliver lectures
вести́ перепи́ску — to carry on a correspondence, to correspond
по воскресе́ньям (= ка́ждое воскресе́нье) — on Sundays (every Sunday)
по утра́м (= ка́ждое у́тро) — in the morning (every morning)

The Cases Which are Governed by Certain Verbs

смотре́ть на + *acc* (на кого́?, на что?)	to look at (at whom?, at what?)
тра́тить де́ньги на + *acc* (на кого́?, на что?)	to spend money on (on whom?, on what?)
дава́ть сове́т + *dat* (кому́?)	to give advice (to whom?)
чита́ть ле́кцию + *dat* (кому́?)	to deliver a lecture (to whom?)
вести́ перепи́ску с + *instr* (с кем?)	to carry on a correspondence, to correspond with (with whom?)

УПРАЖНЕНИЯ

1. Pick out from the first four paragraphs of the text nouns in all the cases (except the nominative) and analyse them as follows. Underline the case endings of the nouns:

Noun together with the word requiring any case (except the nominative)	Nominative singular	Gender	Number of the word in the text	Case of the word in the text
среди́ населе́ния	населе́ние	n	sing	gen
мно́го посети́телей	посети́тель	m	pl	gen

2. In the following sentences put the nouns in bold type into the plural:

1. На́ши кни́ги лежа́т в **шкафу́**. 2. Вы не получа́ли **пи́сьма́** от Ва́ни? 3. Пассажи́ры е́хали на **парохо́де** вниз по Во́лге. 4. Учи́тель был дово́лен **отве́том ученика́**. 5. По у́лице мча́лись автомоби́ли. 6. Над **по́лем** лета́ли самолёты. 7. Этот **това́рищ** явля́ется **инжене́ром**. 8. На не́бе не́ было **о́блака**. 9. На столе́ не́ было ме́ста для **кни́ги**. 10. Я помога́ю **това́рищу** по матема́тике. 11. Я мно́го путеше́ствовал по **мо́рю**. 12. Тури́сты поднима́лись на́ **гору**. 13. В клу́бе мы ви́дели **арти́ста** и **писа́теля**. 14. В ва́зе нет **цветка́**. 15. Бери́те **кни́гу** и чита́йте.

3. Indicate whether there are "indefinite personal" sentences in the text.

4. Write out from the text of this Lesson all nouns with the suffixes *-ник* and *-тель* indicating a person or profession or occupation. Form the feminine from these nouns.

Example: посети́тель — посети́тельница

5. Indicate which alternations of consonants are to be found in the roots of the following nouns:

луг — лужа́йка, посети́тель — посеща́ть, нау́ка — нау́чный

6. Answer the following questions on the text:

1. Кто посеща́ет зоопа́рк?
2. Вме́сте с кем прихо́дят ученики́ в зоопа́рк?
3. Когда́ быва́ет осо́бенно мно́го посети́телей в зоопа́рке?

4. Каки́е зве́ри живу́т в зоопа́рке?
5. Хорошо́ ли в зоопа́рке ле́том?
6. Чем явля́ется моско́вский зоопа́рк?
7. Кому́ чита́ют ле́кции сотру́дники зоопа́рка?
8. Чита́ют ли они́ ле́кции то́лько в зоопа́рке?
9. С кем веду́т перепи́ску сотру́дники зоопа́рка?
10. По каки́м вопро́сам они́ даю́т сове́ты колхо́зникам?

Fill in the blank spaces with nouns from the right-hand column; put them in the required case, singular or plural.

Example: Я был в зоопа́рке с това́рищем (това́рищами).

а) 1. В зоопа́рке мы ви́дели … и … .	медве́дь, лиси́ца
2. Мы подходи́ли к … с … .	кле́тка, волк
3. Я чита́л кни́гу об … .	обезья́на
б) 1. Я зна́ю назва́ние … и … .	река́, о́зеро
2. Учи́тель расска́зывал о … на Во́лге.	го́род
3. Мой брат путеше́ствовал по … .	мо́ре
в) 1. На … вися́т занаве́ски.	окно́
2. Вдоль … стоя́т шкафы́.	стена́
3. В … нахо́дятся кни́ги.	шкаф
г) 1. С … бегу́т ручьи́.	гора́
2. На … горы́ виногра́дники и сады́.	склон
3. В … прекра́сные фру́кты.	сад
д) 1. Автомоби́ль мчи́тся по … .	доро́га
2. Самолёт лете́л над … и … .	поля́, леса́
3. Тури́сты проходи́ли ми́мо … и … .	село́, дере́вня
е) 1. Колхо́зники убира́ли пшени́цу … .	комба́йн
2. Они́ вози́ли зерно́ с … .	поля́
3. Грузовики́ е́здили на … .	ме́льница
ж) 1. На … мы говори́ли по-ру́сски.	уро́к
2. У нас нет … по грамма́тике.	вопро́с
3. Сего́дня мы чита́ли текст о … .	колхо́з
з) 1. Учи́тель расска́зывал … о … .	учени́к, мо́ре
2. Мы ведём перепи́ску с … .	пионе́р
3. Профессора́ даю́т сове́ты … .	студе́нт

УРОК 40ª

Grammar:
Cardinal Numbers up to 100.
The Combination of Cardinal Numbers and Nouns.

ГРАММАТИКА

1. Cardinal Numbers up to 100

1	оди́н one	11	оди́ннадцать eleven
2	два two	12	двена́дцать twelve
3	три three	13	трина́дцать thirteen
4	четы́ре four	14	четы́рнадцать fourteen
5	пять five	15	пятна́дцать fifteen
6	шесть six	16	шестна́дцать sixteen
7	семь seven	17	семна́дцать seventeen
8	во́семь eight	18	восемна́дцать eighteen
9	де́вять nine	19	девятна́дцать nineteen
10	де́сять ten		

Деся́тки Tens of Units

10	де́сять ten	60	шестьдеся́т sixty
20	два́дцать twenty	70	се́мьдесят seventy
30	три́дцать thirty	80	во́семьдесят eighty
40	со́рок forty	90	девяно́сто ninety
50	пятьдеся́т fifty		

Cardinal numbers are divided into three groups:

1) s i m p l e, containing one root, for example: **два** *two*, **пять** *five*, **сто** *a hundred*, **со́рок** *forty*;

2) c o m p l e x, containing two roots: **двена́дцать** *twelve*, **два́дцать** *twenty*, **во́семьдесят** *eighty* (-дцать is a contraction of **де́сять**, for example: **шестна́дцать** *sixteen* means **шесть на де́сять** *six over ten*; **оди́ннадцать** *eleven* means **один на де́сять** *one over ten*, etc.; **де́сят** is a modified form of **де́сять**).

3) c o m p o u n d, composed of two or more numerals: **два́дцать оди́н** *twenty-one*, **со́рок семь** *forty-seven*, **сто два́дцать пять** *one hundred and twenty-five*. The numerals which make up a compound number are written as separate words.

The numeral **оди́н** *one* has different forms for the three genders in the singular and one common form for all three genders in the plural:

оди́н *m*, одна́ *f*, одно́ *n*, одни́ *pl*

The numerals **два** *two*, **о́ба** *both* have the same form for the masculine and neuter and a different form for the feminine — **две — о́бе.**

Орфогра́фия

All words denoting numbers from **пять** *five* to **три́дцать** *thirty* are spelt with the letter **ь** at the end, for example: пять *five*, шестна́дцать *sixteen*, два́дцать *twenty*, три́дцать *thirty*, etc.

The numbers пятьдеся́т *fifty*, шестьдеся́т *sixty*, се́мьдесят *seventy*, во́семьдесят *eighty* are spelt with the letter **ь** in the middle, between two roots.

Оди́ннадцать *eleven* is spelt with two letters **н**.

Do not forget to spell numbers which have the suffix -**дцать** with a **д** though it is a mute letter: оди́ннадцать, двена́дцать, etc.

Write as a separate word each of the numbers which make up a compound numeral сто три́дцать во́семь *one hundred and thirty-eight.*

2. The Combination of Cardinal Numbers and Nouns

1. The numerals **оди́н, одна́, одно́** agree in gender with the noun they qualify:

оди́н стол *m*
одна́ ко́мната *f*
одно́ окно́ *n*

The plural form of the word **одни́** is used with nouns which have no singular form:

одни́ часы́ *one watch*
одни́ но́жницы *one pair of scissors.*

2. The noun qualified by the numbers **два** *two*, **три** *three* and **четы́ре** *four* (when they are in the nominative or accusative for which the endings are identical) takes the g e n i t i v e s i n g u l a r:

два стола́	two tables	две ко́мнаты	two rooms
три стола́	three tables	три ко́мнаты	three rooms
два часа́	two hours	две мину́ты	two minutes
четы́ре часа́	four hours	четы́ре мину́ты	four minutes

The noun qualified by numerals from **пять** *five* to **два-дцать** *twenty* takes the g e n i t i v e p l u r a l:

пять стол**о́в**	five tables	пять ко́мнат	five rooms
оди́ннадцать стол**о́в**	eleven tables	оди́ннадцать ко́мнат	eleven rooms
два́дцать час**о́в**	twenty hours	два́дцать ми-ну́т	twenty minutes

3. The noun qualified by c o m p o u n d numerals is put either in the n o m i n a t i v e or in the g e n i t i v e singular or plural, depending on the last numeral in the compound number:

два́дцать оди́н стол *nom sing*	twenty-one tables
со́рок три стола́ *gen sing*	forty-three tables
пятьдеся́т четы́ре мину́ты *gen sing*	fifty-four minutes
се́мьдесят пять мину́т *gen pl*	seventy-five minutes
девяно́сто два киломе́тра *gen sing*	ninety-two kilometres
сто де́сять киломе́тров *gen pl*	one hundred and ten kilometres

СЛОВАРЬ

о́ба *m, n* both; **о́бе** *f*	**гекта́р** *m* hectare
мину́та *f* minute	**ци́фра** *f* figure
час *m* hour; **часы́** *pl*	**число́** *n* number
часы́ (only *pl*) clock, watch	**ноль** *m* zero
киломе́тр *m* kilometre	

The names of the numerals up to 100 are given at the beginning of the Lesson.

Замечание к словарю

Do not confuse the word **часы́** (which has no singular form) meaning *a clock* or *watch* and **часы́** meaning *hours*. In the latter meaning the word **часы́** can be used in the singular: **оди́н час** one hour.

Произношение

In numerals the suffix **-дцать** is pronounced [ццать]: **оди́н-надцать, двена́дцать, два́дцать,** etc.

In numerals the unstressed vowels **е** and **я** are pronounced like a faint unstressed vowel [э]: **во́семь, де́вять, де́сять, пятна́-дцать, семна́дцать,** etc.

1. Count in Russian: from 1 to 10, from 10 to 20, from 20 to 90, from 100 to 120.

2. Write the Russian words for the following figures (underline the soft mark):

     5, 7, 10, 15, 20, 24, 36, 49, 50, 67, 78, 98, 105, 182

3. Explain the use of the genitive case after the numerals:

1. Ско́лько киломе́тров от колхо́за «Но́вая жизнь» до кол-хо́за «И́скра»?

От колхо́за «Но́вая жизнь» до колхо́за «И́скра» **25 киломе́-тров.** От колхо́за «И́скра» до МТС — **3 киломе́тра**, а до ме́ль-ницы **7 киломе́тров.**

2. Фе́рма в колхо́зе «Но́вая жизнь» занима́ет **95 гекта́ров,** а фрукто́вый сад занима́ет **164 гекта́ра,** карто́фельное по́ле — **198 гекта́ров.**

3. Ско́лько цифр в числе́ 90? В числе́ девяно́сто **две ци́фры:** де́вять и ноль.

4. В числе́ 8 — **одна́ ци́фра.** Вот ещё число́: 131. В числе́ 131 — **три ци́фры.**

4. Put the words in brackets in the required case:

    во́семь (час); три (мину́та); два́дцать два (час); семь (ми-ну́та); три́дцать две (мину́та); четы́рнадцать (час); шестьдеся́т (мину́та)

5. Complete the following phrases, using a noun from those on the right in the required case. Write the figures in words and underline the genitive endings of nouns:

а)
1. В ко́мнате 2	окно́
2. На столе́ лежа́т 5	кни́га
3. В кла́ссе стоя́т 15	па́рта
4. На стене́ вися́т 2	ка́рта
5. Сего́дня в кла́ссе 27	учени́к
6. У нас в шко́ле 10	класс
7. Уро́ки в шко́ле начина́ются в 8	час
8. Уро́к продолжа́ется 45	мину́та
9. У нас в шко́ле мно́го	учи́тель
10. Наш учи́тель зна́ет 3	язы́к

б)
1. От дере́вни до го́рода 84	киломе́тр
2. От колхо́за до ме́льницы 7	киломе́тр
3. Колхо́зная фе́рма занима́ет 80	гекта́р
4. Колхо́зный сад занима́ет 75	гекта́р
5. Я жил в колхо́зе 5	неде́ля

в) 1. По доро́ге е́дут 3 ... . | автомоби́ль
2. В во́здухе лети́т 9 ... . | самолёт
3. В мо́ре иду́т 3 ... . | кора́бль
4. На реке́ плыву́т 4 ... . | ло́дка

г) 1. В ко́мнате стоя́т 2 ... . | стол
2. За столо́м сидя́т 8 ... . | де́ти
3. На стола́х стоя́т 2 ... . | ва́за
4. В ва́зах 4 ... и 15 ... . | ро́за, тюльпа́н
5. На столе́ стоя́т 8 ... и 5 ... . | таре́лки, стака́ны
6. Я беру́ 2 ... , 2 ... и 2 ... . | ви́лка, нож, ло́жка

д) 1. У нас в до́ме 93 ... . | кварти́ра
2. В гости́нице 95 ... . | но́мер
3. Утром в зоопа́рке мно́го ... . | посети́тель
4. В зоопа́рке живу́т 17 ... и 18 ... . | тигр, медве́дь

е) 1. В э́той фра́зе 6 ... . | сло́во
2. В сло́ве «Москва́» 6 ... . | бу́ква
3. В сло́ве «Ленингра́д» 9 ... . | бу́ква
4. В числе́ 158 три ... . | ци́фра
5. Ско́лько ... в числе́ 87? | ци́фра

УРОК 40б

НА ФУТБОЛЕ

Сегодня воскресенье. Немало москвичей отправляются на стадион «Динамо». В три часа будет футбольный матч между командами «Динамо» и «Спартак».

Постепенно 76.000 зрителей заполняют трибуны стадиона. «Болельщики» уже давно ожидают начала матча и оживлённо обсуждают последние футбольные встречи. Одни «болеют» за «Динамо», другие — за «Спартак».

В 2 часа 55 минут дня звучит гонг. Через пять минут судья даёт свисток, и обе команды выстраиваются на середине поля. На спартаковцах красные майки, на динамовцах голубые. Человек 20 фоторепортёров находится тут же.

Капитаны команд пожимают друг другу руки и обмениваются вымпелами. Игра начинается. Уже в первые минуты динамовцы забивают гол в ворота «Спартака». На трибунах шум, аплодисменты. Динамовцы продолжают атаку. Игрок под номером 7 первый год выступает в составе команды «Динамо». Сейчас он уверенно посылает мяч в ворота «Спартака». Но вратарь очень хорошо берёт трудный мяч. На трибунах опять шум, аплодисменты.

Спартаковцы играют дружно. Через сорок минут они забивают гол в ворота «Динамо». В этот момент судья даёт свисток. Первая половина игры заканчивается со счётом 1:1.

Футболисты покидают поле и отправляются в комнаты отдыха. Одни ложатся на диваны, другие садятся в удобные кресла. Тренеры дают игрокам полезные советы. Через 15 минут обе команды снова выходят на футбольное поле.

В первые 25 минут счёт попрежнему 1:1. Команды «Спартака» и «Динамо» смело атакуют, хорошо защищаются. Оба вратаря берут трудные мячи. Несколько минут у ворот «Спартака» продолжается острая борьба, наконец, динамовцы забивают второй гол. Спартаковцы снова атакуют. Борьба продолжается.

Звучит гонг. Остаётся пять минут до конца матча. Счёт 2:1 в пользу «Динамо», но в последние минуты защитник «Динамо» останавливает мяч рукой. Судья назначает штрафной удар в ворота «Динамо». Гол!!!

Матч зака́нчивается со счётом 2 : 2. Кома́нды опя́ть выстра́иваются на середи́не по́ля. Оба капита́на благодаря́т судью́ и пожима́ют друг дру́гу ру́ки. Зри́тели постепе́нно покида́ют трибу́ны. Они́ оживлённо обсужда́ют о́стрые моме́нты игры́.

СЛОВА́РЬ

нема́ло not a few
москви́ч *m* Moscovite
стадио́н *m* stadium
футбо́льн‖ый, -ая, -ое; -ые football
матч *m* match
кома́нда *f* team
Дина́мо *n* Dynamo (*here:* the name of a Soviet sports' association)
Спарта́к *m* Spartak (*here:* the name of a Soviet sports' association)
зри́тель *m* spectator
заполня́ть *I* to fill
трибу́на *f* stand
боле́льщик *m* (football) fan
встре́ча *f here:* match
оживлённо animatedly
гонг *m* gong
судья́ *m* referee
свисто́к *m* whistle
даёт свисто́к blows the whistle
выстра́иваться *I* to line up
спарта́ковец *m* Spartakovite; спарта́ковца *gen*
ма́йка *f* football shirt
дина́мовец *m* Dynamovite; дина́мовца *gen*
фоторепортёр *m* cameraman
тут же right there; on the spot
капита́н *m* captain
пожима́ть ру́ки to shake hands
друг дру́гу each other
обме́ниваться *I* to exchange
вы́мпел *m* pennant
забива́ть *I* to score (a goal in football)
гол *m* goal
воро́та *pl* goal
аплодисме́нты *pl* applause
ата́ка *f* attack
игро́к *m* player

но́мер *m* number
соста́в (кома́нды) *m* team
уве́ренно confidently
посыла́ть *I* to send
мяч *m* ball
врата́рь *m* goalkeeper
тру́дн‖ый, -ая, -ое; -ые difficult
со́рок forty
моме́нт *m* moment
счёт *m* score
полови́на *f* half
зака́нчиваться *I* to end
покида́ть *I* to leave
тре́нер *m* trainer
поле́зн‖ый, -ая, -ое; -ые useful
сове́т *m* advice
дава́ть сове́т to give advice
попре́жнему as before
атакова́ть (атаку́ю, атаку́ешь) *I* to attack
защища́ться *I* to defend oneself
не́сколько some, several
продолжа́ться *I* to continue, to last
о́стр‖ый, -ая, -ое; -ые sharp; tense, keen
борьба́ *f* contest; struggle
втор‖о́й, -а́я, -о́е; -ы́е second
остава́ться (остаю́сь, остаёшься) *I* to stay, to remain
по́льза *f* use
в по́льзу in favour of
защи́тник *m* full-back
остана́вливать *I* to stop
назнача́ть *I* to give, to award, to appoint
штрафн‖о́й, -а́я, -о́е; -ы́е penalty
уда́р *m* kick
середи́на *f* middle
благодари́ть *II* to thank

Замеча́ния к словарю́

Do not confuse:

1. забыва́ть *to forget* (with ы in the root)
   забива́ть *to score* (with и in the root)
2. матч *match* (with a in the root)
   мяч *ball* (with я in the root)

Compare the uses of the following words:

1. **брать** *to take:*

Дети берут в руки мяч.	The children *are taking* a ball into their hands.
Вратарь хорошо берёт мяч.	The goalkeeper *fields* the ball well.

2. **болеть** *to be ill.*

Мой брат болеет гриппом.	My brother *is ill* with influenza.
Он болеет за «Спартак».	He *is a* Spartak *fan*.

Выражения

забивать гол	to score a goal
бросаться в атаку	to take up (launch) an attack
счёт в пользу	the score 'is in favour of
пожимать руки	to shake hands with

УПРАЖНЕНИЯ

1. **Indicate in the text the combinations of cardinal numbers and nouns in the genitive. Explain why in some instances the nouns are in the genitive singular and in others in the genitive plural.**

2. **Answer the following questions:**

   a) relating to the text

   1. На какой стадион отправляются сегодня москвичи?
   2. Какой сегодня матч?
   3. Когда начинается игра?
   4. Кто забивает первый гол?
   5. Что происходит на трибунах?
   6. Как заканчивается первая половина игры?
   7. Когда объявляется перерыв?
   8. Куда отправляются футболисты во время перерыва?
   9. Кто даёт советы игрокам?
   10. Когда начинается вторая половина игры?
   11. Как играют обе команды?
   12. Кому назначает судья штрафной удар?
   13. Как заканчивается матч?
   14. Что обсуждают зрители?

   b) not relating to the text

   15. Играете ли вы в футбол?
   16. Бываете ли вы на стадионе?
   17. Любите ли вы смотреть футбольные матчи?

3. **Rewrite the following words; underline the suffixes and state the meaning they impart to the word:**

   футболист, защитник, зритель, певец

4. **To each of the nouns given in Exercise 3 add another noun with the same suffix.**

5. **Point out the suffixes in the following words:**

   болельщик, москвич, игрок

6. Group together the words which have the same root:

игра́ть, ата́ка, защи́тник, боле́льщик, атакова́ть, игро́к, по́льза, боле́ть, защища́ться, поле́зный, счита́ть, счёт, больно́й, по́льзоваться

7. Give a written or oral summary of the text «На футбо́ле» changing the time and score of the game.

УРОК 41ª

Grammar:

Cardinal Numbers (continued).
Nouns in the Genitive Singular and Plural with the Words: мно́го, ма́ло, ско́лько, не́сколько, etc.
Specific Features of the Genitive Singular of Masculine Nouns.
Combinations of Numerals and Nouns.

ГРАММАТИКА

1. Cardinal Numbers (continued)

Со́тни Hundreds:

100	сто one hundred	600	шестьсо́т six hundred
200	две́сти two hundred	700	семьсо́т seven hundred
300	три́ста three hundred	800	восемьсо́т eight hundred
400	четы́реста four hundred	900	девятьсо́т nine hundred
500	пятьсо́т five hundred		

Ты́сячи Thousands:

1000 одна́ ты́сяча one thousand
2000 две ты́сячи two thousand
5000 пять ты́сяч five thousand

21.000	два́дцать одна́ ты́сяча	twenty-one thousand
22.000	два́дцать две ты́сячи	twenty-two thousand
28.000	два́дцать во́семь ты́сяч	twenty-eight thousand
73.000	се́мьдесят три ты́сячи	seventy-three thousand
97.000	девяно́сто семь ты́сяч	ninety-seven thousand
100.000	сто ты́сяч	one hundred thousand
300.000	три́ста ты́сяч	three hundred thousand
500.000	пятьсо́т ты́сяч	five hundred thousand

Миллио́ны Millions

1.000.000	оди́н миллио́н	one million
2.000.000	два миллио́на	two million
5.000.000	пять миллио́нов	five million

264

Numbers from 200 to 900 are complex (cf. Lesson 40²).

In numbers **две́сти** *two hundred*, **три́ста** *three hundred*, **пять-со́т** *five hundred* and others similarly composed, the second element of the word **-сти, -ста, -сот** is a derivative of the number **сто** *one hundred*.

The words **ты́сяча** *thousand* and **миллио́н** *million* are nouns. However, in meaning they approximate to numbers. Being nouns they have both gender and number and may be used with certain adjectives:

це́лая ты́сяча a whole thousand
це́лый миллио́н a whole million

At the same time, the words **ты́сяча** and **миллио́н**, like numbers, can form part of the compound numbers:

ты́сяча пятьсо́т со́рок два	one thousand five hundred and forty-two
миллио́н две́сти пятьдеся́т семь	one million two hundred and fifty-seven

In Russian, we use the full stop and not the comma to set off hundreds in numbers of thousands, millions, etc., for example:

1.542, 1.257.000

Орфогра́фия

Complex numerals from **пятьсо́т** *five hundred* to **девятьсо́т** *nine hundred* are spelt with **ь** (the soft mark) in the middle of the word, between the two roots: **пять** + **сот**, **шесть** + **сот**, etc.

The numbers **три́ста** *three hundred* and **четы́реста** *four hundred* are spelt with an **a** at the end of the word.

Compound numbers (consisting of two or more numerals) are written as separate words: **две́сти три́дцать два** (*two hundred and thirty-two*).

Although the noun **со́тня** *one hundred* belongs to the declension with "soft" endings, it does not take **ь** (*the soft mark*) in the ending of the genitive plural — **со́тен**.

2. Nouns in the Genitive Singular and Plural with the Words *мно́го, ма́ло, ско́лько, не́сколько*

1) Nouns denoting substances which can be measured but not counted have no plural: **свет** *light*, **вода́** *water*, **молоко́** *milk*, etc. Hence, with such words as **мно́го** *much, many*, **ма́ло** *little, few*, **ско́лько?** *how much?*, **не́сколько** *a few, several, some*, etc., as well as after words indicating measures: **килогра́мм** *kilogram*,

литр *litre,* **бутылка** *bottle,* **банка** *jar,* **пачка** *package,* etc., the noun which follows is used in the g e n i t i v e s i n g u l a r:

сколько света! how (so) much light!	**кусок** сахара a lump of sugar
много воздуха much air	**бутылка** вина a bottle of wine
мало воды little water	**банка** масла a jar of butter
литр молока a litre of milk	**пачка** чая a package of tea
килограмм хлеба a kilogram of bread	**стакан** воды a glass of water

> N o t e: Some nouns indicating substances may take the genitive plural with the words already mentioned, when variety of sort is implied:
> **много вин** many wines (meaning many varieties of wine)

2) With the words **много, мало, сколько, несколько** (which express an indefinite quantity) nouns denoting objects which can be counted are placed in the g e n i t i v e p l u r a l:

много книг	many books
несколько минут	a few (several) minutes
сколько учебников	how (so) many text-books

3. Specific Features of the Genitive Singular of Masculine Nouns

a) Whenever the quantity, or a part of a substance is indicated, masculine nouns in the singular may take the ending **-y** or **-ю** as well as the usual ending **-a, -я:**

Дайте, пожалуйста, **чаю** и **меду** (чая и меда).	Give us some tea and honey, please.
Вот килограмм **сахару** (сахара).	Here is a kilogram of sugar.
Кусок **сыру** (сыра).	A piece of cheese.

The endings **-y, -ю** are very common in colloquial speech.

b) Some masculine nouns have no endings in the genitive plural:
грамм (*nom sing*) gram — **граммы** (*nom pl*), **грамм** (*gen pl*)
килограмм (*nom sing*) kilogram — **килограммы** (*nom pl*), **килограмм** (*gen pl*)
человек (*nom sing*) man, person — **человек** (*gen pl*) persons

4. Combinations of Numerals and Nouns

Combinations of a cardinal numeral and a noun in the genitive, is what is known as a n u m e r a l p h r a s e. The predicate of a sentence in which the subject is expressed by a numeral phrase may be either in the singular or plural:

В кла́ссе сиди́т (*or* сиди́т) пять ученико́в.	Five pupils sit (*or* sits) in the classroom.
На столе́ лежа́т (*or* лежи́т) три кни́ги.	Three books lie (*or* lies) on the table.

Likewise, in the past tense, the predicate may take either the plural or singular form. If, however, the singular form is used then the verb in the past tense must be in the neuter gender:

В кла́ссе сиде́ли (*or* сиде́ло) пять ученико́в.	Five pupils sat in the classroom.
На столе́ лежа́ли (*or* лежа́ло) три кни́ги.	Three books lay on the table.

When the subject of a sentence is expressed by a word like мно́го, ма́ло, ско́лько, не́сколько combined with a noun designating persons or objects which can be counted, the predicate in most cases is in the singular. (The plural, too, however, is permissible):

В магази́не бы́ло (*sing*) не́сколько челове́к.	There were several persons in the shop.
В магази́не бы́ли (*pl*) не́сколько челове́к.	

When the subject is expressed by мно́го, ма́ло, не́сколько, etc. and a genitive noun signifying a substance that cannot be counted, the predicate takes only the singular form.

На столе́ бы́ло мно́го хле́ба.	There was much bread on the table.

СЛОВА́РЬ

ты́сяча *f* thousand
миллио́н *m* million
це́л∥ый, -ая, -ое; -ые whole
со́тня *f* hundred; со́тен *gen pl*
мно́го much, many
ма́ло little, few
ско́лько? how much?, how many?
не́сколько several, a few, some
свет *m* light

рубль *m* rouble
копе́йка *f* copeck; копе́йки *pl*; копе́ек *gen pl*
едини́ца *f* unit
кусо́к *m* piece, lump
вино́ *n* wine
папиро́са *f* cigarette
магази́н *m* store, shop
коро́бка *f* box

The names of the numerals from 100 to 100.000.000 are given at the beginning of the Lesson.

Произношение

Note the pronunciation of the sound indicated in bold type:

о → [л] мно́го, ма́ло, ско́лько, не́сколько, килогра́мм

л ма́ло, килогра́мм, буты́лка

л → [ль] ско́лько, не́сколько, литр

УПРАЖНЕНИЯ

1. Give the Russian words for the hundreds from 100 to 1.000.

2. Write out the following figures in words. Underline the letter ь (soft mark):

103, 117, 138, 386, 429, 693, 954, 1.015, 1.951, 2.005, 428, 72.746, 1.809, 319

3. Indicate the nouns denoting a) objects which can be counted, b) objects which can be measured:

мя́со, конфе́та, вино́, сыр, ветчина́, ма́сло, я́блоко, молоко́, са́хар, чай, карто́фель, папиро́са, това́р, магази́н, покупа́тель, хлеб, свет, сад, кни́га, во́здух, вода́, цвето́к, тетра́дь, бума́га, го́род, мину́та, зе́лень

4. In the following phrases indicate the words denoting:

a) quantity, b) measure and c) an indefinite quantity:

ты́сяча рубле́й; литр молока́; мно́го дете́й; ба́нка ма́сла; со́тня папиро́с; па́чка бума́ги; килогра́мм са́хара; киломе́тр пути́; коро́бка конфе́т; деся́ток я́блок; гекта́р земли́; стака́н воды́; буты́лка вина́; полкило́ сы́ра; миллио́н рубле́й; таре́лка су́па

5. Fill in the blank spaces with the required form of the nouns given in the right-hand column:

а) 1. На Ура́ле мно́го ... и	ша́хта, заво́д
2. В ша́хтах Донба́сса мно́го	у́голь
3. На поля́х колхо́зов мно́го	пшени́ца
4. На огоро́дах мно́го ... и	карто́фель, о́вощи
5. На фе́рмах мно́го ... и	молоко́, ма́сло
б) 1. Ско́лько ... в библиоте́ке?	кни́га
2. Ско́лько здесь ... ?	бума́га
3. Ско́лько у вас ... в неде́лю?	уро́к
4. Мы получа́ем не́сколько ... и	газе́та, журна́л
5. Я зна́ю не́сколько ... о Москве́.	пе́сня
в) 1. Плати́те в ка́ссу 40	рубль
2. Вот 3	рубль
3. Вот ещё 1 ... 22	рубль, копе́йка
4. Эти кни́ги сто́ят 7	рубль
5. У меня́ в карма́не 100 ... и 25	рубль, копе́йка
г) 1. Да́йте деся́ток	я́блоко
2. Я прошу́ со́тню	папиро́са
3. Вот ты́сяча	рубль
4. В числе́ 49 четы́ре ... и 9	деся́ток, едини́ца
5. В числе́ 2.300 две ... и три	ты́сяча, со́тня

УРОК 41б

В МАГАЗИНЕ «ГАСТРОНОМ»

В Москве́ о́чень мно́го магази́нов «Гастроно́м». У нас на у́лице большо́й и краси́вый «Гастроно́м». В магази́н непреры́вно вхо́дят покупа́тели. Они́ выхо́дят отту́да с поку́пками в рука́х.

Молода́я хозя́йка Еле́на Никола́евна то́же идёт сейча́с в э́тот магази́н за поку́пками.

В «Гастроно́ме» мно́го отде́лов. Нале́во от вхо́да продаю́т мя́со, ры́бу, о́вощи и други́е проду́кты. Напра́во от вхо́да прода́ют гастрономи́ческие това́ры, фру́кты, вино́, конфе́ты и т. д. Непреры́вно рабо́тает не́сколько касс.

За прила́вками стоя́т продавцы́ в бе́лых хала́тах. На прила́вках под стекло́м лежа́т това́ры. Здесь мо́жно ви́деть, ско́лько сто́ит това́р.

Еле́на Никола́евна подхо́дит к прила́вку, где продаю́т колбасу́ и ветчину́. Здесь уже́ стои́т не́сколько покупа́телей. Оди́н покупа́ет 800 грамм колбасы́, друго́й берёт 500 грамм ветчины́. Еле́на Никола́евна берёт 400 грамм ветчины́. Пото́м она́ идёт за ма́слом и сы́ром. Она́ покупа́ет 400 грамм ма́сла и кусо́к сы́ра в 900 грамм, деся́ток яи́ц и буты́лку молока́.

В отде́ле ры́бы Еле́на Никола́евна про́сит дать икры́ и две ба́нки консе́рвов. Пото́м она́ берёт ещё 2 кило́ са́хару, две па́чки ча́ю по 100 грамм и коро́бку конфе́т. Ка́жется всё. Еле́на Никола́евна идёт к вы́ходу, но тут вспомина́ет о папиро́сах для бра́та. Он ку́рит. Она́ возвраща́ется, пла́тит в ка́ссу за папиро́сы, получа́ет четы́ре па́чки, выхо́дит из магази́на и отправля́ется с поку́пками домо́й.

СЛОВА́РЬ

«Гастроно́м» *m* "Gastronom" *(the name of large provisions shops in the Soviet Union)*
непреры́вно incessantly
покупа́тель *m* purchaser, buyer
поку́пка *f* purchase
хозя́йка *f* mistress, hostess
за поку́пками (to 'go) shopping
отде́л *m* department, section
продава́ть (продаю́, продаёшь) *I* to sell
проду́кт *m* product
гастрономи́ческ‖ий, -ая, -ое; -ие delicatessen
това́р *m* goods, commodity, provisions
конфе́та *f* a sweet

прила́вок *m* counter
продаве́ц *m* shop assistant, salesman
хала́т *m* overall, smock
стекло́ *n* glass
ско́лько сто́ит? how much does it cost?
колбаса́ *f* sausage
ветчина́ *f* ham
покупа́ть *I* to buy
яйцо́ *n* egg; яи́ц *gen pl*
проси́ть (прошу́, про́сишь) *II* to ask for
икра́ *f* caviar
консе́рвы (only *pl*) tinned goods
кило́ *n* (= килогра́мм) kilo, kilogram
кури́ть (курю́, ку́ришь) *II* to smoke

269

Замечания к словарю

1. Do not confuse the verbs **стоя́ть** *to stand* and **сто́ить** *to cost*. Both are verbs of Conjugation II but they have different stems and are differently stressed. In the verb **стоя́ть** the stress is on the last syllable, in the verb **сто́ить** on the first syllable, i. e. on the root.

2. The verb **отправля́ться** *to set off* may require after it either the accusative or the instrumental case, depending on the preposition with which this verb is used:

отправля́ться в + *acc* — в дом into the house (**куда́?** *where?* — direction)
отправля́ться на + *acc* — на у́лицу into the street (**куда́?** *where?* — direction)
отправля́ться за + *instr* — за поку́пками to go shopping (to go for purchases) (**за чем?** *for what?* — purpose)

УПРАЖНЕНИЯ

1. **Indicate the gender and number of the genitive nouns, underline their endings and the words requiring the genitive case.**

Example: У меня́ в карма́не сто два́дцать <u>два</u> рубля́ (*m sing*)

На столе́ <u>мно́го</u> книг (*f pl*)

а) 1. Покупа́тель пла́тит в ка́ссу три́дцать четы́ре рубля́ два́дцать семь копе́ек. 2. Он даёт касси́ру пятьдеся́т рубле́й и две моне́ты по пятна́дцать копе́ек и получа́ет сда́чу шестна́дцать рубле́й и три копе́йки.

б) 1. Това́рищ Ивано́в покупа́ет ма́сла и сы́ру. 2. Он прино́сит из магази́на та́кже ветчины́ и колбасы́.

в) 1. На столе́ лежи́т деся́ток я́блок и не́сколько груш. 2. В коро́бке мно́го са́хару.

2. **Fill in the blank spaces with verbs in the present tense in the required form:**

Example: На столе́ лежи́т мно́го бума́ги (this word has no plural).

1. Два покупа́теля ... к ка́ссе.	подходи́ть
2. За прила́вками ... не́сколько продавцо́в.	стоя́ть
3. Ско́лько ... э́ти я́блоки?	сто́ить
4. На столе́ ... три апельси́на.	лежа́ть
5. На у́лице ... мно́го автомоби́лей.	е́хать
6. В во́здухе ... мно́го самолётов.	лете́ть
7. По реке́ ... не́сколько парохо́дов.	идти́
8. В по́ле ... не́сколько тра́кторов.	рабо́тать
9. В саду́ ... 5 пионе́ров.	бе́гать
10. Около до́ма ... не́сколько дете́й.	игра́ть
11. Здесь ... мно́го цвето́в.	расти́
12. В зоопа́рке ... мно́го звере́й.	жить
13. В пруду́ ... ста́я лебеде́й.	пла́вать
14. Ле́том на парохо́дах ... мно́го люде́й.	отдыха́ть
15. По ра́дио ... мно́го арти́стов.	выступа́ть
16. Ско́лько челове́к ... в хо́ре?	петь

3. Read the sentences you have written in Exercise 2 and put them into the past tense. Where both the plural and singular are permissible, indicate this.

Example: В кла́ссе сиде́ло (сиде́ли) 25 ученико́в.
На стола́х лежа́ло мно́го бума́ги.

4. Group together words of the same root:

ходи́ть, покупа́ть, дава́ть, выходи́ть, продава́ть, поку́пка, продаве́ц, вы́ход, находи́ться, передава́ть, вход, сда́ча, подходи́ть, покупа́тель

5. Answer the following questions on the text:

1. Куда́ отправля́ется Еле́на Никола́евна за поку́пками?
2. Где нахо́дится магази́н «Гастроно́м»?
3. Что продаю́т в магази́не нале́во от вхо́да?
4. Что продаю́т в магази́не напра́во от вхо́да?
5. Где стоя́т продавцы́?
6. Где лежа́т това́ры?
7. Что покупа́ет Еле́на Никола́евна в магази́не?
8. Куда́ она́ отправля́ется из магази́на?

6. Describe a shop in your town.

УРОК 42

СТОЛИЦА СССР

Столица СССР — Москва.

Москва — сердце советской страны. К Москве устремляются все мысли и чувства народов СССР.

Столица СССР расположена на Москве-реке. Красивые мосты соединяют оба её берега. Канал имени Москвы соединяет Москву-реку с Волгой.

Москва — древний русский город.

В центре Москвы — Кремль и Красная площадь. Кремль — замечательный памятник архитектуры и искусства. В Кремле древние здания и соборы, старинные памятники искусства. Здесь каждый камень говорит об истории народа и его страны.

Очень красивы стены и башни Кремля. Вечером на башнях ярко горят красные звёзды.

В Кремле собирается Верховный Совет СССР. В Кремле жили и работали В. И. Ленин и И. В. Сталин.

Рядом с Кремлём — Красная площадь. Здесь, близко от кремлёвской стены, стоит Мавзолей Ленина и Сталина. Это красивое и строгое по форме сооружение из мрамора и камня. Люди со всех концов мира посещают Мавзолей Ленина и Сталина.

Москва — крупный промышленный центр. Здесь большие фабрики и заводы.

Москва — научный центр страны. Здесь находится Академия наук СССР и Московский государственный университет — старейший в стране. В Москве множество вузов, школ и библиотек. Государственная библиотека СССР имени Ленина насчитывает более десяти миллионов книг и занимает по количеству книг второе место в мире.

В столице находится Академия художеств СССР, Государственная Третьяковская галерея и много музеев.

Московская консерватория — лучшая в стране. Большой театр, его артисты, хор и оркестр известны за рубежом.

В Москве множество стадионов, в том числе огромный стадион «Динамо».

На у́лицах Москвы́ большо́е движе́ние. По у́лицам непре-
ры́вно дви́жутся автомоби́ли, авто́бусы, тролле́йбусы, трамва́и.
В Москве́ замеча́тельное метро́. Ста́нции метро́ — краси́вые и
све́тлые дворцы́ под землёй.

Населе́ние Москвы́ непреры́вно растёт. Жи́тели столи́цы по-
луча́ют но́вые удо́бные кварти́ры, но́вые магази́ны, но́вые куль-
ту́рные учрежде́ния.

Осо́бенно краси́ва Москва́ ле́том. Зелёные дере́вья вдоль
у́лиц украша́ют го́род. В скве́рах, в сада́х, на бульва́рах мно́го
зе́лени и цвето́в.

В Москве́ не́сколько па́рков культу́ры и о́тдыха. Центра́ль-
ный парк культу́ры и о́тдыха и́мени Го́рького располо́жен вдоль
бе́рега Москвы́-реки́. Он занима́ет почти́ 300 гекта́ров земли́.

Ка́ждый год Москву́ посеща́ет мно́го люде́й со всех концо́в
страны́.

СЛОВАРЬ

се́рдце *n* heart
устремля́ться *I* to turn, to direct
мысль *f* thought
чу́вство *n* feeling
дре́вн‖ий, -яя, -ее; -ие ancient
иску́сство *n* art
собо́р *m* cathedral, church
стари́нн‖ый, -ая, -ое; -ые ancient
исто́рия *f* history
горе́ть (горю́, гори́шь) *II* to burn

звезда́ *f* star
Верхо́вный Сове́т Supreme Soviet.
The Supreme Soviet of the USSR
is the highest organ of state power
and the highest legislative organ of
the USSR; it is elected every four years.
стро́г‖ий, -ая, -ое; -ие severe; strict
сооруже́ние *n* building, construction
мра́мор *m* marble
ка́мень *m* stone

академия *f* academy
Академия наук СССР Academy of Sciences of the USSR
госуда́рственн||ый, -ая, -ое; -ые state
старе́йш||ий, -ая, -ее; -ие the (one of the) oldest
мно́жество *n* many, multitude
бо́лее more
Акаде́мия худо́жеств СССР the USSR Academy of Arts
галере́я *f* gallery
консервато́рия *f* conservatoire
орке́стр *m* orchestra
изве́стен, изве́стн||а, -о; -ы known
рубе́ж *m* border
за рубежо́м abroad

в том числе́ including, among these
«Дина́мо» *n* "Dynamo" *here:* the name of a sports' stadium
авто́бус *m* bus
тролле́йбус *m* trolley-bus
трамва́й *m* tram-car; трамва́и *pl;* трамва́ев *gen pl*
метро́ *n* underground
дворе́ц *m* palace; дворца́ *gen;* дворцы́ *pl*
жи́тель *m* inhabitant
учрежде́ние *n* institution, office, establishment
бульва́р *m* avenue, boulevard
центра́льн||ый, -ая, -ое; -ые central
всё прекра́снее ever more beautiful

Замечания к словарю

1. The words **стари́нный** *ancient* and **дре́вний** *ancient* have almost the same meaning (compare translation). When we speak of elderly people, only the word **ста́рый** *old* is appropriate.
2. The verb **стреми́ться** *to endeavour* when used with the preposition **к** requires the dative case: стреми́ться к + *dat* to strive towards (к кому́? *towards whom?,* к чему́? *towards what?*)
3. The verb **соединя́ть** *to join* when used with the preposition **с** requires the instrumental case: соединя́ться с + *instr* to join (с кем? *with whom?,* с чем? *with what?*)

СЛОВООБРАЗОВАНИЕ

The Noun Suffix *-ств-о*

With the help of the suffix **-ств-о** an abstract noun may be formed:

чу́вство feeling, emotion·
иску́сство art

УПРАЖНЕНИЯ

1. Beginning with the words „*на у́лицах Москвы́ большо́е движе́ние*" (at the end of the text) analyse the nouns in all the cases, singular and plural (except the nominative), as follows:

Noun together with the word requiring an oblique case	Nominative singular	Gender	Number of the word in the text	Case of the word in the text
на у́лицах на у́лицах Москвы́	у́лица Москва́	f f	pl sing	prep gen

Underline the endings of the nouns.

2. State the nouns from which the following adjectives are derived:

сове́тский, наро́дный, верхо́вный, кремлёвский, моско́вский, желе́зный, госуда́рственный, центра́льный, культу́рный

3. Write several sentences with the word *иску́сство*.

4. Translate the following sentences into English. State the function of the genitive case used without a preposition:

1. Вот ко́мната това́рища Ивано́ва. Здесь мно́го све́та. В ко́мнате два окна́. Окна ко́мнаты выхо́дят на у́лицу. На сте́нах не́сколько карти́н. В шкафа́х мно́го книг. На сто́ле я не ви́жу календаря́.

2. На столе́ мно́го фру́ктов и коро́бка конфе́т. В ва́зе пятна́дцать груш, деся́ток я́блок и четы́ре апельси́на. Вот кило́ мёду (мёда) и литр молока́. Да́йте, пожа́луйста, ча́ю (ча́я). Я не люблю́ молоко́.

5. Define the function of the instrumental case in the following sentences:

1. В лесу́ стуча́ли топора́ми. 2. В по́ле колхо́зники убира́ли хлеб комба́йном. 3. Они́ занима́лись убо́ркой пшени́цы. 4. Колхо́зники бы́ли дово́льны урожа́ем. 5. Агроно́м руководи́л рабо́тами в по́ле. 6. Ва́ся управля́л маши́ной.

6. a) State with what cases the following prepositions are used. Underline the prepositions which may govern two cases:

Example: без + *gen;* в + *acc* and *prep*

без, в (во), вдоль, вокру́г, для, до, за, и́з-за, к, ме́жду, ми́мо, на, о (об), о́коло, пе́ред, по, под, посереди́не, при, про́тив, с, среди́, у, че́рез

b) Arrange the above prepositions as shown in the table below:

Genitive	Dative	Accusative	Instrumental	Prepositional
без, etc.	к (ко), etc.	в, etc.	за, etc.	в (во), etc.

7. Translate each sentence into English. Indicate whether the prepositions *у, по,* and *за* are translated in the same way in the following examples:

1. Студе́нт Ми́ша был у профе́ссораНики́тина. У профе́ссора Никити́на мно́го книг. Пи́сьменный стол стои́т у окна́.

2. Мы рабо́таем по пла́ну. Я занима́юсь грамма́тикой ка́ждый день по ча́су. Ва́ня — мой това́рищ по шко́ле. Ва́ня и Ко́ля беру́т в библиоте́ке по кни́ге. По вечера́м мы слу́шаем ра́дио из Москвы́. По у́лице е́дет автомоби́ль.

3. За стено́й игра́ет му́зыка. Я иду́ в библиоте́ку за кни́гами. Мы сиди́м за столо́м.

8. Rewrite the following sentences, using the nouns in brackets in the genitive or instrumental case, singular number, as required by the sense:

1. С (шум) бегу́т ре́ки с (гора́). 2. Пассажи́ры схо́дят с (парохо́д) с (ве́щи). 3. С (мо́ре) ду́ет ве́тер. 4. С (у́тро) колхо́зники рабо́тали в по́ле. 5. Ве́чером с (земля́) поднима́лся тума́н. 6. Де́вушки с (пе́сни) возвраща́лись с (по́ле). 7. Я сажу́сь с (лётчик) в самолёт. 8. Самолёт поднима́ется с (аэродро́м). 9. Мы лети́м с (се́вер) на юг. 10. С (волне́ние) я выхожу́ из каби́ны. 11. Я выхожу́ с (парашю́т) на крыло́ самолёта. 12. По кома́нде я сме́ло пры́гаю с (самолёт) вниз.

9. Which preposition is required here:

a) из or от?

1. Я ча́сто получа́ю пи́сьма ... това́рищей. 2. Спортсме́ны е́дут ... Москвы́ в Ленингра́д. 3. ... кого́ вы зна́ете о конце́рте? 4. Я зна́ю э́то ... газе́т. 5. ... Москвы́ до Ленингра́да 600 киломе́тров. 6. Я выхожу́ ... магази́на. 7. Мы идём ... институ́та домо́й. 8. ... па́рка идёт доро́га к колхо́зу. 9. ... фа́брики до го́рода 2 киломе́тра. 10. Де́ти иду́т ... шко́лы.

b) в, на or по?

1. ... не́бу плыву́т облака́. 2. ... не́бе ни о́блака. 3. Мы е́хали ... доро́ге. 4. ... лесу́ бы́ло ти́хо. 5. Де́ти бе́гали ... траве́. 6. Я люблю́ сиде́ть ... траве́. 7. ... го́роду мча́тся автомоби́ли. 8. ... Москве́ мно́го тролле́йбусов.

10. Rewrite the following sentences putting the nouns in brackets into the required case:

1. Мы е́дем на (парохо́д) по (Во́лга). 2. Парохо́д идёт вверх по (река́), про́тив (тече́ние). 3. Наступа́ет ве́чер. На (не́бо) нет ни (звёзды) ни (луна́). 4. Пассажи́ры прово́дят вре́мя на (па́луба) и любу́ются (Во́лга). 5. Днём за (парохо́д) летя́т бе́лые ча́йки. 6. Наш парохо́д остана́вливается в (Улья́новск). 7. Мы посеща́ем (музе́й) Ле́нина и осма́триваем го́род. 8. Пото́м мы возвраща́емся на (парохо́д) и продолжа́ем путеше́ствие. 9. Вот уже́ с (парохо́д) ви́ден го́род Го́рький. 10. Го́род Го́рький располо́жен на (склон) (гора́). 11. Мы с (това́рищи) сади́мся на друго́й парохо́д и плывём по (Во́лга) да́льше, вверх по (тече́ние). 12. Здесь у (Во́лга) краси́вые зелёные берега́. 13. Мы е́дем в (Москва́). 14. Наш парохо́д прохо́дит че́рез Моско́вское мо́ре и плывёт по (кана́л) и́мени Москвы́. 15. Мы приближа́емся к (столи́ца). 16. Вот краси́вый Моско́вский вокза́л на (кана́л). 17. Пассажи́ры схо́дят с (парохо́д). 18. Мы ра́ды (Москва́).

KEY TO PRONUNCIATION

Remember when using the Key to Pronunciation that:

1. Column 2 gives the Russian sounds and Column 3 the nearest English equivalent. All that has already been said regarding the possibility of comparing one or other sound with the English — the differences as well as the similarities — must be borne in mind.

For the transcription of certain sounds the following phonetic signs have been adopted:

[ʌ] — a sound like the English vowel in "but" [bʌt], "come" [kʌm]
[ə] — a sound like the English vowel in "lemon" ['lemən]
[ɪ] — an incompletely formed sound akin to the English ea in "eat"
[ь] — a sign to denote a softened consonant
['] — stress accent

Vowels

Letter	Pronunciation		Position	Example	
	Russian sound	Like English sound			
а	а	a (father)	accented	да	yes
	[ʌ]		unaccented [1]	страна́	country
	[ə]		unaccented [2]	каранда́ш	pencil
я	йа	ya (yard)	at the beginning of a word	я́ма	pit
			after a vowel	мая́к	lighthouse
			after the letters ъ, ь	объя́влено статья́	announced article
	а	a (father)	after a soft consonant	для	for
				мя́та	mint
	[ɪ]		unaccented [3]	тяну́	(I) pull
	[ə]		unaccented [4]	пятиле́тка	five-year plan

[1] In the first unaccented syllable before the accented one and at the beginning of a word.

[2] In all other unaccented syllables except at the beginning of a word (автомоби́ль).

[3] In the first syllable preceding the accented one.

[4] In all other unaccented syllables except at the beginning of a word.

Vowels

Продолжение

Letter	Pronunciation		Position	Example	
	Russian sound	Like English sound			
э	э	e (men)	at the beginning of a word	э́та	this
			after a vowel	дуэ́т	duet
			after a consonant	сэр	sir
е	йэ	ye (yes)	at the beginning of a word	ест	eats
			after letter ъ	съел	ate
			after letter ь	в статье́	in the article
			after a vowel	прие́зд	arrival
	э	e (met)	after ж	жест	gesture
			„ ш	шест	pole
			„ ц	центр	centre
			after a soft consonant	нет	no
				ве́тка	branch
	[ı]		unaccented	стена́	wall
				несу́	carry
о	о		accented [1]	дом	house
				стол	table
	[ʌ]		unaccented [2]	дома́	houses
				столы́	tables
	[ə]		unaccented [2]	голова́	head
				мно́го	many, much
ё	йо	yo	at the beginning of a word	ёлка	spruce-tree
			after a vowel	заём	loan
			after the letter ъ	подъём	ascent
			after the letter ь	бельё	linen
				пьёт	drinks
	о		after letters ж, ш, ч	жёлтый	yellow
				шёлк	silk
				чёрный	black
			after a soft consonant	лён	flax
				мёд	honey

[1] See footnotes 1 and 2 on page 277.
[2] At the beginning of a word — [ʌ] оборо́на [ʌбʌро́нə].

Vowels

Letter	Pronunciation		Position	Example	
	Russian sound	Like English sound			
и	и	ea (eat)	accented	и́скра	spark
			accented and unaccented	пил	drank
				вы́пил	drank off
	ы		after letters ж, ш, ц	жил	lived
				шил	sewed
				цирк	circus
	[ʌ]		in ending -ий after г, к, х	ру́сский	Russian
ы	ы		always	мы	we
				вы	you
				дым	smoke
				сын	son
	[ə]		in unaccented endings	кра́сный	red
у	у	оо in "book" and "school"	in all positions	ум бума́га	mind paper
ю	йу	you	at the beginning of a word	ю́нга	cabin boy
			after a vowel	каю́та	cabin
			after the letter ь	вьюга	snow-storm

Letter Combination of the Vowels

Combination of Vowels	Pronunciation	Example	
ау	The adjacent vowels in each pair are pronounced separately like independent sounds, taking into consideration the change in the vowel sound according to accent (stress)	пау́к	spider
		па́уза	pause
		нау́ка	science
		фа́уна	fauna
оу		кло́ун	clown
аэ		аэропла́н	aeroplane
		фаэто́н	phaeton
оэ		поэ́т	poet
аи		а́ист	stork
ои		во́ин	warrior
		сто́ит	it costs
ыи		вы́играл	won

279

Consonants

Letter	Pronunciation		Position	Example	
	Russian sound	Like English sound			
б	б	b (boy)	before **a, o, у, ы**	банка	jar
				боль	pain
				бумага	paper
				быть	to be
			before voiced consonants	учебник	text-book
	бь	b soft	before **я, е, ё, ю, и**	ребята	children
				без	without
				бюро	bureau
				бил	beat
	п	p	at the end of a word	зуб	tooth
				лоб	forehead
			before voiceless consonants	пробка	cork
	пь	p soft	before ь at the end of a word	глубь	depth
п	п	p	before **a, э, о, у, ы**	пакт	pact
				порт	port
				пушка	canon
				пыль	dust
			before a consonant	план	plan
	пь	p soft	before the letter ь	степь	steppe
			before **я, е, ё, ю, и**	пять	five
				петь	to sing
				пёстрый	speckled
				пюре	purée
				пить	to drink
в	в	v	before **a, o, у, ы**	ваш	your
				вот	here
				вы	you
			before voiced consonants	правда	truth
	вь	v soft	before **я, е, ё, ю, и**	внук	grandson
				вялый	withered
				ветка	branch
				век	century
				вино	wine
	ф	f	at the end of a word	кров	home
				нов	new
			before a voiceless consonant	ловко	adroitly
				вправе	to have a right
	фь	f soft	before ь at the end of a word	новь	virgin soil
				кровь	blood

Consonants

Letter	Pronunciation		Position	Example	
	Russian sound	Like English sound			
ф	ф	f	before **a, o, у, ы**	факт	fact
				форт	fort
				фунт	pound
				фы́ркать	to snort
			before consonants	лифт	lift
			at the end of a word	шкаф	cupboard
	ф[b]	f soft	before **я, е, ё, и, ю**	фе́рма	farm
				фигу́ра	figure
				Фёдор	Fyodor
			before **ь**	верфь	wharf
д	д	d (appr.)	before **a, э, о, у, ы**	да	yes
				дом	house
				ду́ма	thought
				дым	smoke
			before voiced consonants	для	for
				дно	bottom
				два	two
	д[b]	d soft	before **я, е, ё, ю, и**	дя́дя	uncle
				де́ло	business
				дёготь	tar
				дю́жина	dozen
				дива́н	sofa
			before the letter **ь**	сва́дьба	wedding
				ладья́	boat
д	т	t	at the end of a word	заво́д	factory
				труд	labour
		t	before voiceless consonants	ло́дка	boat
	т[b]	t soft	before the letter **ь**	медь	copper
				вождь	leader
	omitted		in combination здн	по́здно	late
				пра́здник	holiday
	"		in the word	се́рдце	heart

281

Letter	Pronunciation		Position	Example	
	Russian sound	Like English sound			
т	т	t	before а, э, о, у, ы	там стэнд ток ты	there stand current you (thou)
			at the end of a word	фронт вот кот	front here cat
	ть	t soft	before я, е, ё, ю, и	тя́га тень тётя тюль тип	draught shadow aunt tulle type
			before ь	дать	to give
	дь	d soft	before the letter ь and a voiced consonant	молотьба́	threshing
	д	d	before voiced consonants д and б	отда́ть отба́вить	to give up to decrease
	omitted		in combinations стн, стл	изве́стный счастли́вый	famous happy
л	л	l (appr.)	before а, э, о, у, ы at the end of a word before a consonant	ла́мпа лоб стол пол па́лка Во́лга	lamp forehead table floor stick Volga
	ль	l soft	before я, е, ё, ю, и	ля́мка лес лён лю́ди лицо́	strap forest flax people face
			before the letter ь	ноль то́лько	zero only
	omitted		in the word	со́лнце	sun

Letter	Pronunciation		Position	Example	
	Russian sound	Like English sound			
н	н	n	before **а, о, у, ы**	на́до нос ну	necessary nose well
	нь	n soft	at the end of a word before a consonant	сон сын винт го́нка	sleep son screw race
			before **я, е, ё, ю, и**	ня́ня нет нёбо нюа́нс ни́тка	nurse not palate nuance thread
			before the letter **ь**	конь ня́нька	horse nurse
м	м	m	before **а, о, у, ы**	мать мост мол мы́ло	mother bridge pier soap
	мь	m soft	at the end of a word before a consonant	сам дом ко́мната мно́го	self house room many
			before **я, е, ё, ю, и**	мял мел мёл мил	crushed chalk swept nice
			before the letter **ь**	семь	seven
р	р	rolling r (in Scotland and in North England)	before **а, о, у, ы**	рад рост ру́ки рыть	glad height hands to dig
			at the end of a word	жар пар сор	heat steam rubbish
р	рь	r soft	before a consonant before **я, е, ё, ю, и**	порт рвать ряд ре́па рёв рю́мка рис	port to tear row turnip roar wine-glass rice
			before the letter **ь**	И́горь	Igor

Letter	Pronunciation		Position	Example	
	Russian sound	Like English sound			
з	з	z	before **а, о, у, ы**	зал	hall
				зонт	umbrella
				зуб	tooth
				зыбкий	vacillating
			before a voiced consonant	звук	sound
				здание	building
				знак	sign
	з^ь	z soft	before **я, е, ё, и**	зять	son-in-law
				зеркало	mirror
				зёрна	seeds
				зима́	winter
			before the letter **ь** followed by a voiced consonant	резьба́	carving
				возьму́	I shall take
	с	s	at the end of a word	раз	once
				воз	cart-load
				без	without
			in the middle of a word when followed by a voiceless consonant	ска́зка	tale
	с^ь	s soft	at the end of a word before **ь**	мазь	ointment
с	с	s (like in "son", "miss")	before **а, э, о, у, ы**	сам	self
				сэр	sir
				сон	sleep
				суп	soup
				сын	son
			at the end of a word	нос	nose
				лес	forest
				бас	bass
			before a consonant	сто	hundred
				сла́ва	glory
	с^ь	s soft	before **я, е, ё, ю, и**	ся́ду	I shall sit down
				семь	seven
				сёла	villages
				сюда́	here
				си́ла	strength
			before **ь**	ось	axis
				весь	all
	з	z	before **б, д, г, ж**	сбор	gathering
				сдать	to hand in
				сба́вить	to lose
				сгоре́ть	to burn
	з^ь	z soft	in the words	про́сьба	request
				косьба́	mowing

284

Letter	Pronunciation		Position	Example	
	Russian sound	Like English sound			
ж	ж	s (vision)	before **a, о, у**	жа́тва жук	harvest beetle
			before **е, ё, и**	жест жёлты жить	gesture yellow to live
			before a voiced consonant	мо́жно ждать	it is possible to wait
	ш	sh	at the end of a word	рожь нож	rye knife
			before a voiceless consonant	ло́жка кру́жка	spoon mug
ш	ш	sh	in all positions	шар шум шкаф каранда́ш	globe noise cupboard pencil
			also if followed by the vowels **е, ё, и**	шест шёлк ши́шка	pole silk cone
	ш	sh	also before **ь** which is written at the end of certain words	тишь глушь ешь!	stillness thicket eat!
				говори́шь	(you) speak
ч	ч	ch	in all positions	чай чуть-чуть число́ врач дочь	tea a little date doctor daughter
	ш	sh	in the words	что; коне́чно what; of course
щ	шь шь *or* шч	soft and long shch	in all positions	поща́да щи	mercy cabbage soup
				ще́пка щётка това́рищ вещь	chip brush comrade thing
ц	ц	ts, tz (like in "quartz")	in all positions	лицо́ центр цирк цыга́н оте́ц	face centre circus gipsy father

Consonants

Letter	Pronunciation		Position	Example	
	Russian sound	Like English sound			
г	г	g (glad)	before **a, o, y**	газ год гул	gas year roar
			before a voiced consonant	главá где	chapter where
	гь	g soft	before **e, и**	гитáра гéтры	guitar gaiters
	к	k	at the end of a word	мог луг	(I) could meadow
	х		before a voiceless consonant	легкó	easily
	в	v	in the endings **ого, его**	нóвого молодóго егó	of the new of the young his
			in the word	сегóдня	to-day
к	к	k	before **a, o, y**	кácca кот кудá	cash-box cat where
			at the end of a word	как так	how so
			before a consonant	кто кнѝга	who book
	кь	k soft	before **e, и**	кем рýки	by whom hands
х	х		before **a, o, y**	мýха хор худóй	fly chorus thin
			at the end of a word	слух мох	hearing moss
			before a consonant	бýхта хлеб	bay bread
	хь		before **e, и**	мýхи схéма	flies scheme
й	й	y (boy)	in all positions	май бой гáйка	May battle screw-nut

Mute letters ъ and ь

Letter	Why used	When used	Example	
ъ	Denotes the presence of the sound й before the following vowel sound	Between a consonant and following vowel я, е or ё	съел объявлéние	ate up announcement
ь	Denotes the presence of the sound й before the following vowel sound	Between a consonant and following vowel е, ё, я, ю or и	статья́ в статьé вьюга	article in the article snow-storm
ь	Signifies the softening of the preceding consonant	After the consonants б, п, м, в, д, т, л, н, п, р, з, с	семь мать боль конь	seven mother pain horse
ь	Has not a phonetic, but a purely grammatic significance	After the sibilants ж, ч, ш, щ	рожь мышь ночь вещь читáешь	rye mouse night thing you read

Letter Combination of Consonants

Combination of consonants	Pronunciation		Example
	Russian sounds	Like English sounds	
здн стн зч жч сч зж сж	зн сн щ жж or жьжь	зн сн soft and long sh	пóздно it is late извéстно it is known вóзчик carter мужчи́на man счёт bill éзжу I ride сжечь to burn

KEY TO EXERCISES

PART I

УРОК 1 — LESSON 1

Exercise 4

1. Дом тут. 2. Мост там. 3. Вот дом. 4. Вот мост.

УРОК 2 — LESSON 2

Exercise 3

ла́мпа, ва́за, ра́ма, рабо́та

Exercise 4

Вот ла́мпа, стул, стол. Там па́рта. Тут план.

УРОК 3 — LESSON 3

Exercise 3

э́то, Москва́, вода́, хло́пок, фонта́н, вокза́л, потоло́к, окно́, доска́, сло́во

Exercise 4

1. Это ка́рта. Тут Во́лга. Вот кана́л. Там мост. Вот бу́хта. Вот Баку́. 2. Это класс. Тут доска́, ка́рта и ла́мпа. Тут уро́к. Вот сло́во «заво́д».

УРОК 4 — LESSON 4

Exercise 3

Masculine gender: стул, рог
Feminine gender: страна́, ла́мпа, рука́, ка́рта
Neuter gender: сло́во, я́блоко

Exercise 4

мой стул, мой рот
моя́ страна́, моя́ ла́мпа, моя́ рука́, моя́ ка́рта
моё сло́во, моё я́блоко

Exercise 5

Это ко́мната. Это класс. Тут я даю́ уро́к. Там зал. Там поёт мой брат Юра. Это ка́рта. Тут Во́лга, а там Дон.

УРОК 5 — LESSON 5

Exercise 3
(Soft consonants are in bold type.)

да — **д**я́**д**я; она́ — Со́**н**я; **т**ётя — там; мир — мост; ва́за — газе́та; фа́брика — фи́зик; мост — ме́сто; страна́ — кни́га; здесь — нос; кана́л — Нюра

288

Exercise 4

й + vowel: маяк, каюта, еду, ёлка
Soft consonant: знамя, Нюра, мел, тётя

Exercise 6

Студентка Соня говорит: «Мой дядя — профессор. Мой брат — колхозник. Я студентка. Я говорю по-русски».

УРОК 6 — LESSON 6

Exercise 2

Masculine gender: самолёт, лес, мел
Feminine gender: сестра, река, стена
Neuter gender: поле

Exercise 3

a) самолёт, твоя, она
b) летит, север, впереди, река, сестра, работает

УРОК 7 — LESSON 7

Exercise 3

1. Я техник. Моя мать — работница. Мой брат — офицер. Вы студент.
2. Вот цех. Здесь работает мой сын. Он кузнец.
3. Там высоко летит самолёт. Он летит быстро.

УРОК 8 — LESSON 8

Exercise 3

Masculine gender: a) шкаф, журнал, учебник, цех, урок
b) карандаш, врач

Feminine gender: a) школа; b) книга, ручка, вещь
Neuter gender: a) поле; b) место

Exercise 4

a) наша школа, наш шкаф, наш журнал, наш учебник, наш цех, наше поле, наш урок
b) ваша книга, ваша ручка, ваш карандаш, ваше место, ваша вещь, ваш врач

Exercise 5

1. Вот школа. Наша мать — учительница.
2. Вот шахта. Там ваш отец. Ваш отец — рабочий.
3. Кто это? Это товарищ Щукин. Он гражданин СССР.
4. Мой брат ещё ученик. Ваш брат уже инженер.

УРОК 9 — LESSON 9

Exercise 2

(Voiced consonants are in bold type.)

дом, газета, жизнь, школа, фабрика, лампа

Exercise 3

клуб[п], съезд[т], колхоз[с], завод[т]

Exercise 4

Masculine gender: хлеб, мёд, обéд, ýжин, клуб, съезд
Neuter gender: мáсло, молокó, кóфе, мя́со, объявлéние

УРОК 10 — LESSON 10

Exercise 1

мать (т + ь), рóдина (д before и), óчень (н + ь), лёд (л before ё), снéг (н before е), теплó (т before е), дя́дя (both letters д before я)

Exercise 2

й + vowel: мая́к, поёт, я знáю, моя́, éду, я́хта, ёлка
Soft consonant: самолёт, дéти, лю́ди

Exercise 3

a) о → [л] мой, Москвá, товáрищ, колхóзник, онá, морóз, хорошó, хóлодно

о → [э] хорошó, хóлодно

b) е [е] лéто, дéти

е → [и] летúт, рекá, земля́, ученúк

c) клуб(п), колхóз(с), сад(т), хлеб(п), Иванóв(ф), мёд(т), снег(к), съезд(т)

Exercise 4

жизнь, машúна; чай, часы́

Exercise 5

Сóлнце свéтит я́рко. Морóз. Снег блестúт.

УРОК 11 — LESSON 11

Exercise 4

Алтáй, Архáнгельск, Байкáл, Бакý, Вóлга, Дон, Кавкáз, Ленингрáд, Москвá, Одéсса, Памúр, Рúга, Сталингрáд, Тбилúси, Ульянóвск, Урáл, Эльбрýс, Ялта

Exercise 5

Анна, Вúктор, Екатерúна, Ивáн, Марúя, Михаúл, Сóфья, Юрий

Exercise 6

ж, ч, ш, щ

Exercise 7

е, ё, ю, я

Exercise 8

Before е, ё, и, ю, я

Exercise 9

1. Here is a house, a court and a garden. This is a school. Here is a room. This is a classroom. Here is my son Misha Ivanov. Comrade Shchukin is a teacher. He is giving a lesson.

2. Here is a book, a newspaper and a magazine. There are a pencil and paper there. Here is a map. Here is the city of Moscow. Moscow is the capital of the U. S. S. R.

3. An aeroplane is flying southwards. It is summer there now. The sun is shining brightly. It is warm there, very warm. There are the city and the port of Odessa ahead.

PART II

УРОК 12ª

Exercise 1

(Check the translation with the Vocabulary)

Nouns referring to people:

ученик, колхозница, отец, девушка, сын, товарищ, дядя, врач, мать, Мария, студентка.

Nouns referring to things and abstract notions:

шахта, дыня, место, самолёт, поле, лес, река, клуб, страна, наука, небо, земля, фабрика, завод, слово, хлеб, масло, чай, сахар, кофе, молоко, книга, бумага, знание, план, урок, буква, столица, объявление, жизнь, ночь, журнал, карандаш, рожь, картина, зима, лето, май, статья, бухта, пол, стена, потолок.

Exercise 2

Masculine (он — he)	Feminine (она — she)	Neuter (оно — it)
ученик	шахта	место
самолёт	рыба	поле
лес	дыня	небо
клуб	река	слово
отец	колхозница	масло
завод	страна	кофе (is also used in the masculine)
хлеб	наука	молоко
чай	земля	знание
сахар	девушка	
кофе	фабрика	объявление
план	книга	лето
урок	бумага	
сын	буква	
товарищ	столица	
дядя	жизнь	
врач	ночь	
журнал	рожь	
карандаш	картина	
май	мать	
пол	зима	
потолок	Мария	
	статья	
	студентка	
	бухта	
	стена	

Exercise 3

1. Это школа? Да. 2. Это фабрика? Нет. Это не фабрика, а школа. 3. Товарищ Щукин не рабочий? Нет, он рабочий. 4. Это не журнал? Нет, это журнал. 5. Вы учитель? Нет, я не учитель; я инженер.

Exercise 4

1. Товарищ Иванов (Иванова) — инженер. 2. Вера Иванова (Никитина) — студентка. 3. Вот мой брат Николай Иванов (Никитин). 4. Соня Иванова (Никитина) — работница. 5. Витя Иванов (Никитин) — мой товарищ.

УРОК 12⁶

Exercise 1

англича́нин — англича́нка, америка́нец — америка́нка, кита́ец — китая́нка, не́мец — не́мка, коммуни́ст — коммуни́стка, комсомо́лец — комсомо́лка, пионе́р — пионе́рка, учени́к — учени́ца, крестья́нин — крестья́нка колхо́зник — колхо́зница, журнали́ст — журнали́стка.

Exercise 2

Masculine	Feminine	Neuter
дива́н	ко́мната	окно́
шкаф	дверь	зна́ние
стол	ла́мпа	письмо́
журна́л	нау́ка	сча́стье
труд	жизнь	
уче́бник	газе́та	
рома́н	пра́вда	
Сталингра́д	по́весть	
	тетра́дь	

Exercise 3

1. Кто э́то? Это това́рищ Ивано́в. Что э́то? Это наш уче́бник.
2. Это журна́л? { Да.
  Нет, э́то уче́бник.
  Это не журна́л, а уче́бник.
3. Как ва́ше и́мя? Как ва́ша фами́лия? Моё и́мя Джон. Моя́ фами́лия Смит.

Exercise 4

1) сло́во, слова́рь; 2) дом, дома́; 3) уче́бник, изуча́ю

УРОК 13ª

Exercise 1

а) столи́цы, пла́ны, самолёты, колхо́зы, шко́лы, маши́ны, пионе́ры, кни́ги, нау́ки, фа́брики, уро́ки, зна́ния, но́вости, но́чи, ла́мпы, фами́лии
b) ученики́, сады́, дворы́, мосты́, слова́, места́, поля́, моря́, леса́, дома́
c) ре́ки, зе́мли, го́ры, о́кна

Exercise 2

е

Exercise 3

англича́не; крестья́не

Exercise 4

1. Ивано́вы. 2. Ники́тины. 3. Щу́кины. 4. Жи́лины.

УРОК 13б

Exercise 1

I. фабрики — фабрика *f*, заводы — завод *m*, институты — институт *m*, школы — школа *f*, театры — театр *m*, музеи — музей *m*, улицы — улица *f*, площади — площадь *f*, города-герои — город-герой *m*, моря — море *n*, реки — река *f*, горы — гора *f*, долины — долина *f*, озёра — озеро *n*, поля — поле *n*, леса — лес *m*, города — город *m*, колхозы — колхоз *m*, шахты — шахта *f*.

II. окна — окно *n*, двери — дверь *f*, книги — книга *f*, тетради — тетрадь *f*, ручки — ручка *f*, тексты — текст *m*, слова — слово *n*, упражнения — упражнение *n*.

Exercise 2

Где учебник? Он здесь. Где письмо? Оно там. Где газета? Вот она.

Exercise 3

заводы и фабрики, институты и школы, театры и музеи, реки и озёра, города и колхозы, леса и поля, улицы и площади, книги и тетради, тексты и слова, брат и сестра

УРОК 14а

Exercise 1

1. You read (are reading) Russian. 2. We speak (are speaking) English. 3. Vera and Kolia speak (are speaking) English. 4. Can you sing? 5. Yes, I can. 6. What is Comrade Ivanov doing? 7. He is working. 8. What are you doing? 9. I am reading. 10. Who understands Russian well here? 11. We understand (Russian) well. 12. I understand Russian and he doesn't. 13. How do Comrade Ivanov and Comrade Nikitin work? 14. They work well. 15. What are you doing? 16. We are reading.

1. читаете — *2nd per. pl*, 2. говорим — *1st per. pl*, 3. говорят — *3rd per. pl*, 4. умеете — *2nd per. pl*, 5. умею — *1st per. sing*, 6,7. делает, работает — *3rd per. sing*, 8. делаешь — *2nd per. sing*, 9. читаю — *1st per. sing*, 10. понимает — *3rd per. sing*, 11. понимаем — *1st per. pl*, 12. понимаю — *1st per. sing*, 13,14. работают — *3rd per. pl*, 15. делаете — *2nd per. pl*, 16. читаем — *1st per. pl*

Exercise 2

1. You understand Russian. Do you understand Russian?
2. Comrade Ivanov is reading. Is Comrade Ivanov reading?
3. You can sing. Can you sing?

Exercise 3

1. Вы не понимаете по-русски. 2. Товарищ Иванов не читает. 3. Вы не умеете петь.

Exercise 4

Я умею читать. Ты умеешь петь. Мы **умеем** читать. Вы **умеете** петь. Они **умеют** говорить по-русски.

Exercise 5

работаю, работаешь, работает, работаем, работаете, работают; говорю, говоришь, говорит, говорим, говорите, говорят

Exercise 6

1. Что вы делаете? Мы работаем. 2. Что делает товарищ Иванов? Он читает. 3. Он читает по-русски? Нет, он читает по-английски. 4. Коля и Вера умеют петь? Коля умеет, а Вера нет. 5. Кто здесь понимает по-английски? Товарищ Никитин и я.

УРОК 14^б

Exercise 1

говорю́ — *1st per. sing, II conj,* изуча́ешь — *2nd per. sing, I conj,* говори́т — *3rd per. sing, II conj,* уме́ет — *3rd per. sing, I conj,* де́лаете — *2nd per. pl, I conj,* чита́ем — *1st per. pl, I conj,* рабо́тает — *3rd per. sing, I conj,* рабо́тают — *3rd per. pl, I conj.*

Exercise 2

1. ты, 2. мы, 3. они́, 4. вы, 5. вы, 6. вы

Exercise 3

1. понима́ю, 2. говори́м, 3. уме́ют, 4. понима́ет, 5. де́лают

Exercise 6

1. Моя́ сестра́ говори́т по-ру́сски. 2. Мы изуча́ем ру́сский язы́к. 3. Студе́нты Бернс и Бра́ун хорошо́ говоря́т по-неме́цки. 4. Вы уме́ете чита́ть по-ру́сски и по-францу́зски. 5. Студе́нты Па́влов и Ники́тин понима́ют по-англи́йски.

УРОК 15^а

Exercise 1

1. I am going home. 2. Comrades Ivanov and Pavlov work (are working) here. 3. You write Russian well. 4. We are reading. 5. I understand and speak Russian a little. 6. What are you studying? 7. Who knows what is the Russian for "town"? 8. What are you doing?

Exercise 2

1. пи́шем, 2. иду́т, 3. поёте, 4. сиди́м и чита́ем, 5. идёте, 6. де́лают, 7. говоря́т, 8. сидя́т и пи́шут, 9. понима́ем, 10. иду́т и пою́т

Exercise 3

рабо́тай — рабо́тайте, учи́ — учи́те, сиди́ — сиди́те, пиши́ — пиши́те

Exercise 4

1. Вот кни́га, чита́йте, пожа́луйста. 2. Вот ру́чка и бума́га, пиши́те, пожа́луйста. 3. Куда́ вы идёте? 4. Сиди́те здесь. 5. Что вы там де́лаете? 6. Иди́те сюда́!

УРОК 15^б

Exercise 1

1. I am going to a lesson. 2. We are studying (study) Russian. 3. The teacher is dictating. 4. He speaks slowly. 5. We are listening attentively. 6. I understand all. 7. All the children are sitting and writing. 8. You (*sing*) write well. 9. We can read and write Russian.

Exercise 2

Verb	Ending	Person	Number	Conjugation
иду́	-у	1st	sing	I
изуча́ем	-ем	"	pl	"
дикту́ет	-ет	3rd	sing	"
говори́т	-ит	"	"	II
слу́шаем	-ем	1st	pl	I
понима́ю	-ю	"	sing	"
сидя́т	-ят	3rd	pl	II
пи́шут	-ут	"	"	I
пи́шешь	-ешь	2nd	sing	"
уме́ем	-ем	1st	pl	"

Exercise 3

1. ти́хо, 2. ме́дленно, 3. пло́хо

Exercise 5

a) чита́й — чита́йте, отвеча́й — отвеча́йте, стой — сто́йте, рабо́тай — рабо́-
тайте, слу́шай — слу́шайте, пой — по́йте

b) говори́ — говори́те, сиди́ — сиди́те, пиши́ — пиши́те, иди́ — иди́те

For explanation see Lesson 15ª, Grammar.

Exercise 6

1. Вы поёте ти́хо. По́йте гро́мко! 2. Вы идёте ме́дленно. Иди́те бы́стро!
3. Вы чита́ете по-кита́йски хорошо́. Тепе́рь чита́йте по-ру́сски!

Exercise 7

1. Что́ э́то? 2. Кто даёт уро́к? Что де́лает учи́тель? 3. Как он говори́т?
4. Что де́лают ученики́? 5. Как они́ слу́шают? 6. Кто пи́шет? 7. Что стои́т
там? 8. Где мы сиди́м? 9. Куда́ иду́т Смит и Бра́ун? 10. Что де́лает мой брат?

УРОК 16ª

Exercise 1

1. our school *f*, 2. our classroom *m*, 3. our teacher *f*, 4. our place *n*,
5. my pencil *m*, 6. your (*sing*) pen *n*, 7. your (*sing*) desk *f*, 8. your (*sing*)
magazine *m*, 9. my book *f*, 10. our work *f*

Exercise 2

1. Чья э́то шко́ла? 2. Чей э́то класс? 3. Чья э́то учи́тельница? 4. Чьё
э́то ме́сто? 5. Чей э́то каранда́ш? 6. Чьё э́то перо́? 7. Чья э́то па́рта? 8. Чей
э́то журна́л? 9. Чья э́то кни́га? 10. Чья э́то рабо́та?

Exercise 3

1. Misha Ivanov is my friend. **His** sister speaks English well. 2. The students
Ivanov and Nikitin are reading. What is **their** friend doing? He is writing.
3. Here is our teacher. **Her** brother is an engineer.

For explanation see Grammar.

Exercise 4

1. Whose books are these? They are mine. 2. Whose copy-book is this? It
is yours *(sing)*. 3. Whose seat is this? It is yours. 4. Whose magazine is this?
It is ours.

Exercise 5

I 1. мой, 2. моя́, 3. мой, 4. моя́, 5. моё, 6. моё

II 1. ваш, 2. ва́ша, 3. ваш, 4. ва́ша, 5. ва́ше, 6. ва́ша.

Exercise 6

Вот его́ (её, их) кни́га. Там его́ (её, их) газе́ты. Здесь его́ (её, их) това́-
рищи. Где его́ (её, их) письмо́?

Exercise 7

1. чей; 2. чьё; 3. чьи; 4. чья; 5. чей; 6. чьи

Exercise 8

1. Чья э́то тетра́дь? — Моя́. 2. Чьё э́то письмо́? — На́ше. 3. Чей э́то сло-
ва́рь? — Ваш.

Exercise 1

1. мои́ карандаши́, 2. твои́ кни́ги, 3. на́ши маши́ны, 4. Чьи (э́то) пи́сьма? 5. Чьи (э́то) ученики́? 6. ва́ши това́рищи, 7. на́ши сады́, 8. Чьи (э́то) тетра́ди? 9. на́ши места́, 10. ва́ши газе́ты.

Exercise 2

1. твой, его́, её, ваш, их; 2. твоя́, его́, её, ва́ша, их; 3. мой, твой, его́, её, наш, ваш, их; 4. моя́, твоя́, его́, её, на́ша, ва́ша, их; 5. моё, твоё, его́, её, на́ше, ва́ше, их; 6. твой, его́, её, ваш, их; 7. твоя́, его́, её, ва́ша, их; 8. моё, твоё, его́, её, на́ше, ва́ше, их

Exercise 3

1. Я англича́нка. 2. Моё и́мя Мэ́ри. 3. Мо́я фами́лия Смит. 4. Мой брат — студе́нт. Его́ и́мя Джон. 5. На́ша мать учи́тельница. 6. Её и́мя Мэ́ри.

Exercise 4

1. Где ва́ши кни́ги? — Они́ лежа́т там. 2. Кто́ это? — Это на́ши ученики́. 3. Что́ это? — Это ва́ши карандаши́. 4. Чьи это тетра́ди? — На́ши.

УРОК 17ª

Exercise 1

1. ру́сская кни́га — *f sing*, 2. интере́сные статьи́ — *f pl*, 3. но́вый учи́тель — *m sing*, 4. молодо́й инжене́р — *m sing*, 5. ру́сский язы́к — *m sing*, 6. молода́я учи́тельница — *f sing*, 7. сове́тский го́род — *m sing*, 8. ру́сская река́ — *f sing*, 9. но́вое перо́ — *n sing*, 10. но́вые маши́ны — *f pl*, 11. каки́е... газе́ты — *f pl*, 12. но́вые газе́ты — *f pl*, 13. молоды́е лю́ди — *pl*, 14. како́е ... сло́во — *n sing*, 15. ру́сское сло́во — *n sing*

Exercise 2

I — 1. молодо́й, 2. молода́я, 3. молоды́е, 4. молодо́е
II — 1. но́вая, 2. но́вый, 3. но́вые, 4. но́вое

Exercise 3

1. како́й, 2. кака́я, 3. каки́е, 4. кака́я, 5. како́й, 6. како́й, 7. како́е, 8. каки́е

Exercise 4

1. This is a new magazine. This magazine is new.
2. This is a little room. This room is little.
3. This is an interesting letter. This letter is interesting.

Exercise 5

1. э́тот, 2. э́та, 3. э́то, 4. э́ти, 5. э́тот, 6. э́ти, 7. э́та

Exercise 6

Qualitative adjectives: но́вый, интере́сный, дорого́й, си́ний, молодо́й, ти́хий
Relative adjectives: моско́вский, городско́й

Exercise 7

For example: но́вый уче́бник, интере́сный уро́к, моско́вский парк, дорого́й друг, си́ний костю́м, городско́й парк, молодо́й рабо́чий, ти́хий ве́чер.

Exercise 8

1. Како́й э́то дом? Это но́вый дом. Этот дом но́вый.
2. Каки́е э́то кни́ги? Это интере́сные кни́ги. Эти кни́ги интере́сные.
3. Кака́я э́то маши́на? Это но́вая маши́на. Эта маши́на но́вая.
4. Како́е э́то перо́? Это стально́е перо́.

УРОК 17⁶

Exercise 1

Singular			Plural for all three genders
Masculine	Feminine	Neuter	
а) кра́сный каранда́ш бе́лый ла́ндыш	чёрная ру́чка кра́сная ро́за си́няя ва́за молода́я учи́тель- ница но́вая жизнь	золото́е пе- ро́	но́вые газе́ты голубы́е незабу́дки лило́вые фиа́лки английские жур- на́лы ру́сские слова́
б) ру́сский рабо́чий ру́сско-английский слова́рь инди́йский го́род старый шахтёр			

Exercise 2

э́то ру́сское сло́во, э́тот сове́тский заво́д, э́тот молодо́й кузне́ц, э́та англи́йская газе́та, э́тот но́вый журна́л, э́та ста́рая кни́га, э́то си́нее не́бо

Exercise 3

э́ти ру́сские слова́, э́ти сове́тские заво́ды, э́ти молоды́е кузнецы́, э́ти ан- гли́йские газе́ты, э́ти но́вые журна́лы, э́ти ста́рые кни́ги, э́ти си́ние небеса́

Exercise 4

1. This is a blue flower. This flower is blue.
2. This is a yellow tulip. This tulip is yellow.
3. This is a green plant. This plant is green.
4. These are white flowers. These flowers are white.

Exercise 6

1. Вот каранда́ш. Он кра́сный. Это не но́вый, а ста́рый каранда́ш. Вот бума́га. Она́ бе́лая. Это не жёлтая, а бе́лая бума́га.
2. Здесь стои́т мой стол. Вот мои но́вые кни́ги. Это ру́сские кни́ги. Где ваш ру́сско-английский слова́рь?
3. Там наш сад. Там зелёная трава́ и кра́сные, жёлтые и бе́лые цветы́. Они́ цвету́т весно́й и ле́том.

Exercise 7

I стоя́т *3rd per. pl, II conj*
цвету́т *3rd per. pl, I conj*
II говори́т *3rd per. sing, II conj*

УРОК 18²

Exercise 1

(Hard endings are in bold type, soft endings in italics.)
1. интере́сные ру́сс*кие*, 2. хоро́*шие* весе́нн*ие*, 3. большо́е зелёное, 4. но́- **вые** сове́тс*кие*, 5. голубо́й весе́нн*ий*, 6. больша́*я* си́н*яя*, 7. хоро́*шее* весе́нн*ее*, 8. но́вые англи́йс*кие*

For explanation see Grammar.

Exercise 2

For example: но́вый самолёт, ру́сский го́род, больша́я река́, весе́ннее по́ле, кра́сные цветы́, но́вый мост, зелёная трава́, зелёные сады́, хоро́ший день, хоро́шая пого́да, больши́е колхо́зы, голубо́е не́бо, зелёные расте́ния, больша́я гора́, весе́ннее со́лнце, но́вая учи́тельница, англи́йские студе́нты, интере́сный челове́к, молода́я колхо́зница, хоро́ший това́рищ.

Exercise 3

1. This student speaks Russian well. 2. A new Russian magazine is lying here. 3. A blue vase is standing there. 4. Your new pupil gives correct answers (lit. answers well). 5. This new book is very interesting. 6. My comrade studies the Russian language. 7. This young girl sings well. 8. Where is this young man going to? 9. What is your old comrade doing?

Exercise 4

1. Эти студе́нты хорошо́ говоря́т по-ру́сски. 2. Здесь лежа́т но́вые ру́сские журна́лы. 3. Там стоя́т си́ние ва́зы. 4. Ва́ши но́вые ученики́ отвеча́ют хорошо́. 5. Эти но́вые кни́ги о́чень интере́сные. 6. Мои́ това́рищи изуча́ют ру́сский язы́к. 7. Эти молоды́е де́вушки хорошо́ пою́т. 8. Куда́ иду́т э́ти молоды́е лю́ди? 9. Что де́лают ва́ши ста́рые това́рищи?

Exercise 5

1. хоро́ший ... хорошо́, 2. хоро́шее ... хорошо́, 3. хорошо́ ... хоро́шие, 4. хорошо́ ... хоро́ший, 5. хорошо́ ... хоро́шие.

УРОК 18⁶

Exercise 1

я́ркое со́лнце — *n sing*, не́бо си́нее — *n sing*, хоро́шая весе́нняя пого́да — *f sing*

больша́я ру́сская дере́вня — *f sing*, но́вая краси́вая шко́ла — *f sing*, «Но́вый путь» *m sing*

большо́е по́ле — *n sing*, колхо́зная земля́ — *f sing*

но́вые тра́кторы — *m pl*, колхо́зная гидроста́нция — *f sing*

бо́драя пе́сня — *f sing*

больша́я чёрная ту́ча — *f sing*, пе́рвый весе́нний гром — *m sing*, си́льный дождь — *m sing*

я́ркое весе́ннее со́лнце — *n sing*, бо́дрые пе́сни — *f pl*, хоро́ший весе́нний день — *m sing*

Exercise 2

Хоро́шие весе́нние дни. Вдали́ зелёные леса́. Вот больши́е колхо́зные поля́. Здесь рабо́тают но́вые тра́кторы. Хорошо́ па́шут но́вые плуги́. Хорошо́ рабо́тают но́вые гидроста́нции.

Exercise 3

све́тит, стои́т — *3rd per. sing, conj II*, рабо́тают, па́шут, се́ют — *3rd per. pl, conj I*, стуча́т — *3rd per. pl, conj II*, рабо́тает — *3rd per. sing, conj I*, звучи́т — *3rd per. sing, conj II*, идёт — *3rd per. sing, conj I*, греми́т, прохо́дит — *3rd per. sing, conj II*, звуча́т — *3rd per. pl, conj II*

Exercise 4

Хоро́ший зи́мний день. Всю́ду бе́лый снег. Вдали́ большо́й лес и широ́кая река́. Я́рко све́тит со́лнце, блести́т лёд.

Exercise 5

1. и, 2. и, и, 3. ы, и, 4. и, и.

Exercise 6

1. Здесь **стоит большой дом.** 2. **Какой хороший сад** вокруг! 3. Вот но́-вая сове́тская маши́на. 4. Стои́т хоро́ший ле́тний день.

Exercise 7

1. Вот ру́сская (*adj*) кни́га. Студе́нт Ники́тин — ру́сский (*noun*). •
2. Это ру́сские (*adj*) студе́нты. Здесь рабо́тают ру́сские (*noun*).
3. Рабо́тница Ивано́ва — ру́сская (*noun*). Вот ру́сская (*adj*) колхо́зница.
4. Мы хорошо́ говори́м по-ру́сски (*adv*).
5. Мой оте́ц — рабо́чий (*noun*). Вот ру́сские рабо́чие (*noun*).
6. Это на́ша рабо́чая (*adj*) ко́мната.
7. Вы англича́нин (*noun*). Ва́ша жена́ — англича́йка (*noun*).
8. Я изуча́ю англи́йский (*adj*) язы́к.

Exercise 8

колхо́зный — н, си́льный — н, ра́достный — н, весе́нний — **енн**

УРОК 19²

Exercise 1

1. Here is my old father. My father **is old.** 2. Read! This is an interesting book. This book **is interesting.** 3. Here are new magazines. These magazines **are not new.** 4. What nice spring flowers! How **nice are** spring flowers. 5. The Volga is a wide river. The river Volga **is wide.** 6. Here is very white paper. The paper **is very white.**

Exercise 2

1. a) *adj*, b) *adv*; 2. a) *adj*, b) *adv*; 3. a) *adj*, b) *adv*; 4. a) *adj*, b) *adv*.
1. The sky is clear. You are speaking distinctly (clearly). 2. This word is new. This doesn't sound new. 3. It is nice (good) in the fields in summer. The collective farm members work well. 4. Everything is bright around. The sun is shining brightly.

Exercise 3

ста́рый оте́ц, оте́ц стар — *m sing*, интере́сная кни́га, кни́га интере́сна *f sing*, но́вые журна́лы, журна́лы не но́вы *m pl*; хоро́шие весе́нние цветы́, хоро́ший весе́нний цветы́ *m pl*; река́ широ́кая, река́ широка́ *f sing*, бума́га бе́лая, бума́га бела́ *f sing*

Exercise 4

1. You have a text-book. 2. You have a new text-book. 3. I have the news-paper "Pravda". 4. We have a lesson to-day. 5. You (*sing*) have a good copy-book. 6. The collective farm members are ploughing, they have new machines. 7. Where is Vera? She has my notebook. 8. Who has a Russian-English dictionary? I have.

Exercise 5

1. у меня́, 2. у них, 3. у неё, 4. у нас, 5. у него́

УРОК 19₂

Exercise 2

a) краси́вый — краси́в, краси́ва, краси́во, краси́вы
   но́вый — нов, нова́, но́во, но́вы
   высо́кий — высо́к, высока́, высоко́, высоки́
   хоро́ший — хоро́ш, хороша́, хорошо́, хороши́
   широ́кий — широ́к, широка́, широко́, широки́
   зелёный — зе́лен, зелена́, зе́лено, зе́лены
   весёлый — ве́сел, весела́, ве́село, ве́селы

б) я́сный — я́сен, ясна́, я́сно, я́сны
   све́тлый — све́тел, светла́, светло́, светлы́
   тёмный — тёмен, темна́, темно́, темны́
   чёрный — чёрен, черна́, черно́, черны́
   остроу́мный — остроу́мен, остроу́мна, остроу́мно, остроу́мны
   энерги́чный — энерги́чен, энерги́чна, энерги́чно, энерги́чны
   дру́жный — дру́жен, дружна́, дру́жно, дружны́
   серьёзный — серьёзен, серьёзна, серьёзно, серьёзны

Exercise 3

1. остроу́мен, 2. умна́, 3. я́сно, 4. зе́лен, 5. широка́, 6. высо́к, 7. широко́, 8. мо́лод, 9. смелы́, 10. хоро́ш

Exercise 4

1. ло́вкий и сме́лый, 2. весёлые, 3. интере́сная, 4. краси́вая, 5. энерги́чный

Exercise 5

1. У нас есть интере́сные ру́сские кни́ги. 2. Здесь есть журна́л «Нау́ка и жизнь». 3. Како́й у вас слова́рь? 4. У меня́ ру́сско-англи́йский слова́рь. 5. Сейча́с у нас уро́к. 6. Ви́ктор и Никола́й мно́го чита́ют: у них всегда́ есть но́вые газе́ты и журна́лы. 7. Ве́ра — инжене́р, у неё интере́сная рабо́та.

УРОК 20₂

Exercise 1

1. It is nice weather to-day, one can play tennis. 2. I cannot play: I must learn my lesson. 3. Can you play chess? Yes, a little. 4. One must not speak loudly here: everybody is working. 5. I can read Russian. 6. We want to speak Russian well. 7. Vera can sing; she has a nice voice. 8. My father can't walk quickly. 9. We have a lesson now; we must not make noise. 10. It is necessary to know this well.

Exercise 2

1. мо́жно игра́ть — *imper.*, 2. я не могу́ игра́ть — *1st per. sing*, я до́лжен учи́ть — *m sing*, 3. вы уме́ете игра́ть — *2nd per. pl*, 4. нельзя́ ... говори́ть — *imper.*, все рабо́тают — *3rd per. pl.*, 5. я уме́ю чита́ть — *1st per. sing*, 6. мы хоти́м... говори́ть — *1st per. pl mixed conj*, 7. Ве́ра мо́жет петь — *3rd per. sing*, 8. оте́ц не мо́жет идти́ — *3rd per. sing*, 9. мы не должны́ шуме́ть — *pl*, 10. ну́жно... знать — *imper.*

Exercise 3

1. должны́, 2. должны́, 3. до́лжен *m* от должна́ *f*, 4. должно́, должна́, 5. должна́, 6. должны́, 7. до́лжен *m* от должна́ *f*, 8. должны́

Exercise 4

1. могу́, 2. мо́жешь, 3. мо́жет, 4. мо́жем, 5. мо́жете, 6. мо́гут

Exercise 5

1. хочу́, 2. хо́чешь, 3. хо́чет, 4. хоти́м, 5. хоти́те, 6. хотя́т

УРОК 20⁶

Exercise 2

1. у меня́ боли́т, 2. у вас боли́т, 3. у него́ боли́т, 4. у неё боли́т, 5. у тебя́ боля́т, 6. у них... не боли́т, 7. у нас... не боли́т

Exercise 3

The form боля́т is in sentences 3 and 5.
For explanation see Grammar.

Exercise 4

1. спра́шивает — *3rd per. sing, I conj*, боли́т — *3rd per. sing, II conj*, 2. принима́ешь — *2nd per. sing, I conj*, 3. хо́дим — *1st per. pl, II conj*, 4. ухо́дите — *2nd per. pl, II conj*, 5. лежи́т — *3rd per. sing, II conj*, 6. хо́чет — *3rd per. sing, mixed conj*, мо́жет — *3rd per. sing, I conj*, 7. хоти́те — *2nd per. pl, mixed conj*

Exercise 5

1. Я здоро́в, у меня́ ничего́ не боли́т. 2. Я могу́ мно́го ходи́ть. 3. Что до́лжен де́лать сего́дня твой брат? Он до́лжен рабо́тать. 4. Сего́дня хоро́шая пого́да, мы мо́жем идти́ пла́вать. 5. Ва́ша сестра́ больна́? Что у неё боли́т? 6. У неё грипп и анги́на, она́ должна́ лежа́ть. 7. Здесь — больно́й: нельзя́ шуме́ть.

УРОК 21²

Exercise 1

1. The weather was nice yesterday. 2. The collective farm members were ploughing and sowing. 3. The sun was shining brightly. 4. I was at home yesterday. 5. What were you doing yesterday?
1. была́ — *f sing*, 2. паха́ли, се́яли — *pl*, 3. свети́ло — *n sing*, 4. был — *m sing*, 5. де́лал — *m sing*

Exercise 2

была́ — быть, паха́ли — паха́ть, се́яли — се́ять, свети́ло — свети́ть, де́лал — де́лать

Exercise 3

рабо́тать — рабо́тал, рабо́тала, рабо́тало, рабо́тали
слу́шать — слу́шал, слу́шала, слу́шало, слу́шали
петь — пел, пе́ла, пе́ло, пе́ли
игра́ть — игра́л, игра́ла, игра́ло, игра́ли
изуча́ть — изуча́л, изуча́ла, изуча́ло, изуча́ли
уме́ть — уме́л, уме́ла, уме́ло, уме́ли

Exercise 4

1. был, 2. говори́ли, 3. диктова́л, 4. слу́шал(а), писа́л(а), 4. пе́ла, 6. де́лали, 7. лежа́ло, 8. игра́ли, 9. была́, 10. стоя́ли, 11. бы́ли, 12. был, 13. рабо́тала, 14. уме́ла, 15. бы́ло

Exercise 5

хо́лодно, тепло́, горячо́, жа́рко, дли́нно, ко́ротко, свежо́, чи́сто

Exercise 6

я́сный, я́ркий, бы́стрый, ме́дленный, высо́кий, гро́мкий, ти́хий

Exercise 1

Verb	Tense	Person (for verb in present tense)	Gender (for verb in past tense)	Number
стоя́т	present	3rd	—	pl
идёт	„	„	—	sing
быва́ют	„	„	—	pl
стои́т	„	„	—	sing
был	past	—	m	„
бы́ло	„	—	n	„
бы́ли	„	—	—	pl
отдыха́ли	„	—	—	„
гуля́ли	„	—	—	„
стоя́ла	„	—	f	sing
цвели́	„	—	—	pl
была́	„	—	f	sing
лета́ли	„	—	—	pl
свети́ло	„	—	n	sing
поспева́ли	„	—	—	pl
проводи́ли	„	—	—	„
пла́вали	„	—	—	„
ходи́ли	„	—	—	„
лю́бит	present	3rd	—	sing

Exercise 2

1. We have a nice (*adj*) time. It is nice (*adj*) here in summer. 2. It is cold (*adj*) weather to-day. It is cold (*adj*) to-day. 3. The children were sitting quietly (*adv*). It was quiet (*adj*). 4. You spoke (were speaking) distinctly (clearly) (*adv*). It was clear (*adj*). 5. The air was cool (*adj*). Yesterday it was cool (*adj*). 6. My friend sings nicely (*adv*). This is nice (*adj*).

Exercise 4

a) Сейча́с у нас уро́к. Учи́тель дикту́ет по-ру́сски. Мы пи́шем по-ру́сски. Мы хорошо́ чита́ем, пи́шем и говори́м.

b) Вчера́ у нас был уро́к. Учи́тель диктова́л по-ру́сски. Мы писа́ли по-ру́сски. Мы хорошо́ чита́ли, писа́ли и говори́ли.

УРОК 22

Exercise 1

Masculine: Джон, англича́нин, во́лосы (*sing* во́лос), глаза́ (*sing* глаз), спортсме́ны (*sing* спортсме́н), футбо́л, те́ннис, язы́к, уро́к, день, моро́зы (*sing* моро́з), вопро́сы (*sing* вопро́с), журна́лы (*sing* журна́л), радиоприёмник

Feminine: Мэ́ри, англича́нка, учи́тельница, зима́, газе́ты (*sing* газе́та)

Neuter: со́лнце, упражне́ния (*sing* упражне́ние), ра́дио

Exercise 2

све́тлые во́лосы — све́тлый во́лос, се́рые глаза́ — се́рый глаз, чёрные во́лосы — чёрный во́лос, голубы́е глаза́ — голубо́й глаз, хоро́шие спортсме́ны — хоро́ший спортсме́н, си́льные моро́зы — си́льный моро́з, упражне́ния — упражне́ние, вопро́сы — вопро́с, но́вые уро́ки — но́вый уро́к, но́вые ру́сские газе́ты и журна́лы — но́вая ру́сская газе́та, но́вый ру́сский журна́л

Exercise 3

игра́ет — *3rd per. sing, I conj*, говоря́т — *3rd per. pl, II conj*, изуча́ли — *pl, I conj*, была́ — *f, sing, I conj*, ходи́ли, стоя́ли — *pl, II conj*, гре́ло — *n, sing, I conj*, проходи́л — *m, sing, II conj*, чита́ли, расска́зывали — *pl, I conj*, слу́шала, поправля́ла, задава́ла, объясня́ла, диктова́ла, чита́ла — *f, sing, I conj*, слу́шали — *pl, I conj*, хоте́ли — *pl, mixed conj*, уходи́ли, гото́вили — *pl, II conj*, бы́ли — *pl, I conj*, бы́ло — *n, sing, I conj*, уме́ют — *3rd per. pl, I conj*, лю́бит — *3rd per. sing, II conj*, есть — *3rd per. sing, I conj*, понима́ет — *3rd per. sing, I conj*

Exercise 4

высо́к, мо́лоды, ве́селы

Exercise 5

хорошо́ (как?), вме́сте (как?), тогда́ (когда́?), сла́бо (как?), обы́чно (когда́?, как?), так (как?), по-ру́сски (как?), пото́м (когда́?), иногда́ (когда́?), снача́ла (когда́?), ме́дленно (как?), бы́стро (как?), внима́тельно (как?), о́чень (как?), пра́вильно (как?), домо́й (куда́?), до́ма (где?), стара́тельно (как?), давно́ (когда́), тепе́рь (когда́?), всегда́ (когда́?)

Exercise 8

1. лежи́т, 2. стои́т, 3. чита́ет, 4. дикту́ете, 5. пи́шут, 6. игра́ет, 7. па́шут, 8. рабо́тает, 9. лети́т, 10. све́тит

Exercise 9

а) 1. ме́дленно, 2. гро́мко, 3. я́рко, 4. мно́го
б) 1. тёплые, 2. но́вый, 3. ма́ленький, 4. ста́рый

Exercise 10

стой — сто́йте, иди́ — иди́те, говори́ — говори́те, **отвеча́й — отвеча́йте**, смотри́ — смотри́те, игра́й — игра́йте, пой — по́йте, рабо́тай — рабо́тайте

Exercise 11

For example: говори́ сме́ло, иди́ пря́мо, чита́й гро́мко, отвеча́й споко́йно, ходи́ ме́дленно

Exercise 12

а) 1. Кто́ э́то? 2. Что он де́лает? 3. Как он рабо́тает? 4. Что мы де́лаем хорошо́?
б) 1. Что э́то? Чья́ э́то кни́га? 2. Где лежи́т журна́л? 3. Кака́я э́то газе́та?

Exercise 13

1. высока́, 2. огро́мно, 3. краси́в, 4. глубока́, 5. широка́, 6. хоро́ш, 7. я́сно

Exercise 14

1. The deep river Volga. The river Volga is deep.
2. New high houses. The new houses are high.
3. This is a wide field. This field is wide.
4. Our beautiful city. Our city is beautiful.

Exercise 15

1. спра́шивает, 2. отвеча́ют, 3. хо́дим, 4. объясня́ет, 5. гото́влю, 6. задаёте

Exercise 16

1. спра́шивал, 2. отвеча́ли, 3. ходи́ли, 4. объясня́ла, 5. гото́вил(а), 6. задава́ли

Exercise 17

1. прия́тная, 2. я́сное, 3. си́льный, 4 тёмные, 5. све́жий, 6. ле́тнее

Exercise 18

1. Мы изуча́ем ру́сский язы́к. 2. Мы де́лаем успе́хи в на́ших заня́тиях. 3. Мы должны́ ка́ждый день ходи́ть на уро́ки. 4. Мой това́рищ уме́ет чита́ть по-ру́сски. 5. У него́ си́льный го́лос, он мо́жет чита́ть гро́мко. 6. Това́рищ Ивано́в уме́ет говори́ть по-англи́йски. 7. Он изучи́л англи́йский язы́к уже́ давно́. 8. У него́ бы́ли о́пытные учителя́.

Exercise 19

напра́во, пра́вило, пра́вильно, поправля́ть; я́сно, объясня́ть; даёт, задава́ть; Англия, англича́нин, англи́йский, по-англи́йски

PART III

УРОК 23ᵃ

Exercise 1

1. Our text-book is (*lit.* lies) on the table. 2. There are texts and exercises in the text-book. 3. We have a good library at our school. 4. We are sitting in his room. 5. There are (*lit.* stand) flowers on the window-sill (*lit.* on the window). 6. Yesterday we were speaking about Moscow. 7. Our teacher told us about the Volga. 8. The sun is bright in the sky to-day. 9. It was cold out-of-doors (*lit.* in the street) yesterday. 10. I thought a lot about the lesson. 11. We went to the Caucasus in summer. 12. How nice it was in the South! 13. The girls were singing songs about the harvest. 14. What are you asking about? Whom are you thinking about?

Exercise 2

Nominative: 1. уче́бник, 2. те́ксты, упражне́ния, 3. библиоте́ка, 5. цветы́, 7. учи́тель, 8. со́лнце, 13. де́вушки
Prepositional: 1. на столе́, 2. в уче́бнике, 3. в шко́ле, 4. в ... ко́мнате, 5. на окне́, 6. о Москве́, 7. о Во́лге, 8. на не́бе, 9. на у́лице, 10. об уро́ке, 11. на Кавка́зе, 12. на ю́ге, 13. об урожа́е

Exercise 3

1. в, 2. на, 3. о, 4. в, 5. на, 6. на, 7. в, 8. о, 9. на, 10. об

Exercise 4

а) 1. на се́вере, 2. в колхо́зе, 3. в шко́ле, 4. на земле́, 5. в дере́вне, 6. на ле́то, 7. в по́ле
б) 1. о Москве́, 2. о спо́рте, 3. об уро́ке, 4. о сло́ве, 5. об урожа́е, 6. о ми́ре, 7. о весне́

УРОК 23ᵇ

Exercise 1

Subject: СССР, кли́мат, весна́, со́лнце, минда́ль, пти́цы, трава́, зима́, снег, дождь, ту́чи, ве́тер, ли́стья, о́сень, со́лнце, пого́да, не́бо; фру́кты: виногра́д, я́блоки, гру́ши, сли́вы; вода́, снег, ве́тер, моро́зы
Predicative: страна́

Exercise 2

а) в Арха́нгельске, в Ри́ге, в Ташке́нте, в газе́те, в Ирку́тске и Ялте, в Ялте, в мо́ре, в Ирку́тске — где?

б) на уро́ке — когда́? на се́вере и юге, на за́паде и восто́ке, на Кавка́зе, на се́вере, на не́бе, на у́лице, на не́бе, на со́лнце, на восто́ке — где?

в) о кли́мате, о пого́де — о чём?

Exercise 3

Арха́нгельске — Арха́нгельск *m*, Ри́ге — Ри́га *f*, Ташке́нте — Ташке́нт *m*, Ирку́тске — Ирку́тск *m*, Ялте — Ялта *f*, мо́ре — мо́ре *n*

уро́ке — уро́к *m*, се́вере — се́вер *m*, юге — юг *m*, за́паде — за́пад *m*, восто́ке — восто́к *m*, Кавка́зе — Кавка́з *m*, се́вере — се́вер *m*, не́бе — не́бо *n*, у́лице — у́лица *f*, со́лнце — со́лнце *n*

кли́мате — кли́мат *m*, пого́де — пого́да *f*

Exercise 5

1. Наш го́род на юге. У нас тёплый кли́мат. 2. В го́роде большо́й сад. 3. Сего́дня хоро́шая пого́да. Дождь не идёт. На у́лице су́хо. Ду́ет тёплый ве́тер. На не́бе бе́лые облака́.

УРОК 24а

Exercise 1

1. in the bookcase, 2. about the bookcase, 3 on the floor, 4. on the table, 5. in the forest, 6. about the forest

Exercise 2

1. углу́, 2. шкафу́, 3. ко́мнате, 4. се́вере, 5. саду́, 6. са́де, 7. мосту́, 8. уро́ке, 9. полу́, 10. лесу́, 11. ле́се

Exercise 3

1. лежи́т, 2. виси́т, 3. лежи́т. 4. стои́т, 5. растёт, 6. живёт, 7. рабо́тает, 8. игра́ют, 9. сижу́

Exercise 4

1. лежа́ла, 2. висе́ла, 3. лежа́л, 4. стоя́ли, 5. росло́, 6. жила́, 7. рабо́тал, 8. игра́ли, 9. сиде́л(а)

Exercise 5

1. Уме́ете ли вы говори́ть по-ру́сски? 2. Вчера́ ли был у вас уро́к? Был ли у вас вчера́ уро́к? 3. Мно́го ли вы чита́ли о Москве́? 4. Есть ли у вас ру́сские газе́ты? 5. Больши́е ли у нас в го́роде па́рки? 6. Бы́ло ли тепло́ вчера́? Тепло́ ли бы́ло вчера́? 7. Хоро́шая ли сего́дня пого́да? 8. Бы́ли ли вы на Кавка́зе? 9. Очень ли широка́ Во́лга? 10. Игра́ете ли вы в те́ннис?

Exercise 6

1. **I have** a large table. There is a book on **my** table.
2. **You have** a nice room. There is a large carpet in **your** room.
3. **We have** a big garden. These apples grow in **our** garden.
4. **You have** a new bag. The text-book is in **your** bag.
5. **They have** a new school. I was at the lesson in **their** school.

Exercise 7

1. на, 2. в, 3. на, 4. в, 5. на, 6. в, 7. на, 8. о, 9. на, 10. на

Exercise 1

Verb in Text	Tense	Person	Number	Gender	Conjugation
живёт	present	3rd	sing	—	I
лежа́т	„	„	pl	—	II
стоя́т	„	„	„	—	„
вися́т	„	„	„	„	„
лежи́т	„	„	sing	—	„
виси́т	„	„	„	—	„
стои́т	„	„	„	—	„
жил	past	—	„	m	I

Exercise 3

See Grammar, Lesson 24а.

Exercise 4

1. Вот на́ша ко́мната. 2. Дверь напра́во. 3. Нале́во окно́. 4. Напра́во стои́т мой стол. 5. На столе́ лежа́т но́вые газе́ты. 6. У нас в ко́мнате стои́т удо́бная ме́бель. 7. На сте́нах вися́т карти́ны. 8. На полу́ лежи́т большо́й ковёр. 9. В углу́ на столе́ стоя́т цветы́. 10. Мы живём в го́роде давно́. 11. Мой оте́ц жил в дере́вне. 12. Где вы живёте тепе́рь?

УРОК 25а

Exercise 1

a) 1. I am reading a newspaper. 2. There is interesting news in the newspaper. 3. This is a fresh newspaper. 4. The sun is shining upon the earth. 5. This is collective farm land. 6. There is green grass on the earth. 7. The teacher sees his pupil. 8. We were speaking about his pupil. 9. I like the sea. 10. The sea is wide and deep. 11. This ship was at sea. 12. We were learning our lesson. 13. We had a lesson yesterday. 14. It was interesting at the lesson.

1. газе́ту — *acc*, 2. в газе́те — *prep*, 3. газе́та — *nom*, 4. зе́млю — *acc*, 5. земля́ — *nom*, 6. на земле́ — *prep*, 7. ученика́ — *acc*, 8. об … ученике́ — *prep*, 9. мо́ре — *acc*, 10. мо́ре — *nom*, 11. в мо́ре — *prep*, 12. уро́к — *acc*, 13. уро́к — *nom*, 14. на уро́ке — *prep*.

b) 1. I am going to his room. 2. We are sitting in his room. 3. I put the lamp on the table. 4. The lamp is on the table. 5. My brother is working at a mill. 6. He is going to the mill. 7. You are working at a plant. 8. You are going to the plant. 9. The picture is hanging on the wall. 10. I am hanging the picture on the wall. 11. I put the carpet on the floor. 12. The carpet is on the floor. 13. We are going to the garden. 14. The children are playing in the garden. 15. My father lives in the South. ·16. The aeroplane is flying to the South.

1. в … ко́мнату — *acc*, 2. в … ко́мнате — *prep.*, 3. на стол — *acc*, 4. на столе́ — *prep*, 5. на фа́брике — *prep*, 6. на фа́брику — *acc*, 7. на заво́де — *prep*, 8. на заво́д — *acc*, 9. на стене́ — *prep*, 10. на сте́ну — *acc*, 11. на́ пол — *acc*, 12. на полу́ — *prep*, 13. в сад — *acc*, 14. в саду́ — *prep*, 15. на ю́ге — *prep*, 16. на юг — *acc*

Exercise 2

1. чита́ю, 4. освеща́ет, 7. ви́дит, 9. люблю́, 12. учи́ли

Exercise 3

Где? 2. в ... кóмнате, 4. на столé, 5. на фáбрике, 7. на завóде, 9. на стенé, 12. на полý, 14. в садý, 15. на юге

Кудá? 1. В кóмнату, 3. на стол, 6. на фáбрику, 8. на завóд, 10. на стéну, 11. на пол, 13. в сад, 16. на юг

Verb + acc: 1. идý в, 3. стáвлю на, 6. идёт на, 8. идёте на, 10. вéшаю на, 11. кладý на, 13. идём в, 16. летит на

Verb + prep.: 2. сидим в, 4. стоит на, 5. рабóтает на, 7. рабóтаете на, 9. висит на, 12. лежит на, 14. игрáют в, 15. живёт на

Exercise 4

а) 1. пéсня, пéсню; 2. учитель, учителя; 3. корáбль, корáбль; 4. ýлица, ýлицу; 5. текст, текст; 6. слóво, слóво

б) 1. землé, зéмлю; 2. сéвере, сéвер; 3. сад, садý; 4. окнé, окнó; 5. стенé, стéну

Exercises 5, 6 See Grammar.

УРОК 25ᵇ

Exercise 1

1. Москвá, 2. в Москвé, 3. Москвý

Exercise 2

выбирáют обéд; плáтят дéньги; занимáют... стóлик; прóсит официáнтку; дáйте... стакáн или чáшку; берёт графин; наливáет вóду; пьёшь вóду; подаёт суп; берёт лóжку; прóбует суп; едят суп, мясо, картóфель, óвощи, кисéль; идýт в сад; встречáют мáстера Белóва; кýрит папирóсу; смóтрит на часы; продолжáть рабóту

Exercise 3

1. ученикá, урóк, 2. наш гóрод, учителя, 3. календáрь, мáстера, 4. нóвый текст, учителя

Exercise 6

1. стоит, стáвлю, 2. кладёт, лежит, 3. вéшает, висит

Exercise 7

В кóмнате стоит большóй стол. На столé лежит бéлая скáтерть. Моя мать стáвит на стол хлеб, сыр, мáсло и мёд. Потóм онá принóсит рыбу. Мы едим рыбу, хлеб, мáсло и сыр. Мы едим и пьём. Я пью чай. Дéти пьют молокó.

УРОК 26ᵃ

Exercise 1

1. I am going to the theatre to-night. 2. I often go to concerts. 3. The children often play and run in the garden. 4. Where (to) are you running? 5. Our teacher goes to the South in summer. 6. She is going to Leningrad to-night. 7. This aeroplane is flying to Moscow. 8. Aeroplanes fly to Moscow every day. 9. What are you carrying? 10. The postman brings letters and newspapers every day.

Verbs given in Row I are to be found in sentences Nos. 2, 3, 5, 8, 10.
Verbs given in Row II are to be found in sentences Nos. 1, 4, 6, 7, 9.

Exercise 2

1. иду́, хо́дят, 2. е́дем, е́здим, 3. везёт, во́зит; 4. бе́гают, бегу́т; 5. лети́т, лета́ет

Exercises 3, 4

See Grammar.

Exercise 5

1. на фа́брике, на фа́брику; 2. в конто́ре, в конто́ру; 3. в цеху́, в цех; 4. в дере́вне, в дере́вню; 5. на фе́рме, на фе́рму; 6. на ю́ге, на юг; 7. в по́ле, в по́ле; 8. на ме́льнице, на ме́льницу; 9. в гараже́, в гара́ж

Exercise 6

1. В колхо́зе „Но́вая жизнь" был бога́тый урожа́й. 2. Колхо́зники стара́тельно рабо́тали в по́ле. 3 Они́ бы́стро убира́ли урожа́й. 4. Здесь и там стуча́ли маши́ны. 5. Грузовики́ вози́ли пшени́цу на ме́льницу. 6. В колхо́зе есть гидроэлектроста́нция и больша́я фе́рма. 7. Мы ча́сто ходи́ли на фе́рму. 8. На фе́рме всегда́ есть хоро́шее молоко́ и ма́сло. 9. Ве́чером колхо́зники отдыха́ли. 10. Везде́ звуча́ли бо́дрые пе́сни.

УРОК 26б

Exercise 1

идёт че́рез по́ле и луг в посёлок, убира́ют пшени́цу, во́зят зерно́ на ме́льницу и на элева́тор, доставля́ют в го́род молоко́ и ма́сло, ви́дит... посёлок; во́зит ... в сельсове́т, в колхо́з... и в МТС; остана́вливает мотоци́кл, идёт в конто́ру, несёт... по́чту, везёт по́чту

Exercise 2

Verbs in Text	Row	Person	Number	Gender	Conjugation
е́дет	second	3rd	sing	—	I
идёт	"	"	"	—	"
е́здят	first	"	pl	—	II
во́зят	"	"	"	—	"
лета́ют	"	"	"	—	I
во́зит	"	"	sing	—	II
несёт	second	"	"	—	I
везёт	"	"	"	—	"

Exercise 5

1. шла, 2. е́здили, 3. вози́ли, 4. шёл, 5. лете́л, 6. несли́, 7. ходи́ли, 8. лета́ли. 9. бе́гали, 10. вёз, 11. носи́л, 12. бежа́л, 13. е́хал

Exercise 6

1. Мы идём в теа́тр. Мы ча́сто хо́дим в теа́тр. 2. Това́рищ Ивано́в е́дет на авто́бусе в го́род. Он ка́ждый день е́здит в го́род на авто́бусе. 3. Смотри́те, кака́я краси́вая лети́т пти́ца! Сего́дня я́сное не́бо, и пти́цы лета́ют высоко́. 4. В чём вы несёте кни́гу и тетра́дь? Я всегда́ ношу́ кни́гу и тетра́дь в портфе́ле. 5. Куда́ вы бежи́те? Де́ти игра́ют и бе́гают в саду́. 6. Грузови́к везёт о́вощи в го́род. Он е́здит в го́род ка́ждый день

Exercise 7

éхал, шла, кипéла, убирáли, рабóтали, éздили. возúли, доставлúли

Exercise 1

a) 1. I wash my face quickly. I wash (myself) quickly. 2. The mother is dressing her child. The mother is dressing (herself). 3. Where are you sending the letter? Where are you going? 4. Kolia returns (= gives back) the book to the library. Kolia returns (= comes back) home.

b) 1. We begin our lesson. Our lesson begins. 2. We finish our dinner (*lit.* to dine). Our dinner is finishing. 3. What do the geologists find in the earth? Where is the river Volga? 4. The teacher distributes books. Singing is heard in the garden. 5. I put the book on the table. I lie down on the sofa. 6. The children are playing and laughing. 7. We awake and get up early in the morning. 8. How are you feeling? How are your comrades feeling?

Exercise 2

1. нахóдится, 2. садúтесь, 3. возвращáемся, 4. отправлúетесь, 5. умывá-ешься, 6. собирáются, 7. умывáюсь и одевáюсь.

Exercise 3

отправляюсь, отправлúешься, отправлúется, отправлúемся, отправлúетесь, отправлúются; отправлúйся! отправлúйтесь!

сажýсь, садúшься, садúтся, садúмся, садúтесь, садúтся; садúсь! садúтесь!

Exercise 4

1. The morning is fine to-day. How nice it is in the forest early in the morning.

2. In the evening we were in the garden. It was a calm summer evening.

3. The moon is in the sky at night. The warm southern nights are fine.

4. The day was fine yesterday. We work in the daytime.

1. ýтро — *noun,* ýтром — *adv,* 2. вéчером — *adv,* вéчер — *noun,* 3. нóчью — . *adv,* нóчи — *noun,* 4. день — *noun,* днём — *adv*

Exercise 5

1. вдалú — где? 2. домóй — кудá? 3. дóма — где? 4. рáно — когдá? 5. вéчером — когдá? 6. бúстро — как? 7. далекó — где? 8. ýтром — когдá? 9. нóчью — когдá? 10. напрáво — где? 11. лéтом — когдá? 12. скóро — когдá? тудá — кудá?

Exercise 6

1. садúтесь, 2. собирáется, 3. смеются, 4. начинáется, 5. одевáется, 6. нахóдятся, 7. просыпáются, 8. умывáться, 9. отправлúются, 10. ложýсь, 11. нахóдится, 12. кончáется

Exercise 7

Accusative: 1. в крéсло, 2. на фáбрику, 9. на Кавкáз, 10. на дивáн. 12. за гóру

Prepositional: 6. в шкóле, 11. на сéвере

УРОК 27ᵇ

Exercise 1

Verbs ending in -ся (-сь)	Person	Number	Conjugation
садится	3rd	sing	II
остана́вливается	"		I
стано́вится	"	si ng	II
загора́ются	"	pl	I
умыва́емся	1st	"	II
сади́мся	"		I
смеёмся	"	pl	I
умыва́юсь	"	sing	I
причёсываюсь	"		"
просыпа́ются	3rd	pl	"
одева́ться (Inf.)	—	—	"
отправля́ются	3rd	pl	II
нахо́дится	"	sing	II

Exercise 2

1. встаёт, отправля́ется, 2. спим, 3. просыпа́емся, де́лаем, 4. одева́юсь, одева́ется, 5. за́втракаем, отправля́емся, 6. возвраща́емся, 7. обе́даем, 8. гово́рим, 9. гото́вим, у́жинаем, ло́жимся, 10. сплю

Exercise 3

Accusative: в... ме́сто (ме́сто), дом (дом), в лес (лес), на ночле́г (ночле́г), костёр (костёр), у́жин (у́жин), на... не́бо (не́бо), за́втрак (за́втрак), в поря́док (поря́док), гимна́стику (гимна́стика), в путь (путь)

Prepositional: в лесу́ (лес), на не́бе (не́бо), в костю́ме (костю́м)

Exercise 4

1. в дере́вню, 2. в дере́вне, 3. в лесу́, 4. в лес, 5. в сад, 6. в саду́. 7. на́ реку, 8. в реке́, 9. на о́зеро, 10. на о́зере

Exercise 5

ча́сто, тепе́рь, до́лго, пора́, за́втра, ра́но, ско́ро, уже́, сно́ва, пото́м

Exercise 7

а) Хоро́шая ли сего́дня пого́да? Све́тит ли со́лнце? Ясное ли не́бо? Споко́йно ли мо́ре? Тепло́ ли на у́лице? Ско́ро ли наступа́ет весна́?

б) Изуча́ете ли вы ру́сский язы́к? Мно́го ли ваш брат чита́ет по-ру́сски? Игра́ет ли он в ша́хматы? Хорошо́ ли поёт ва́ша сестра́? Хоро́ший ли у неё го́лос?

Exercise 8

Сего́дня хоро́ший ле́тний день. Мы гуля́ем в по́ле. Наступа́ет ве́чер. Со́лнце сади́тся. Мы возвраща́емся в дере́вню. Ве́чером на́ша семья́ собира́ется вме́сте. Мы у́жинаем ле́том в саду́. Наступа́ет ночь. Я ложу́сь спать. Ночь тёплая. Я сплю но́чью кре́пко. У́тром я просыпа́юсь и де́лаю гимна́стику. Я чу́вствую себя́ бо́дро.

Exercise 1

1. The tourists were high on the mountain. 2. Stars were lighting up in the sky. 3. The sun was setting, the day was ending. 4. It was evening, we were returning home. 5. My sister always woke up early in the morning, had her breakfast and went to school. 6. Tall houses were built in the town. 7. The children bathed in the sea in summer. 8. The sun was rising, the day was beginning. 9. Music resounded through the park. 10. The children went to bed early in winter.

Exercise 2

1. отправля́лись, 2. находи́лся, 3. раздава́лся, 4. начина́лась, 5. меня́лось, 6. находи́лся

Exercise 3

Singular: отправля́лся, отправля́лась, отправля́лось; *pl* отправля́лись
Singular: сади́лся, сади́лась, сади́лось; *pl* сади́лись
Singular: стро́ился, стро́илась, стро́илось; *pl* стро́ились

Exercise 4

1. пого́да, 2. не́бо, 3. со́лнце, 4. ве́тер, 5. пти́цы, 6. вода́, 7. де́ти, 8. мы, 9. день, 10. все

Exercise 5

1. жила́, 2. отдыха́ла, 3. встава́ли, 4. одева́лась, умыва́лась, 5. де́лали, 6. отдыха́л, 7. купа́лся, 8. игра́ли, 9. пе́ли, танцева́ли, 10. е́ли, 11. ложи́лись, 12. спа́ли, 13. чита́ла, 14. отправля́лись

Exercise 6

Влади́мир Миха́йлович, Ве́ра Миха́йловна; Ви́ктор Никола́евич, Мари́я Никола́евна; Ива́н Влади́мирович, Татья́на Влади́мировна; Михаи́л Ива́нович, Со́фья Ива́новна; Васи́лий Ники́тич, Еле́на Ники́тична; Никола́й Васи́льевич, Ни́на Васи́льевна

Exercise 1

меня́лась — приро́да *f sing*, разбива́лись — во́лны *f pl*, находи́лись — острова́ *m pl*

Exercise 2

The nature on the face of the earth changed many times. ... where sea waves broke up... where there were sea islands, now ores are extracted. ...where the ore is turned into pig iron, copper and steel.

Exercise 3

меня́лась — меня́ться, разбива́лись — разбива́ться, находи́лись — находи́ться

Exercise 5

a) Васи́лий Ива́нович рабо́тал в Донба́ссе о́чень до́лго. Он рабо́тал в ша́хте, где добыва́ется ка́менный у́голь. Ра́ньше ша́хта была́ небольша́я. Тепе́рь э́то огро́мная механизи́рованная ша́хта.

b) Инжене́р Мари́я Никола́евна до́лго жила́ на Ура́ле. Она́ рабо́тала на заво́де, где руда́ перераба́тывалась в желе́зо. Ра́ньше заво́д был небольшо́й. Тепе́рь э́то огро́мный заво́д.

УРОК 29ª

Exercise 1

1. The Engineer Belov is going to the Urals. 2. He will build a new plant there. 3. This plant will turn ore into metal. 4. A new pit will be built in the Donbas. 5. Coal will be extracted in the pit. 6. Comrades Ivanov and Nikitin will work there. 7. The holidays are coming in a month. 8. We shall rest and bathe in the sea. 9. Where will you live in summer? 10. I shall rest in the South.

Exercise 2

1. бу́дет, 2. бу́дешь, 3. бу́ду, 4. бу́дем, 5. бу́дет, 6. бу́дут, 7. бу́дете

Exercise 3

1. бу́дет, 2. бу́ду жить, 3. бу́дет проводи́ть, 4. бу́дем купа́ться, 5. бу́дет отдыха́ть, 6. бу́дет чита́ть и ходи́ть. 7. бу́дем рабо́тать.

Exercise 4

1: 1. на Ура́л — *acc*, 2. заво́д — *acc*, 3. руду́ — *acc*, в мета́лл — *acc*, 4. в Донба́ссе — *prep*, 5. в ша́хте — *prep*, 7. че́рез ме́сяц — *acc*, 8. в мо́ре — *prep*, 10. на юге — *prep*

3: 2. на Кавка́зе — *prep*, 3. вре́мя — *acc*, 4. в мо́ре — *prep*, 5. в дере́вне — *prep*

УРОК 29б

Exercise 1

бу́дет — *3rd per. sing*, бу́дем отдыха́ть, бу́дем соверша́ть, бу́дем ночева́ть, бу́дем гото́вить — *1st per. pl*, бу́дешь... рисова́ть — *2nd per. sing*, бу́ду чита́ть — *1st per. sing*, бу́дем ... проводи́ть — *1st per. pl*, бу́дет гото́вить — *3rd per. sing*

Exercise 2

проводи́ли, путеше́ствовали, не́ были

Exercise 4

Accusative: проводи́ли вре́мя (вре́мя), гото́вить обе́д и у́жин (обе́д, у́жин), проводи́ть... о́тпуск (о́тпуск), гото́вить необходи́мое (необходи́мое)
Prepositional: ду́маю об о́тдыхе (о́тдых), проводи́ли вре́мя на Кавка́зе (Кавка́з), отдыха́ть на о́зере (о́зеро), на о́зере (о́зеро) есть, на берегу́ (бе́рег); отража́ется в воде́ (вода́), в зе́ркале (зе́ркало); на Селиге́ре (Селиге́р) есть, на ло́дке (ло́дка) бу́дем соверша́ть прогу́лки, ночева́ть в лесу́ (лес), гото́вить... на костре́ (костёр), бу́дешь в лесу́ (лес) рисова́ть

УРОК 30ª

Exercise 1

1. It is Wednesday to-day. I shall be at home on Wednesday. 2 Yesterday was Tuesday. We worked on Tuesday in the morning. 3. To-morrow will be Thursday. On Thursday we are going to a museum. 4. The day before yesterday was Monday. My sister was at a concert Monday evening. 5. After

to-morrow will be Friday. Our father is going to Leningrad on Friday. 6. Soon will be Saturday. We shall have a meeting on Saturday at our plant 7. Then will come Sunday We rest on Sunday. 8. There will be a very large library at the club in a year.

1. в среду, 2. во вторник, 3. в четверг, 4. в понедельник, 5. в пятницу, 6. в субботу, 7. в воскресенье, 8. через год (acc case)

УРОК 30б

Exercise 4

Accusative: занимает здание, читают афишу, во вторник будет, лекцию читает, в пятницу... будет, на тему, в среду, видел... фильм, музыку и пение... люблю, будет в воскресенье, показывает пьесу, посещать клуб каждый вечер, через день, учимся в понедельник, в среду и в пятницу..., в субботу или в воскресенье... посещаем клуб, проводить... время
Prepositional: при автозаводе, на стене... висит, при входе, в клубе будет, в технике, в Москве, лекция... о физкультуре, в концерте будут выступать, в клубе... есть, бывать в клубе

Exercise 5

читает, читает, показывает

Exercise 7

1. В пятницу я иду на концерт. 2. В среду у нас будет урок. 3. Послезавтра мы едем в деревню. 4. Я получаю газету каждый день. 5. Урок у нас через день: во вторник, в четверг и в субботу. 6. Наш учитель едет в Москву на месяц. 7. В среду я слушал лекцию о спорте. 8. В воскресенье мы отдыхаем. 9. Через неделю мой брат будет здесь. 10. Через месяц я буду ещё лучше читать и говорить по-русски.

УРОК 31

Exercise 1

Noun in the accusative or prepositional case and the word in the text which governs or requires it	Nominative	Gender	Number	Case in which the noun is in the text	Question to the noun
смотрели киножурнал	киножурнал	m	sing	acc	что?
на экране... видели	экран	m	»	prep	где?
видели север	север	»	»	acc	что?
видели... море	море	n	»	»	»
видели... город	город	m	»	»	»
видели... Архангельск	Архангельск	»	»	»	»
в порту стоят	порт	»	»	prep	где?
показывали совхоз	совхоз	»	»	acc	что?
на юге	юг	»	»	prep	где?
в поле кипит работа	поле	n	»	prep	где?
доставляют зерно	зерно	»	»	acc	что?
доставляют... на элеватор	элеватор	m	»	»	куда?
видели... лагерь-курорт	лагерь-курорт	»	»	»	что?
лежали на пляже	пляж	»	»	prep	где?
купались в море	море	n	»	»	»
каждый год ездят	год	m	»	acc	когда?
в Артек ездят	Артек	»	»	»	куда?

313

Verb	Ending	Tense	Person or Gender	Number	Conjugation
смотре́ли	-и	past	—	pl	II
ви́дели	-и	„	—	„	„
стоя́т	-я́т	present	3rd	„	„
гру́зится	-ит(ся)	„	„	sing	„
пока́зывали	-и	past	—	pl	I
кипи́т	-и́т	present	3rd	sing	II
рабо́тают	-ют	„	„	pl	I
доставля́ют	-ют	„	„	„	„
меня́лись	-и(сь)	past	—	„	I
лежа́ли	-и	„	—	„	II
купа́лись	-и(сь)	„	—	„	I
е́здят	-ят	present	3rd	„	II
выступа́ли	-и	past	—	„	I
пел	—	„	m	sing	„
мо́гут	-ут	present	3rd	pl	„
отправля́лись	-и(сь)	past	—	„	„
бу́дут... рабо́тать	-ут	future	3rd	„	„
бу́ду смотре́ть	-у	„	1st	sing	„

Exercise 4

1. на, 2. на, 3. в, 4. в, 5. в, в, 6. в, 7. в, 8. на, че́рез, 9. в, 10. на, 11. о

Exercise 5

1. де́лаю, 2. игра́ете, 3. выступа́ет, 4. нахо́дится, 5. прово́дите, 6. живу́, 7. соверша́ем, 8. посеща́ет

Exercise 6

1. де́лал(а), 2. игра́ли, 3. выступа́л, 4. находи́лась, 5. проводи́ли, 6. жил(а́), 7. соверша́ли, 8. посеща́л

Exercise 7

Present	Past	Future
смотрю́, смо́тришь	смотре́л	бу́ду смотре́ть
слу́шаю, слу́шаешь	слу́шал	бу́ду слу́шать
рису́ю, рису́ешь	рисова́л	бу́ду рисова́ть
посеща́ю, посеща́ешь	посеща́л	бу́ду посеща́ть
ем, ешь	ел	бу́ду есть
пью, пьёшь	пил	бу́ду пить
нахожу́сь, нахо́дишься	находи́лся	бу́ду находи́ться
стучу́, стучи́шь	стуча́л	бу́ду стуча́ть
расска́зываю, расска́зываешь	расска́зывал	бу́ду расска́зывать
возвраща́юсь, возвраща́ешься	возвраща́лся	бу́ду возвраща́ться

Exercise 8

сего́дня, вчера́, позавчера́, за́втра, послеза́втра, у́тром, днём, ве́чером, но́чью, зимо́й, ле́том, о́сенью, весно́й, ка́ждый день, че́рез день, во вто́рник, в пя́тницу, че́рез неде́лю

PART IV

Exercise 1

1. The **student Ivanov's book** is on the table. 2. **The teacher's story** was interesting. 3. **The boy's voice** rang cheerfully. 4. **The bird's song** was heard in the garden. 5. We listened to **the choir's singing**. 6. A car is standing at **the corner of the street**. 7. **The program of the concert was** interesting. 8. We heard **the noise of the sea**. 9. There was bright **sunshine** everywhere. 10. **The grape yield** was abundant.

Exercise 2

The English possessive case is to be found in sentences 1—5.
A noun with the preposition **of** is to be found in sentences 6—8.

Exercise 3

а) товáрищ брáта, кни́га учи́тельницы, письмó отцá, план архитéктора, земля́ колхóза, парк завóда, женá учи́теля, дéти сестры́, мéсто учени́цы, рабóта Тáни

б) центр Москвы́, бéрег реки́, стенá кóмнаты, ýгол столá, начáло кни́ги, окнó дóма, ýлица гóрода

в) урóк му́зыки, урожáй пшени́цы, план дóма, населéние дерéвни парк культу́ры и óтдыха, мéсто концéрта

Exercise 4

1. егó, 2. её, 3. их, 4. её, 5. егó, 6. их, 7. её, 8. её, 9. егó

Exercise 5

1. чей, 2. чья, 3. чьи, 4. чья, 5. чей, 6. чьё, 7. чьи

Exercise 6

1. колхóз, 2. дерéвни, 3. реки́, колхóза, 4. в дерéвне, ýлицы, 5. в библиотéке колхóза, 6. агронóма, 7. колхóзника Иванóва

Exercise 1

1. гóрода Стáлинска; 2. гóрода, в пáрке культу́ры и óтдыха; 3. в цéнтре гóрода; 4. гóрода; 5. в Стáлинске; 6. при завóде; 7. в зáле клу́ба; 8. столи́цы, в теáтре гóрода Стáлинска

1. The view of the city of Stalinsk is very beautiful. 2. The townspeople like to go for a walk to the Park of Culture and Rest. 3. There is a beautiful square in the centre of the city. 4. The streets of the city are straight and wide. 5. There is a big plant in Stalinsk. 6. There is a good club at the plant. 7. There are often concerts in the hall of the club. 8. Actors from the capital play in the theatre of Stalinsk.

Exercise 2

зда́ние, создава́ть
рабо́чий, рабо́тать
е́здить, съезд
мета́лл, металлурги́ческий
ка́мень, ка́менный

снача́ла, начина́ть
зе́лень, зелёный
дéти, дéтство
жизнь, жить
учи́ться, учи́тельница, учени́к

Exercise 3

краси́вый — прекра́сный — украше́ние; с — ш

Exercise 4

зна́ние, уче́ние, объясне́ние, чте́ние, рисова́ние, пе́ние
to know — knowledge, to teach — teaching, to explain — explanation, to
read — reading, to draw — drawing, to sing — singing

УРО́К 33ª

Exercise 1

1. The tourists are going **from the village** to the forest. 2. They pass **by
a field**. 3. A light breeze is blowing **from the field**. 4. They must go **against
the sun**. 5. It is not far **from the village to the forest**. 6. **At the lake** the
tourists sit down for a rest. 7. There are green trees **around the lake**. 8. There
is a little island **in the middle of the lake**. 9. **After** (their) **rest and dinner**
the tourists walk farther. 10. They are going **along a river bank**. 11. There is
a large pioneer camp **near the river**.

Exercise 2

1. у това́рища Ивано́ва, у до́ктора, у окна́, у доски́
2. в библиоте́ке, из библиоте́ки, на мо́ре, из де́рева, на скаме́йке, с мо́ря,
на восто́ке, на восто́к, с восто́ка
3. на ю́ге, с ю́га, на юг, с ю́га, на се́вер
4. о́коло заво́да, о́коло го́да, в колхо́зе
5. про́тив Ма́ши, про́тив вокза́ла
6. от Москвы́ до Ленингра́да, от суббо́ты до вто́рника, от сестры́
7. вдоль у́лицы, посреди́ скве́ра, ми́мо па́рка, вокру́г до́ма

See Grammar, Lesson 32ª

Exercise 3

а) 1. в, из, 2. на, с, 3. на, с, на, 4. в, из, 5. на, с, в, 6. в, из, 7. на, с
б) у, в, посреди́, у (о́коло), на, из, на, о́коло, про́тив

УРО́К 33ᵇ

Exercise 1

Genitive without Preposition:

в це́нтре Москвы́
пло́щадь Свердло́ва
теа́тр о́перы и бале́та
зда́ние теа́тра
у подъе́зда гости́ницы
в це́нтре го́рода
из окна́ гости́ницы
па́мятник архитекту́ры
центр столи́цы
зда́ние университе́та
у́лица Го́рького
жизнь столи́цы

Genitive with Preposition:

с вокза́ла
от вокза́ла
до гости́ницы
у светофо́ра
про́тив теа́тра
вокру́г фонта́на
ми́мо теа́тра
у подъе́зда
у това́рища Мака́рова
из окна́
с де́тства
из ко́мнаты
от Кремля́
вдоль... стены́
до Москвы́-реки́
о́коло Кремля́
посреди́ пло́щади
у ... стены́
о́коло ча́са
от гости́ницы
вдоль у́лицы

Exercise 2

1. выхо́дим, 2. вылета́ет, 3. выезжа́ет, 4. вывóзит, 5. выбега́ют. 6. выно́сит

Exercise 4

беру́т, е́дут — *3rd per. pl, I conj,* мчи́тся — *3rd per. sing, II conj,* остана́вливается — *3rd per. sing, I conj,* смо́трят — *3rd per. pl, II conj,* блести́т — *3rd per. sing, II conj,* е́дет, остана́вливается — *3rd per. sing, I conj,* выхо́дит, смо́трит, — *3rd per. sing, II conj,* возвыша́ется, освеща́ет — *3rd per. sing, I conj,* ви́дит, стои́т — *3rd per. sing, II conj,* блестя́т — *3rd per. pl, II conj*

Exercise 5

1. далеко́, 2. внизу́, 3. на се́вер, 4. нале́во

Exercise 6

гость — гости́ница; вид — ви́дит, ви́ден; свет — све́тлый — освеща́ть, светофо́р, т — щ; подъе́зд, е́здить, съезд; разноцве́тный, цветы́; стари́нный, ста́рый

УРОК 34й

Exercise 1

1. The pupil John is not attending the lesson to-day. 2. There was no space for the cupboard in the room. 3. To-morrow there will be no concert at the club, but there will be a lecture there. 4. Have you a sister? No, I haven't. 5. I have neither a sister nor a brother. 6. Had you a lesson yesterday? No, we had not. 7. We had no lesson yesterday. 8. The pupil John did not attend the lesson yesterday: he was ill. 9. The director will not come to the plant to-morrow: he will speak at the Congress. 10. Do you get the magazine "Science and Life"? No, I don't get the magazine "Science and Life". 11. It was a very dark night yesterday: there were neither moon nor stars.

Exercise 2

1. It is difficult to study Russian without a text-book. 2. We are going home after the lesson. 3. The lake Seliger is a good place for rest. 4. Here is a good book for a tourist. 5. I am going to the theatre alone, without (my) brother. 6. The sky is clear, there is not a single cloud in the sky. 7. The sun is rising from behind the forest. 8. A car is coming from behind the house. 9. The air is especially fresh after a thunderstorm. 10. I don't like tea without lemon. 11. It is difficult to work without a plan.
1. без уче́бника — как?, без чего? 2. по́сле уро́ка — когда́?, по́сле чего? 3. для о́тдыха — для чего? 4. для тури́ста — для кого? 5. без бра́та — без кого? 6. ни о́блака — чего? 7. из-за ле́са — отку́да?, из-за чего? 8. из-за до́ма — отку́да?, из-за чего? 9. по́сле грозы́ — когда́?, по́сле чего? 10. без лимо́на — без чего? 11. без пла́на — как? без чего?

Exercise 3

а) 1. в ла́гере — *prep,* 2. вокру́г ла́геря — *gen,* 3. от колхо́за — *gen,* 4. на фе́рму — *acc,* 5. ми́мо гидроста́нции — *gen,* 6. для шко́лы — *gen,* 7. по́сле обе́да — *gen,* 8. из ла́геря — *gen,* в го́род — *acc,* 9. в шко́лу — *acc*
б) 1. от дере́вни — *gen,* 2. по́ле, фе́рму — *acc,* 3. рабо́ту — *acc,* 4. с по́ля — *gen,* в дере́вню — *acc,* 5. по́сле рабо́ты — *gen,* 6. о́коло клу́ба — *gen,* 7. без конца́ — *gen*

Exercise 4

1. Do you remember the new rule well? **No, not very well.**
2. Have you a lesson to-day? — **No, there is no lesson to-day.**
3. You don't study grammar, do you? **Yes, I do study grammar.**
4. You did not read the magazine "Science and Life," did you? **Yes, I did.**
5. Have you the magazine "New Times"? **No, I haven't** (the magazine).
6. You aren't a student, are you? **Yes, I am a student.**
7. Is there a wind to-day? **No, there is no wind.**
8. You weren't in Moscow, were you? **Yes, I was there.**
9. There is **no** life without air.
10. There is **no** smoke without fire.

Exercise 5

а) 1. нет снéга, 2. нé было сóлнца, 3. не бýдет морóза, 4. не люблю́ зимы́.

б) 1. На столé нé было ни письмá, ни газéты, ни журнáла. 2. Сейчáс Вáси нет дóма. 3. Он не готóвит урóка. 4. Зáвтра в клýбе не бýдет концéрта.

УРОК 34ᵍ

Exercise 1

Negative Phrases:	Phrases with Prepositions:
вéтра нет	у калитки
ни óблака	из гóрода
нé было дождя́	пóсле рабóты
нé было ни шкóлы, ни библио-тéки, ни клýба	без воды́
	для семьи́
не знáют нужды́	из-за поворóта

Exercise 3

смех — смея́ться; петь — пéние — пéсня; пóмнить — вспоминáть; бýду — бýдущий; нýжно — нуждá; виногрáд — виногрáдник; ходи́ть — необходи́мый; хлóпок — хлóпковый

Exercise 4

Сегóдня хорóшая погóда. На нéбе ни óблака. Дождя́ не бýдет. Вчерá на нéбе былá большáя сéрая тýча. Из-за тýчи нé было ви́дно сóлнца, но грозы́ нé было. Сегóдня ти́хо. Вéтра нет.

УРОК 35ª

Exercise 1

1. Answer (to) the teacher in Russian. 2. We are going to the director. 3. I am bringing the teacher a magazine. 4. Do you advise (my) sister Vera to go to the South? 5. I am helping (my) father to work in the kitchen garden. 6. We are glad to see the sun. 7. Our work will be ready by Saturday. 8. My school-friend is going to the Urals. 9. A large ship is sailing on the sea. 10. He will be here by evening. 11. Everyone of the pupils has already once been at the museum. 12. We are studying Russian with a text-book.

Exercise 2

а) 1. колхóзу *m dat* — комý? 2. клáссу *m dat* — комý? 3. сестрé *f dat* — комý? 4. Тáне *f dat* — комý? 5. Николáю Ивáновичу *m dat* — комý? 6. учи́тельнице *f dat* — комý? 7. учи́тельницу *f acc* — когó? 8. товáрищу *m dat* — комý? книгу *f acc* — что? 9. успéху *m dat* — чемý? 10. сóлнцу *n dat* — чемý?

318

б) 1. к маши́не *f dat* — куда́? к чему́? 2. к до́ктору *m dat* — к кому́?, куда́? 3. к учи́тельнице *f dat* — куда́?, к кому́? 4. с ве́чера *m gen* — когда́? 5. к утру́ *n dat* — когда́? 6. на фа́брику *f acc* — куда́? 7. к фа́брике *f dat* — к чему́? 8. с фа́брики *f gen* — отку́да? 9. в шко́лу *f acc* — куда́? 10. на уро́к *m acc* — куда́? 11. к шко́ле *f dat* — к чему́? 12. к реке́ *f dat* — к чему́? 13. к Ва́се *m dat* — куда́?, к кому́? 14. к четвергу́ *m dat* — когда́?

в) 1. по реке́ *f dat* — где?, по чему́? 2. по́ морю *n dat* — где?, по чему́? 3. на́ море *n prep* — где? 4. по са́ду *m dat* — где? 5. по ча́су *m dat* — по ско́лько? 6. по университе́ту *m dat* — како́й?, по чему́? 7. в университе́те *m prep* — где? 8. по го́роду *m dat* — где?, по чему́? 9. в це́нтре *m prep* — где? 10. по бе́регу *m dat* — где?, по чему́? 11. вдоль бе́рега *m gen* — где?, вдоль чего́?

Exercise 3

1. по доро́ге — *dat*, 2. из го́рода — *gen*, в дере́вню — *acc*, 3. к реке́ — *dat*, 4. че́рез ре́ку — *acc*, 5. по́ мосту — *dat*, на... бе́рег — *acc*, в го́ру — *acc*, 6. от колхо́за — *gen*, 7. к колхо́зу — *dat*, 8. у вхо́да — *gen*, 9. из клу́ба — *gen*, 10. к автомоби́лю — *dat*, из автомоби́ля — *gen*, 11. в клуб — *acc*

УРО́К 35°

Exercise 1

Verb + Noun in the Dative Case

a) without Preposition:	b) with Preposition:
Ли́де ... *f* помога́ет	подхо́дит к Ли́де *f*
объясня́ет де́вушке *f*	бу́дьте гото́вы ко вто́рнику *m*
де́вушке *f* ... пока́зывает	по не́бу *n* плыву́т
даёт Ли́де *f* кома́нду	подхо́дит к самолёту *m*
говоря́т Ли́де *f*	по... лицу́ *n* не ви́дно
	ведёт... по кру́гу *m*
	по кома́нде *f* ... пры́гает
	приближа́ется к земле́ *f*
	лети́т к аэродро́му *m*
	к Ли́де *f* прихо́дят

Exercise 2

подхо́дит — *3rd per. sing*, говори́т, сади́тся — *3rd per. sing*, выхо́дит — *3rd per. sing*, ложи́тся, лети́т — *3rd per. sing*, прихо́дят — *3rd per. pl*, говоря́т — *3rd per. pl*

Exercise 3

подхожу́, подхо́дишь; подношу́, подно́сишь; подъезжа́ю, подъезжа́ешь; подбега́ю, подбега́ешь; подвожу́, подво́зишь; подлета́ю, подлета́ешь

Exercise 4

1. подбега́ют, 2. подво́зит, 3. подхожу́, 4. подно́сит, 5. подъезжа́ет, 6. подно́сит, 7. подъезжа́ем, 8. подлета́ют

1. подбега́ли, 2. подвози́л, 3. подходи́л(а), 4. подноси́л, 5. подъезжа́л, 6. подноси́ла, 7. подъезжа́ли, 8. подлета́ли

Exercise 6

1. привози́ли, приезжа́ли, 2. приходи́ла, приноси́ла, 3. прилета́л, привози́л

Exercise 7

лета́ть — лете́ть — лётчик; де́ло — де́лать; я́сно — объясня́ть; земля́ — приземля́ться; сове́т — сове́товать

Exercise 9

1. Ученик отвеча́ет уро́к учи́телю. Вчера́ учи́тель объясня́л кла́ссу но́вое пра́вило. Я сове́товал това́рищу чита́ть журна́л «Но́вое вре́мя». Мой брат помога́л това́рищу изуча́ть ру́сский язы́к.
2. Рабо́чий Ивано́в сейча́с до́ма. Он подхо́дит к шка́фу. В шкафу́ его́ кни́ги и журна́лы. Това́рищ Ивано́в берёт из шка́фа журна́л «Нау́ка и жизнь», сади́тся у окна́ и чита́ет.
3. Мы на аэродро́ме. Я подхожу́ к самолёту и сажу́сь в каби́ну. Лётчик ведёт маши́ну по кру́гу. Самолёт поднима́ется вверх. Мы лети́м в Москву́. Вот самолёт приближа́ется к го́роду. Ещё мину́та, — и мы приземля́емся. Я выхожу́ из каби́ны.

УРОК 36ᵃ

Exercise 1

1. There is a pen with a nib on the table. I am writing **with a pen** now. 2. Kolia writes fast **with a pencil**. Kolia is sitting at the table with a pen in (his) hand. 3. Here is a knife and a fork. I am eating meat **with a fork**. 4. We saw a tractor with a plough. 5. You are approaching a tree with an axe. You are felling a tree **with an axe**. 6. I can drive a car well. 7. Comrade Belov supervises the work of the shop. 8. My sister is interested in music. 9. The worker uses a tool. 10. We were pleased **with the concert**. 11. I am pleased **with the weather** to-day.

Exercise 2

1. с това́рищем, 2. с врачо́м, 3. с Ма́шей, 4. учени́цей Та́ней, 5. с кузнецо́м Серге́ем, 6. карандашо́м, 7. с учи́телем

Exercise 3

1. с сестро́й, 2. с Та́ней, 3. с перо́м, 4. с ве́тром, 5. со сне́гом, 6. с водо́й, 7. с карто́фелем, 8. с лимо́ном, 9. с молоко́м, 10. с аппети́том, 11. с интере́сом

Exercise 4

1. с аэродро́ма *gen*, 2. с се́вера *gen*, 3. с агроно́мом *instr*, 4. с самолёта *gen*, 5. с плу́гом *instr*, 6. с лётчиком *instr*

УРОК 36ᵇ

Exercise 1

a) without Preposition:	b) with Preposition:
па́шут ... тра́ктором и плу́гом	иго́лкой с ни́ткой
убира́ют ... комба́йном	суп с лапшо́й
копа́ет ... лопа́той (ою)	мя́со с карто́фелем
ру́бит ... топоро́м	хлеб с ма́слом
пи́лит ... пило́й (ою)	ко́фе с молоко́м
строга́ет ... руба́нком	чай с лимо́ном
забива́ет молотко́м	
слу́жит инструме́нтом	
шьёт иго́лкой (ою)	
ем ... ло́жкой (ою)	
ре́жем ... ножо́м	
берём ... ви́лкой	

Exercise 2

тра́ктором (тра́ктор *m*), плу́гом (плуг *m*), комба́йном (комбайн *m*), лопа-той (лопа́та *f*), топоро́м (топо́р *m*), пило́й (пила́ *f*), руба́нком (руба́нок *m*), молотко́м (молото́к *m*), инструме́нтом (инструме́нт *m*), иго́лкой (иго́лка *f*), ло́жкой (ло́жка *f*), ножо́м (нож *m*), ви́лкой (ви́лка *f*)

Exercise 3

1. ру́бит де́рево *(acc)*, топоро́м *(instr)*, 2. пи́лит до́ску *(acc)*, пило́й *(instr)*, 3. шьёт иго́лкой *(instr)*, 4. руководи́т рабо́той *(instr)*, 5. управля́ет автомоби́лем *(instr)*, 6. забива́ет гво́зди *(acc)*, молотко́м *(instr)*, 7. рису́ет карандашо́м *(instr)*, 8. управля́ет самолётом *(instr)*, 9. ест суп *(acc)*, ло́жкой *(instr)*, 10. шьёте иго́л-кой *(instr)*

Exercise 4

стол — столя́р; рабо́та — рабо́тать — рабо́чий; рука́ — руководи́ть; на-пра́во — управля́ть; сло́во — посло́вица; интере́с — интересова́ться; заня-тие — занима́ться; пила́ — пили́ть; сад — садо́вник; води́ть — руководи́ть

УРОК 37^а

Exercise 1

1. There is a good highway between the town and the village. 2. A deep river flows at the foot of the hill. 3. The sun was setting behind the forest. 4. There was a large garden in front of the school. 5. Between lunch and dinner the children went for a walk. 6. The girls were returning from the field sing-ing (*lit.* with a song).

Exercise 2

1. над реко́й, 2. под землёй, 3. за дере́вней, 4. над по́лем, 5. за горо́й, 6. за поворо́том, 7. под мосто́м, 8. пе́ред дере́вней, 9. над реко́й, 10. под де́ревом, 11. над ле́сом, 12. ме́жду го́родом и дере́вней, 13. ме́жду колхо́зом «Искра» и колхо́зом «Побе́да»

Exercise 3

1. Comrade Orlov is an engineer. 2. Long ago he was a foreman. 3. My father was a teacher for a long time. 4. My brother wants to be an architect. My sister will be a teacher. 5. My mother is a doctor. My father was also a doctor. 6. This place is growing into a health resort. 7. From far away a ship seems a little dot. 8. The collective farm village Obraztsovo is growing into a town. 9. The old park looked like a forest.

Exercise 4

1. над землёй, 2. по реке́, 3. с ю́га, 4. у окна́, 5. вокру́г до́ма, 6. с побе́дой, 7. ле́сом, 8. ме́жду фе́рмой и по́лем, 9. за стено́й, 10. про́тив ве́тра, 11. литерату́рой, 12. спо́ртом, 13. пти́цей, 14. кем, 15. чем, 16. каран-дашо́м, 17. с интере́сом, 18. дире́ктором

Exercise 5

он ка́жется, они́ ка́жутся; он де́лается, они́ де́лаются; он стано́вится, они́ стано́вятся; он называ́ется, они́ называ́ются; он явля́ется, они́ явля́ются; он слу́жит, они́ слу́жат

УРОК 37⁶

Exercise 1

a) without Preposition:	b) with Preposition:
стано́вится ... реко́й	соединя́ют с Во́лгой
ка́жется мо́рем	соединя́ет ... с До́ном
бога́та ры́бой	вме́сте с Во́лгой ... образу́ют
называ́ет ... «ма́тушкой-реко́й» и	путь ме́жду Москво́й и Ура́лом
«краса́вицей»	лежи́т под сне́гом
	пе́ред нача́лом ... темне́ет
	над исто́ком ... кача́ются
	над де́льтой ... со́лнце

Exercise 2

пар-о-хо́д, рук-о-вод-и́ть, тепл-о-хо́д, полн-о-во́д-ный, мал-о-во́д-ный

Exercise 3

широ́кий — расширя́ться; тёмный — темне́ть; краси́вый — краса́вица — прекра́сный; де́ло — де́лать — де́латься

Exercise 6

Мой сто́л стои́т у окна́. Над столо́м виси́т ла́мпа. Под столо́м лежи́т ковёр. Ме́жду окно́м и дива́ном стои́т шкаф. Напра́во от стола́ стои́т дива́н. Над дива́ном вися́т карти́ны. Пе́ред дива́ном стои́т друго́й стол. На столе́ лежа́т кни́ги и журна́лы. Я сижу́ за столо́м и чита́ю. За стено́й игра́ет му́зыка. За окно́м слышны́ гудки́ автомоби́ля. Моя́ сестра́ сиди́т с карандашо́м в руке́.

УРОК 38ª

Exercise 1

1. го́род, 2. го́рода, 3. по го́роду, 4. го́род, 5. го́родом, 6. в го́роде

Exercise 2

1. гора́, 2. го́ры, 3. к горе́, 4. на́ гору, 5. за го́ру, 6. на горе́

Exercise 4

a) 1. до́ма, 2. това́рища Мака́рова, к автомоби́лю, 3. в автомоби́ль, 4. по доро́ге, 5. маши́ной, 6. на автомоби́ле, 7. до колхо́за, 8. маши́ну, 9. из автомоби́ля

б) 10. за фе́рмой колхо́за, 11. и́з-за ле́са, 12. ре́ку, по́ле, дере́вню, 13. в по́ле, 14. по по́лю, с плу́гом, 15. над по́лем, 16. с земли́, 17. по не́бу, 18. ме́жду шко́лой и клу́бом, 19. зе́млю, 20. тра́ктором с плу́гом, 21. по́сле рабо́ты, с по́ля в дере́вню, 22. с пе́сней

УРОК 38^б

Exercise 1

Noun together with the word which governs its case or is used with it	Nominative case of the noun	Gender	Case in which it appears in the text
путешествие по Волге	Волга	f	dat
служит домом	дом	m	instr
домом отдыха	отдых	„	gen
отдыхать на пароходе	пароход	„	prep
путешествовать по Волге	Волга	f	dat
из Москвы	Москва	„	gen
Во время	время	n	acc
Во время путешествия	путешествие	„	gen
любуетесь природой	природа	f	instr
города на Волге	Волга	„	prep
течение Волги	Волга	„	gen
интересно для путешествия	путешествие	n	gen
расположен при впадении	впадение	„	prep
при впадении в Волгу	Волга	f	acc
при впадении … притока	приток	m	gen
С Волги … виден	Волга	f	gen
находится на склоне	склон	m	prep
на склоне горы	гора	f	gen
В … городе … жил	город	m	prep
носит … имя	имя	n	acc
Над Волгой	Волга	f	instr
Над водою летают	вода	„	instr
проводят время	время	n	acc
проводят время на палубе	палуба	f	prep
любуются красавицей Волгой	красавица Волга	„	instr

Exercise 3

пристань *f*, теплоход *m*, музей *m*, река *f*, небо *n*, день *m*, Кремль *m*, путешествие *n*

Exercise 4

Волга — самая большая река в Европе. Вверх и вниз по Волге идут пароходы и баржи. Волга богата рыбой. Путешествие по Волге на пароходе — лучший отдых. На правом берегу Волги стоит город-герой Сталинград.

УРОК 39^а

Exercise 1

1. В садах (*prep*) колхозников (*gen*) зреют яблоки и груши. 2. Утром рабочие идут на фабрики (*acc*) и заводы (*acc*). 3. Многие рабочие летом отдыхают в санаториях (*prep*). 4. В центре Москвы вдоль улиц (*gen*) зелёные деревья. 5. В гаражах (*prep*) МТС стоят сельскохозяйственные машины. 6. По средам (*dat*) и субботам (*dat*) в клубе бывают концерты. 7. Я был рад успехам (*dat*) товарищей (*gen*). 8. На столе не было ни писем (*gen*), ни журналов (*gen*); на нём лежали газеты и книги. 9. Учитель был доволен учениками (*instr*). 10. На улицах (*prep*) раздавались гудки автомобилей (*gen*).

Exercise 2

1. a) The collective farm members build new houses. b) New houses are built for the collective farm members.

2. a) There is news in the papers (*lit.* it is written in the newspapers) about the hydroelectric stations on the Volga. b) Scientists write about the hydroelectric stations on the Volga.

3. a) One says (They say, *lit.* it is said) that the weather will be fine tomorrow. b) The children are speaking about the weather.

4. a) Collective farmers bring vegetables and milk to the town. b) They bring vegetables and milk from the collective farms to the town. c) Vegetables are brought from collective farms to the town.

5. a) Pupils are studying Russian at school. b) One studies Russian at school. c) Russian is studied at school.

6. a) Here Russian is spoken. They speak Russian here. b) Tania and Kolia speak Russian.

7. a) University professors deliver lectures for the students and the population. b) There are lectures for the students and for the population at the University. At the University, lectures are given for students and the population.

8. a) They transport oil along the Volga. b) Steamers transport oil along the Volga. c) Oil is transported along the Volga.

9. a) There are concerts at the club on Saturdays. b) Performers give concerts at the club on Saturdays. c) Concerts are given at the club on Saturdays.

"Indefinite personal" constructions are to be found in sentences: 1b, 2a, 3a, 4b, 5b, 6a, 7b, 8a, 9a.

Exercise 3

большие города, густые леса, высокие берега, тихие вечера

Exercise 4

1. слоны, 2. у слонов, 3. к слонам, 4. слонов, 5. со слонами, 6. о слонах

Exercise 6

1. лебеди, 2. лебедей, 3. лебедям, 4. лебедей, 5. лебедями, 6. о лебедях

УРОК 39б

Exercise 1

Noun together with the word requiring any case (except the nominative)	Nominative Singular	Gender	Number of the word in the text	Case of the word in the text
популярен среди населения	население	n	sing	gen
зоопарк посещают	зоопарк	m	"	acc
бывают... по утрам	утро	n	pl	dat
среди дня	день	m	sing	gen
экскурсии в зоопарк	зоопарк	m	"	acc
совершают экскурсии	экскурсия	f	pl	acc
вместе с учениками приходят	ученик	m	"	instr
много посетителей	посетитель	"	"	gen
бывает в зоопарке	зоопарк	"	sing	prep
" по воскресеньям	воскресенье	n	pl	dat
с интересом осматривают	интерес	m	sing	instr
в зоопарке живут	зоопарк	"	"	prep
со всех концов	конец	"	pl	gen
" " " земли	земля	f	sing	

324

Noun together with the word requiring any case (except the nominative)	Nominative Singular	Gender	Number of the word in the text	Case of the word in the text
посети́телей интересу́ют	посети́тель	m	pl	acc
ко́рмят звере́й	зверь	„	„	„
„ „ и птиц	пти́ца	f	„	„
смотре́ть на проде́лки	проде́лка	„	„	„
проде́лки обезья́н	обезья́на	„	„	gen
в зоопа́рке	зоопа́рк	m	sing	prep
живу́т под... не́бом	не́бо	n	„	instr
для слоно́в есть ...	слон	m	pl	gen
на лужа́йках... гуля́ют	лужа́йка	f	„	prep
ста́и лебеде́й	ле́бедь	m	„	gen
пла́вают в пруда́х	пруд	„	„	prep
в зоопа́рке ...	зоопа́рк	„	sing	„
рёв льво́в	лев	„	pl	gen
„ ти́гров	тигр	„	„	„
„ волко́в	волк	„	„	„
„ медве́дей	медве́дь	„	„	„
пе́ние птиц	пти́ца	f	„	„

Exercise 2

1. в шкафа́х, 2. пи́сем, 3. на парохо́дах, 4. отве́тами учеников, 5. по у́лицам, 6. над поля́ми, 7. э́ти това́рищи, инжене́рами, 8. облако́в, 9. для книг, 10. това́рищам, 11. по моря́м, 12. на го́ры, 13. арти́стов, писа́телей, 14. в ва́зах, цвето́в, 15. кни́ги

Exercise 3

... как ко́рмят звере́й ...
В зоопа́рке посети́телям ча́сто чита́ют ле́кции.

Exercise 4

шко́льник — шко́льница, посети́тель — посети́тельница, учени́к — учени́ца, учи́тель — учи́тельница, сотру́дник — сотру́дница, обита́тель — обита́тельница, колхо́зник — колхо́зница

Exercise 7

а) 1. медве́дя (медве́дей), лиси́цу (лиси́ц), 2. к кле́тке (кле́ткам), с во́лком (волка́ми), 3. об обезья́не (обезья́нах)
б) 1. реки́ (рек), о́зера (озёр), 2. о го́роде (города́х), 3. по мо́рю (по моря́м)
в) 1. на окне́ (о́кнах), 2. вдоль стены́ (стен), 3. в шкафу́ (шкафа́х)
г) 1. с горы́ (гор), 2. на скло́не (скло́нах), 3. в саду́ (сада́х)
д) 1. по доро́ге (доро́гам), 2. над по́лем (поля́ми), ле́сом (леса́ми), 3. ми́мо села́ (сёл), дере́вни (дереве́нь)
е) 1. комба́йном (комба́йнами), 2. с по́ля (поле́й), 3. на ме́льницу (ме́льницы)
ж) 1. на уро́ке (уро́ках), 2. вопро́са (вопро́сов), 3. о колхо́зе (колхо́зах)
з) 1. ученику́ (ученика́м), о мо́ре (моря́х), 2. с пионе́ром (пионе́рами), 3. студе́нту (студе́нтам)

УРОК 40ᵃ

Exercises 1, 2, 3

See Grammar.

Exercise 4

во́семь часо́в, три мину́ты, два́дцать два часа́, семь мину́т, три́дцать две мину́ты, четы́рнадцать часо́в, шестьдеся́т мину́т

Exercise 5

а) 1. два окна́, 2. пять книг, 3. пятна́дцать парт, 4. две ка́рты, 5. два́дцать семь ученико́в, 6. де́сять кла́ссов, 7. в во́семь часо́в, 8. со́рок пять мину́т, 9. учителе́й, 10. три языка́

б) 1. во́семьдесят четы́ре киломе́тра, 2. семь киломе́тров, 3. во́семьдесят гекта́ров, 4. се́мьдесят пять гекта́ров, 5. пять неде́ль

в) 1. три автомоби́ля, 2. де́вять самолётов, 3. три корабля́, 4. четы́ре ло́дки

г) 1. два стола́, 2. во́семь дете́й, 3. две ва́зы, 4. четы́ре ро́зы и пятна́дцать тюльпа́нов, 5. во́семь таре́лок и пять стака́нов, 6. две ви́лки, два ножа́ и две ло́жки

д) 1. девяно́сто две кварти́ры, 2. девяно́сто пять номеро́в, 3. посети́телей, 4. семна́дцать ти́гров и восемна́дцать медве́дей

е) 1. шесть слов, 2. шесть букв, 3. де́вять букв, 4. три ци́фры, 5. цифр

УРОК 40^а

Exercise 1

В три часа́, се́мьдесят шесть ты́сяч зри́телей, в два часа́ пятьдеся́т пять мину́т, че́рез пять мину́т, о́бе кома́нды, челове́к два́дцать фоторепортёров, че́рез со́рок мину́т, оди́н, че́рез пятна́дцать мину́т, два́дцать пять мину́т, о́ба вратаря́, пять мину́т, счёт два : оди́н

For explanation see Grammar, Lesson 40^а.

Exercise 3

футбол-и́ст, защи́т-ник, зри́-тель, пев-е́ц — agent of the action

Exercise 5

боле́льщик-щик, москви́ч-ич, игро́к-ок

Exercise 6

игра́ть — игро́к; ата́ка — атакова́ть; защи́тник — защища́ться; боле́льщик — боле́ть—больно́й; по́льза — поле́зный—по́льзоваться; счита́ть — счёт

УРОК 41^а

Exercise 3

a) Objects which can be counted: конфе́та, я́блоко, папиро́са, магази́н, покупа́тель, сад, кни́га, цвето́к, тетра́дь, го́род, мину́та

b) Objects which can be measured: мя́со, вино́, сыр, ветчина́, ма́сло, молоко́, са́хар, чай, карто́фель, това́р, хлеб, свет, во́здух, вода́, бума́га, зе́лень

Exercise 4

a) Quantity: ты́сяча рубле́й, со́тня папиро́с, деся́ток я́блок, миллио́н рубле́й

b) Measure: литр молока́, ба́нка ма́сла, па́чка бума́ги, килогра́мм са́хара, киломе́тр пути́, коро́бка конфе́т, гекта́р земли́, стака́н воды́, буты́лка вина́, полкило́ сы́ра, таре́лка су́па

c) Indefinite Quantity: мно́го дете́й

Exercise 5

a) 1. шахт, заво́дов, 2. у́гля, 3. пшени́цы, 4. карто́феля, овоще́й, 5. молока́, ма́сла

б) 1. книг, 2. бума́ги, 3. уро́ков, 4. газе́т, журна́лов, 5. пе́сен

в) 1. рубле́й, 2. рубля́, 3. рубль, копе́йки, 4. рубле́й, 5. рубле́й, копе́ек

г) 1. я́блок, 2. папиро́с, 3. рубле́й, 4. деся́тка, едини́ц, 5. ты́сячи, со́тни

УРОК 41б

Exercise 1

а) 1. три́дцать **четы́ре** рубля́ *m sing*, два́дцать **семь** копе́ек *f pl*, 2. **пятьдеся́т** рубле́й *m pl*, две моне́ты *f sing*, пятна́дцать копе́ек *f pl*, **шестна́дцать** рубле́й *m pl*, три копе́йки *f sing*

б) 1. покупа́ет ма́сла *n sing*, сы́ру *m sing*, 2. прино́сит... ветчины́ *f sing*, колбасы́ *f sing*

в) 1. деся́ток я́блок *n pl*, не́сколько груш *f pl*, 2. мно́го са́хару *m sing*

Exercises 2, 3

1. подхо́дят, подходи́ли, 2. стои́т *or* стоя́т, стоя́ло *or* стоя́ли, 3. стоя́т, стоя́ли, 4. лежи́т *or* лежа́т, лежа́ло *or* лежа́ли, 5. е́дет, е́хало, 6. лети́т, лете́ло, 7. идёт *or* иду́т, шло *or* шли, 8. рабо́тает *or* рабо́тают, рабо́тало *or* рабо́тали, 9. бе́гают, бе́гали, 10. игра́ет *or* игра́ют, игра́ло *or* игра́ли, 11. растёт, росло́, 12. живёт, жи́ло, 13. пла́вает, пла́вала, 14. отдыха́ет, отдыха́ло, 15. выступа́ет, выступа́ло, 16. поёт, пе́ло

Exercise 4

ходи́ть — выходи́ть—вы́ход—находи́ться — вход—подходи́ть; покупа́ть—поку́пка — покупа́тель; дава́ть — продава́ть — продаве́ц — передава́ть — сда́ча

УРОК 42

Exercise 1

Noun together with the word requiring any case (except the nominative)	Nominative Singular	Gender	Number of the word in the text	Case of the word in the text
на у́лицах	у́лица	f	pl	prep
на у́лицах Москвы́	Москва́	"	sing	gen
по у́лицам.. дви́жутся	у́лица	"	pl	dat
в Москве́ ...	Москва́	"	sing	prep
ста́нции метро́	метро́	n	"	gen
дворцы́ под землёй	земля́	f	"	instr
населе́ние Москвы́	Москва́	"	"	gen
жи́тели столи́цы	столи́ца	"	"	"
получа́ют... кварти́ры	кварти́ра	"	pl	acc
„ магази́ны	магази́н	m	"	"
„ учрежде́ния	учрежде́ние	n	"	"
дере́вья вдоль у́лиц	у́лица	f	"	gen
украша́ют го́род	го́род	m	sing	acc
в скве́рах ...	сквер	"	pl	prep
в сада́х ...	сад	"	"	"
на бульва́рах ...	бульва́р	"	"	"
мно́го зе́лени	зе́лень	f	sing	gen
„ цвето́в	цвето́к	m	pl	"
не́сколько па́рков	парк	"	"	"
па́рков культу́ры	культу́ра	f	sing	"
„ „ и о́тдыха	о́тдых	m	"	"
вдоль бе́рега	бе́рег	"	"	"
бе́рега Москвы́-реки́	Москва́-река́	f	"	"
300 гекта́ров	гекта́р	m	pl	"
„ „ земли́	земля́	f	sing	"
с ка́ждым го́дом	год	m	"	instr

327

Exercise 2

сове́тский — сове́т, наро́дный — наро́д, верхо́вный — верх, кремлёвский — Кремль, моско́вский — Москва́, желе́зный — желе́зо, госуда́рственный — госуда́рство, центра́льный — центр, культу́рный — культу́ра

Exercise 4

1. Here is Comrade Ivanov's room. There is much light here. There are two windows in the room. The windows of the room face the street. There are some pictures on the walls. There are many books in the book-cases. I don't see any calendar on the wall.

2. There is a lot of fruit and a box of candy on the table. There are 15 pears, 10 apples and 4 oranges in the bowl. Here is one kilogram of honey and one litre of milk. Give me some tea, please. I don't like milk.

For explanation see Grammar, Lesson 32ª.

Exercise 5.

For explanation see Grammar, Lesson 36ª.

Exercise 6

a) без (+ *gen*); в (во) (+ *acc*, + *prep*); вдоль (+ *gen*); вокру́г (+ *gen*); для (+ *gen*); до (+ *gen*); за (+ *acc*, + *instr*); из-за (+ *gen*); к (ко) (+ *dat*); ме́жду (+ *instr*); ми́мо (+ *gen*); на (+ *acc*, + *prep*); о (об) (+ *prep*); о́коло (+ *gen*); пе́ред (+ *instr*); по (+ *dat*); под (+ *acc*, + *instr*); посереди́не (+ *gen*); при (+ *prep*); про́тив (+ *gen*), с (со) (+ *gen*, + *instr*); среди́ (+ *gen*); у (+ *gen*); че́рез (+ *acc*)

Genitive	Dative	Accusative	Instrumental	Prepositional
без, вдоль, вокру́г для, до, из-за, ми́мо, о́коло, от, посереди́не, по́сле, про́тив, с, среди́, у	к, по	в (во), на, за, под, че́рез	за, ме́жду, над, под, пе́ред, с	в, на, о (об), при

Exercise 7

1. The student Misha was at professor Nikitin's (place). Professor Nikitin has many books. The desk stands at the window.

2. We work **according to** plan. I study Grammar every day **for** an hour. Vania is my schoolmate. Vania and Kolia **each** take a book at the library. **In** the evening (every evening) we—listen to the Moscow radio. An automobile is running **along** the street.

3. There is music **behind** the wall. I am going to the library **for** books. We are sitting **at** the table.

Exercise 8

1. с шу́мом, с горы́, 2. с парохо́да, с веща́ми, 3. с мо́ря, 4. с утра́, 5. с земли́, 6. с пе́снями, с по́ля, 7. с лётчиком, 8. с аэродро́ма, 9. с се́вера, 10. с волне́нием, 11. с парашю́том, 12. с самолёта

Exercise 9

a) 1. от, 2. из, 3. от, 4. из, 5. от, 6. из, 7. из, 8. от *or* из, 9. от, 10. из
б) 1. по, 2. на, 3. по, 4. в, 5. по, 6. на, в, 7. по, 8. в

Exercise 10

1. на парохо́де, по Во́лге, 2. по реке́, про́тив тече́ния, 3. на не́бе, ни звёзд, ни луны́. 4. на па́лубе, Во́лгой, 5. за парохо́дом, 6. в Улья́новске, 7. музе́й, 8. на парохо́д, 9. с парохо́да, 10. на скло́не горы́, 11. с това́рищами, по Во́лге, по тече́нию, 12. у Во́лги, 13. в Москву́, 14. по кана́лу, 15. к столи́це, 16. на кана́ле, 17. с парохо́да, 18. Москве́

A LPHABETICAL VOCABULARY

Abbreviations:

acc	— accusative	*inter*	— interrogative
adj	— adjective	*m*	— masculine
adv	— adverb	*n*	— neuter
cj	— conjunction	*nom*	— nominative
conj	— conjugation	*num*	— numeral
dat	— dative	*prep*	— prepositional
gen	— genitive	*pr*	— preposition
f	— feminine	*pron*	— pronoun
fut	— future	*pl*	— plural
instr	— instrumental	*sing*	— singular
int	— interjection		

In this Vocabulary the gender of nouns is indicated by the following abbreviations: *m* — masculine, *f* — feminine, *n* — neuter. (The word "noun" is used only in special instances.)

In instances presenting difficulty the noun is followed by its genitive singular and nominative plural forms, for example:

отéц *m* father; **отцá** *gen*; **отцы́** *pl*

Adjectives are not marked as their number and gender endings given in the Vocabulary clearly indicate them as such.

Roman figures *I* or *II* placed after the Russian verbs indicate the conjugation to which the verb belongs.

For the same reason some of the verbs are followed by the 1st and 2nd person forms of the Present Tense in brackets, for example:

петь (пою́, поёшь) *I* to sing

Cardinal numerals have not been included in the Vocabulary as they are g. en in Lesson 40ª.

A list of the geographical names used in this book is given after the Vocabulary.

A

a *cj* but; and
автобус *m* autobus, bus
автозавод *m* automobile works
автомобиль *m* automobile
агроном *m* agronomist
академик *m* academician
академия *f* academy
    Академия Наук СССР Academy of Sciences of the USSR
    Академия художеств СССР USSR Academy of Arts
актёр *m* actor
актриса *f* actress
альпинист *m* Alpinist, mountaineer
американец *m* an American; **американцы** *pl*
американка *f* an American (woman)
американский, -ая, -ое; -ие American
ангина *f* tonsillitis, sore throat, quinsy
англичанин *m* Englishman; **англичане** *pl*
англичанка *f* Englishwoman
английский, -ая, -ое; -ие English
англо-русский, -ая, -ое; -ие Anglo-Russian
аплодисменты (*only pl*) applause
апельсин *m* orange
аппетит *m* appetite
армия *f* army
армянин *m* an Armenian; **армяне** *pl*
армянка *f* an Armenian (woman)
артист *m* actor, artist, performer
архитектор *m* architect
архитектура *f* architecture
атака *f* attack
атаковать (атакую, атакуешь) *I* to attack
афиша *f* bill, poster
аэродром *m* aerodrome
аэроплан *m* aeroplane

Б

база *f* base, basis; *in the text:* centre
бал *m* ball
балет *m* ballet
балкон *m* balcony
банка *f* jar
баржа *f* barge
бассейн *m* basin, pool
башня *f* tower
бегать (бегаю, бегаешь) *I* to run
бежать *mixed conj* to run
без *pr* (+ *gen*) without
белый, -ая, -ое; -ые white
берег *m* shore, bank; **берега** *pl*
беседовать (беседую, беседуешь) *I* to converse, to talk

Б

библиотека *f* library
биография *f* biography
биология *f* biology
благодарить (благодарю, благодаришь) *II* to thank
блестеть (блещу, блестишь) *II* to shine, to sparkle
близко *adv* near
богатство *n* wealth, riches
богатый, -ая, -ое; -ые rich
бодро *adv* cheerfully
бодрый, -ая, -ое; -ые cheerful, bracing
более more
болельщик *m* (football) fan
болеть (болею, болеешь) *I* to be ill
    болит it aches
больничный, -ая, -ое; -ые; **больничный лист** sick-leave certificate
больной, -ая, -ое; -ые ill, sick
большой, -ая, -ое; -ие big, large
    Большой театр Bolshoi Theatre
больше *adv* more
борона *f* harrow
борьба *f* struggle, contest
борт *m* side (*of a ship*)
брат *m* brother; **братья** *pl*
брать (беру, берёшь) *I* to take
будущий, -ая, -ее; -ие future
буква *f* letter
бульвар *m* boulevard, avenue
бумага *f* paper
бутылка *f* bottle
бухта *f* bay
бывать *I* to be, to happen
    бывает it happens
быстро *adv* quickly, rapidly
быстрый, -ая, -ое; -ые quick, rapid
быть (буду, будешь) *I* to be (shall be, will be)

В

в, во *pr* (+ *acc*, + *prep*) in, at
    в том числе including
вагон *m* carriage
ваза *f* vase
важно it is important
важный, -ая, -ое; -ые important
ванная *f* bathroom
вахта (*naut.*) *f.* watch
ваш, ваша, ваше; ваши your, yours
вверх *adv* up, upwards
вдали *adv* in the distance
вдоль *adv* along
везти (везу, везёшь) *I* to carry, to drive, to bring, to draw
великий, -ая, -ое; -ие great
велосипед *m* bicycle
верхний, -яя, -ее; -ие upper

Верхо́вный Сове́т Supreme Soviet. The Supreme Soviet of the USSR is the highest organ of state power and the highest legislative organ of the USSR; it is elected every four years.

ве́село *adv* jolly, gay, gaily, merrily
весёлый, -ая, -ое; -ые jolly, gay
весе́нний, -яя, -ее; -ие spring
весна́ *f* spring
весно́й *adv* in spring
вести́ (веду́, ведёшь) *I* to lead, to direct, to conduct
весь, вся, всё; все all, everything
ве́тер *m* wind; **ве́тра** *gen*; **ве́тры** *pl*
ветчина́ *f* ham
ве́чер *m* evening; **вечера́** *pl*
ве́чером *adv* in the evening
ве́шать *I* to hang (up), to weigh
вещь *f* thing
взро́слый, -ая, -ое; -ые grown-up, adult
вид *m* view
ви́деть (ви́жу, ви́дишь) *II* to see
ви́лка *f* fork
вино́ *n* wine; **ви́на** *pl*
виногра́д *m* grapes
висе́ть *II* to hang
вку́сно *adv* tasty, it is tasty
вку́сный, -ая, -ое; -ые tasty
вме́сте *adv* together
вниз *adv* down, downwards
внизу́ *adv* below, downstairs
внима́тельно *adv* attentively
внук *m* grandson
вну́чка *f* grand-daughter
вода́ *f* water
во́дный, -ая, -ое; -ые water, aquatic
вождь *m* leader
возвраща́ться (возвраща́юсь, возвраща́ешься) *I* to return
возвыша́ться *I* to rise, to tower above
во́здух *m* air
вози́ть (вожу́, во́зишь) *II* to carry, to drive, to bring, to convey
вокза́л *m* station
вокру́г *adv, pr* (+ *gen*) round, around
волк *m* wolf
волна́ *f* wave; **во́лны** *pl*
волнова́ться (волну́юсь, волну́ешься) *I* to be excited, to be upset, to surge, to be in agitation
волне́ние *n* agitation, nervousness
во́лосы *pl* hair
вопро́с *m* question
воро́та *pl* gates; goal
воскресе́нье *n* Sunday
восто́к *m* east
вот here

впада́ть (впада́ю, впада́ешь) *I* to fall into
впаде́ние *n* confluence, mouth
впереди́ *adv* in front (of)
впра́во *adv* to (on) the right
врата́рь *m* goalkeeper
врач *m* doctor
вре́мя *n* time
всегда́ *adv* always
вско́ре *adv* soon (after), shortly after
вслух *adv* aloud
вспомина́ть (вспомина́ю, вспомина́ешь) *I* to remember
встава́ть (встаю́, встаёшь) *I* to get up, to rise
встреча́ть (встреча́ю, встреча́ешь) *I* to meet
всю́ду *adv* everywhere
вто́рник *m* Tuesday
второ́й, -а́я, -о́е; -ы́е second
вуз (=вы́сшее уче́бное заведе́ние) *m* higher educational institution, university, higher school
вчера́ *adv* yesterday
вход *m* entrance
входи́ть (вхожу́, вхо́дишь) *II* to come in, to enter
вы *pron* you
выбега́ть (выбега́ю, выбега́ешь) *I* to run out
выбира́ть (выбира́ю, выбира́ешь) *I* to select, to choose
выезжа́ть (выезжа́ю, выезжа́ешь) *I* to leave, to move (from), to ride, to drive out (of)
вы́мпел *m* pennant
высо́кий, -ая, -ое; -ие high, tall
высоко́ *adv* high
высо́тный, -ая, -ое; -ые many-storied, tall
выстра́иваться *I* to line up
выступа́ть (выступа́ю, выступа́ешь) *I* to perform
вы́ход *m* exit
выходи́ть (выхожу́, выхо́дишь) *II* to go out.
вы́ше *adv* higher

Г

газе́та *f* newspaper
галере́я *f* gallery
гара́ж *m* garage
«Гастроно́м» *m the name of some of the provisions shops*
гастрономи́ческий, -ая, -ое; -ие delicatessen
гвоздь *m* nail
где where
гекта́р *m* hectare

геолог *m* geologist
герой *m* hero
гигант *m* giant
гидроэлектростанция *f* hydroelectric power station
гимнастика *f* exercises, gymnastics
главный, -ая, -ое; -ые main, principal, chief
глаз *m* eye; глаза *pl*
глотать (глотаю, глотаешь) *I* to swallow, to gulp down
глоток *m* sip; глотка *gen*; глотки *pl*
глубокий, -ая, -ое; -ие deep
глубоко *adv* deep, deeply
говорить (говорю, говоришь) *II* to speak, to talk
год *m* year; годы *or* года *pl*
гол *m* goal
голова *f* head; головы *pl*
голос *m* voice
голубой, -ая, -ое; -ые blue
гонг *m* gong
гора *f* mountain, hill; горы *pl*
гореть (горю, горишь) *II* to burn
горло *n* throat
горный, -ая, -ое; -ые mining
город *m* city, town; города *pl*
городской, -ая, -ое; -ие urban
горчица *f* mustard
горячий, -ая, -ее; -ие hot
гостиница *f* hotel
гостить (гощу, гостишь) *II* to stay with; at; to be on a visit to; to be a guest of
гость *m* guest, visitor
государственный, -ая, -ое; -ые state
государство *n* state
готовить (готовлю, готовишь) *II* to prepare; to cook
готовиться (готовлюсь, готовишься) *II* to prepare
гражданин *m* citizen; граждане *pl*
гражданка *f* citizen(ess)
грамм *m* gram
грамматика *f* grammar
грандиозный, -ая, -ое; -ые vast, huge, immense, grandiose
графин *m* water-bottle, carafe
греметь (гремлю, гремишь) *II* to thunder, to clatter
греть (грею, греешь) *I* to give out warmth, to warm
грипп *m* influenza, grippe
гроза *f* (thunder)storm; грозы *pl*
гром *m* thunder
громкий, -ая, -ое; -ие loud
громко *adv* loudly, loud
грузиться *II* to load, to embark
грузовик *m* motor, lorry, truck
группа *f* group, party

груша *f* pear
гудок *m* hooting; гудка *gen*; гудки *pl*
гулять (гуляю, гуляешь) *I* to walk, to go for a walk
густой, -ая, -ое; -ые dense, thick

Д

да yes
давать (даю, даёшь) *I* to give
давно *adv* long ago, long since
даже even
дальше *adv* farther on, further on
дача *f* summer house
дверь *f* door
двигаться *I* to move
движение *n* movement, traffic
двор *m* court, courtyard; дворы *pl*
дворец *m* palace; дворца *gen sing*; дворцы *nom pl*
девочка *f* little girl
девушка *f* girl
делать (делаю, делаешь) *I* to do
делаться *I* to do, to be done, to become
дело *n* matter, business, affair
дельта *f* delta
демократ *m* democrat
демократия *f* democracy
день *m* day; дня *gen*; дни *pl*
деньги *pl* money; денег *gen pl*
дёргать *I* to pull
деревня *f* village; деревни *pl*; деревень *gen pl*
дерево *n* tree; деревья *pl*
держать (держу, держишь) *II* to hold
десяток ten; десятка *gen*; десятки *pl*
дети *pl* children
детство *n* childhood
диван *m* sofa
диктант *m* dictation
диктовать (диктую, диктуешь) *I* to dictate
«Динамо» "Dynamo" (*name of a sports' association; also: name of a sport stadium*)
динамовец *m* Dynamovite (*member of the Dynamo sports' association*); динамовцы *pl*
директор *m* director
длинный, -ая, -ое; -ые long
для *pr* (+ *gen*) for
днём *adv* in the daytime
до *pr* (+ *gen*) before, till, until; as far as
до свидания good-bye
добавлять *I* to add
добывать *I* to extract, to mine
добываться *I* to be extracted, to be mined
довольно *adv* sufficient, sufficiently, enough, that'll do

дождь *m* rain
до́ктор *m* doctor; доктора́ *pl*
до́лжен, должна́, должны́ must, ought, have to
до́лго *adv* long, for a long time
доли́на *f* valley
дом *m* house; дома́ *pl*
  дом о́тдыха rest home
до́ма *adv* at home *(location)*
домо́й *adv* home *(direction)*
доро́га *f* road
дорого́й, -а́я, -бе; -и́е dear; expensive
доска́ *f* board, blackboard
доставля́ть *I* to deliver
дочь *f* daughter
драгоце́нный, -ая, -ое; -ые precious
драмати́ческий, -ая, -ое; -ие dramatic
драмкружо́к *m* dramatic circle
дре́вний, -яя, -ее; -ие ancient, old
друг *m* friend
друго́й, -а́я, -о́е; -и́е other, another
дру́жный, -ая, -ое; -ые friendly
дру́жно *adv* in harmony
ду́мать *I* to think
дуть *I* to blow
дым *m* smoke
ды́ня *f* melon
дюйм *m* inch
дя́дя *m* uncle

Е

его́ *pron* his; him
едва́ *adv* scarcely, hardly
едини́ца *f* unit
её *pron* her; hers
е́здить (е́зжу, е́здишь) *II* to drive, to ride, to travel
ель *f* fir-tree, spruce
есть *present tense of* быть
есть (ем, ешь) *mixed conj* to eat
ещё more, also, too; still
е́хать (е́ду, е́дешь) *I* to ride, to drive, to travel

Ё

ёлка *f* fir-tree, spruce

Ж

жар *m* fever, temperature
жара́ *f* heat
жа́ркий, -ая, -ое; -ие hot
жа́рко *adv* hot(ly); it is hot
же and; as to; but
желе́зо *n* iron
жёлтый, -ая, -ое; -ые yellow
жена́ *f* wife
же́нщина *f* woman
живо́й, -а́я, -о́е; -ы́е alive, live, living

живопи́сно *adv* picturesque
живопи́сный, -ая, -ое; -ые picturesque
жизнь *f* life
жи́тель *m* inhabitant
жить (живу́, живёшь) *I* to live
жужжа́ть *II* to buzz
жук *m* beetle
журна́л *m* magazine
журнали́ст *m* journalist
журнали́стка *f* journalist (woman)
журча́ть *II* to babble, to murmur

З

за *pr* (+ *acc*, + *instr*) behind; at; for; beyond
забива́ть *I* to drive in, to hammer in, to nail; to score
забыва́ть *I* to forget
заво́д *m* factory, works, plant, mill
за́втра *adv* to-morrow
за́втрак *m* breakfast
за́втракать *I* to have breakfast, to breakfast
загора́ться *I* to catch fire, to burn, to begin to burn, to light up
задава́ть (*вопро́с*) (задаю́, задаёшь) *I* to ask (*a question*)
зада́ние *n* task, job, homework, assignment
зажига́ть *I* to light, to set fire (to), to make a fire, to kindle
зажига́ться *I* to light up, to catch fire
зака́зывать *I* to order
зака́нчиваться *I* to come to an end, to end in, to finish
зал *m* hall
зали́в *m* bay
залива́ть *I* to flood
замеча́тельный, -ая, -ое; -ые wonderful, remarkable, striking
замеча́ть *I* to notice
замо́к *m* lock; замка́ *gen*
за́мок *m* castle; за́мка *gen*
занаве́ска *f* curtain
занима́ть *I* to occupy, to take up
занима́ться *I* to study, to be engaged in, to be busy (with)
заня́тие *n* study, occupation
за́пад *m* west
заполня́ть *I* to fill (in)
засыпа́ть *I* to fall asleep
зате́м *adv* after that, then
защи́тник *m* full-back, defender
защища́ться *I* to defend oneself
звезда́ *f* star
зверь *m* animal, beast
звони́ть (звоню́, звони́шь) *II* to ring
звуча́ть *II* to sound

зда́ние *n* building
здесь *adv* here
здра́вствуйте .how do you do, hallo
зелёный, -ая, -ое; -ые green
зе́лень *f* verdure
земля́ *f* earth, land
зе́ркало *n* mirror, looking-glass
зерно́ *n* grain
зима́ *f* winter
зи́мний, -яя, -ее; -ие winter, wintry
зимо́й *adv* in winter
знако́мый, -ая, -ое; -ые familiar
знако́мый, знако́мая; знако́мые *sub-stantivized adj* friend, acquaintance
знамени́тый, -ая, -ое; -ые famous
зна́мя *n* banner
зна́ние *n* knowledge
знать *I* to know
значо́к *m* badge
золото́й, -а́я, -о́е; -ы́е gold, golden
зонт *m* umbrella
зооло́гия *f* zoology
зоопа́рк (= зоологи́ческий сад) *m* Zoo
зреть *I* to ripen, to grow ripe
зри́тель *m* spectator
зуб *m* tooth

И

и *cj* and
и́ва *f* willow
иго́лка *f* needle
игра́ *f* game, acting, playing
игра́ть *I* to play, to act
игро́к *m* player; игрока́ *gen*; игроки́ *pl*
идти́ *I* to go, to walk
из *pr* (+ *gen*) from, out of
изба́ *f* cottage
изве́стный, -ая, -ое; -ые known
извиня́ться *I* to apologize
из-за *pr* (+ *gen*) from behind
изуча́ть *I* to study
икра́ *f* caviar
и́ли *cj* or
и́мя *n* first name; и́мени *gen*; имена́ *pl*
инди́йский, -ая, -ое; -ие Indian
инжене́р *m* engineer
иногда́ *adv* sometimes
институ́т *m* institute
инстру́ктор *m* instructor
инструме́нт *m* instrument
интере́с *m* interest
интере́сно *adv* interesting (-ly); it is interesting
интере́сный, -ая, -ое; -ые interesting
интересова́ть *I* to interest
интересова́ться *I* to be interested in
и́скра *f* spark
иску́сство *n* art

исто́к *m* source
исто́рия *f* history; story
ита́к so, thus, and so
их *pron* their; theirs

К

к, ко *pr* (+ *dat*) to, towards
каби́на *f* cockpit
кадр *m* shot
ка́ждый, -ая, -ое; -ые *pron* each
каза́ться to seem
ка́жется it seems
как how, as, like
како́й, -а́я, -о́е; -ие *pron* what, which
календа́рь *m* calendar
кали́тка *f* wicket
ка́мень *m* stone; ка́мни *pl*
ка́менный, -ая, -ое; -ые stone, brick
ка́менный у́голь anthracite
кана́л *m* canal
кани́кулы *pl* holidays, vacation
капита́н *m* captain
каранда́ш *m* pencil
ка́рий; -ие hazel
карма́н *m* pocket
ка́рта *f* map
карти́на *f* picture
карто́фель *m* potatoes
ка́сса *f* till, cashbox; cashier's
касси́р *m* cashier
кача́ться *I* to swing, to rock
ка́шель *m* cough; ка́шля *gen*
каю́та *f* cabin
кварта́л *m* block
кварти́ра *f* flat
кило́ *n* kilo
килогра́мм *m* kilogram
киломе́тр *m* kilometre
кино́ *n* cinema
киножурна́л *m* newsreel
кинофи́льм *m* film
кипе́ть (киплю́, кипи́шь) *II* to boil, кипи́т рабо́та the work is in full swing
кипу́чий, -ая, -ее; -ие boiling, ebullient
кисе́ль *m* fruit jelly
кита́ец *m* a Chinese; кита́йцы *pl*
класс *m* class (room)
класть (кладу́, кладёшь) *I* to put, to lay, to place
кле́тка *f* cage
кли́мат *m* climate
клуб *m* club
кни́га *f* book
ковёр *m* carpet; ковра́ *gen*; ковры́ *pl*
когда́ when
когда́-то formerly
колбаса́ *f* sausage

количество *n* quantity
колхо́з *m* collective farm, kolkhoz
колхо́зник *m* collective farm member
колхо́зница *f* collective farm member
колхо́зный, -ая, -ое; -ые collective farm
кольцо́ *n* ring; ко́льца *pl*
кома́нда *f* team
комба́йн *m* combine
комбина́т *m* iron and steel mills
ко́мната *f* room
комсомо́лец *m* Komsomol member; комсомо́льца *gen*; комсомо́льцы *pl*
комсомо́лка *f* Komsomol member
коммуни́ст *m* Communist
коммуни́стка *f* Communist
коне́чно of course
коне́ц *m* end; конца́ *gen*; концы́ *pl*
консервато́рия *f* conservatoire
консе́рвы (*only pl*) tinned goods
конто́ра *f* office
конфе́та *f* a sweet, candy
конце́рт *m* concert
конча́ть (конча́ю, конча́ешь) *I* to finish (+ *acc*)
конча́ться *I* to finish, to end
конь *m* horse, steed
коньки́ *pl* skates
копа́ть *I* to dig
копе́йка *f* copeck
кора́бль *m* ship
корми́ть (кормлю́, ко́рмишь) *II* to feed
коро́бка *f* box
коро́ткий, -ая, -ое; -ие short
костёр *m* camp fire; костра́ *gen*; костры́ *pl*
костю́м *m* suit, costume, outfit
ко́фе *m, n* coffee (*is not declined*)
край *m* edge, brim; territory
краса́вица *f* a beauty
краси́во *adv* beautifully; it is beautiful
краси́вый, -ая, -ое; -ые beautiful
кра́сный, -ая, -ое; -ые red
кремлёвский, -ая, -ое; -ие Kremlin
Кремль *m* Kremlin
кре́пко *adv* strong; soundly
кре́сло *n* arm-chair, easy-chair
крестья́нин *m* peasant
кро́ме *pr* (+ *gen*) besides
кро́ме того́ besides
круг circle
по кру́гу in a circle
круго́м *adv, pr* (+ *gen*) round, around
кружо́к *m* circle; кружка́ *gen*; кружки́ *pl*
кру́пный, -ая, -ое; -ые big, large, important
крыло́ *n* wing; кры́лья *pl*
кры́ша *f* roof

кто *pron* who
куда́ *pron* where
кузне́ц *m* smith; кузнеца́ *gen*: кузнецы́ *pl*
культу́ра *f* culture
культу́рно *adv* in a cultured way
культу́рный, -ая, -ое; -ые cultured, cultural
купа́ться (купа́юсь, купа́ешься) *I* to bathe; to take a bath
кури́ть (курю́, ку́ришь) *II* to smoke
куро́рт *m* health resort
кусо́к *m* piece, lump; куска́ *gen*; куски́ *pl*
куст *m* bush
ку́хня *f* kitchen

Л

ла́герь *m* camp
ла́мпа *f* lamp
ла́ндыш *m* lily of the valley
лапша́ *f* noodles
ле́бедь *m* swan; ле́бедя *gen*
лев *m* lion; льва *gen*; львы *pl*
лёгкий, -ая -ое; -ие easy; light
лёд *m* ice; льда *gen*; льды *pl*
лежа́ть (лежу́, лежи́шь) *II* to lie
лека́рство *n* medicine
ле́кция *f* lecture
лес *m* forest, wood
лета́ть (лета́ю, лета́ешь) *I* to fly
лете́ть (лечу́, лети́шь) *II* to fly
ле́тний, -яя, -ее; -ие summer, summerly
ле́то *n* summer
ле́том *adv* in summer
лётчик *m* flyer
ли *interrogative particle* — if, whether
ли́лия *f* lily
лило́вый, -ая, -ое; -ые lilac, lilac-coloured
лимо́н *m* lemon
лиси́ца *f* fox
лист *m* leaf; ли́стья *pl* (*foliage*); листы́ *pl* (*leaves of a book*)
литерату́ра *f* literature
литр *m* litre
лицо́ *n* face; ли́ца *pl*
ло́вкий, -ая, -ое; -ие adroit, deft
ло́дка *f* boat
ложи́ться (ложу́сь, ложи́шься) *II* to lie down
ло́жка *f* spoon
лопа́та *f* shovel, spade
лот (*naut.*) *m* lead
ло́тос *m* lotus
луг *m* meadow
лужа́йка *f* lawn
лук *m* onion

луна́ f moon
луч m ray
лу́чший, -ая, -ее; -ие best
лы́жи pl skis
люби́ть (люблю́, лю́бишь) II to love
люби́мый, -ая, -ое; -ые favourite
любова́ться (любу́юсь, любу́ешься) I to admire
лю́ди pl people
люк m hatch(-way)

М

мавзоле́й m mausoleum
магази́н m shop
май m May
ма́йка f football shirt
мак m poppy
ма́ленький, -ая, -ое; -ие small
ма́ло adv little, few
ма́сло n butter
ма́стер m foreman; мастера́ pl
матема́тика f mathematics
ма́тушка f little, dear mother
матч m (football) match
мать f mother
маши́на f machine
мая́к m beacon; lighthouse
ме́бель f furniture
мёд m honey
медве́дь m bear; медве́дя gen
ме́дленнее slower
ме́дленный, -ая, -ое; -ые slow
ме́дленно adv slowly
медь f copper
ме́жду pr (+ instr) between, among
мел m chalk
мель f shoal, (sand)bank
ме́льница f flour-mill
меню́ n menu, bill of fare
меня́ться (меня́юсь, меня́ешься) I to change
ме́сто n place
ме́сяц m month
мета́лл m metal
металлурги́ческий, -ая, -ое; -ие metallurgical
метро́ n underground
механизи́рованный, -ая, -ое; -ые mechanized
миг m instant, flash
миллио́н m million
ми́мо adv, pr (+ gen) past, by
минда́ль m almonds
мину́та f minute
мир m world; peace
миролюби́вый, -ая, -ое; -ые peace-loving, peaceable
мно́гие many

мно́го adv many, much
мно́жество n many, great number(s), multitude(s)
могу́чий, -ая, -ее; -ие mighty, powerful
мо́жет быть perhaps, maybe
мо́жно adv it is possible
мой, моя́, моё; мой pron my, mine
мол m pier, breakwater
молодёжь f youth
молодо́й, -а́я, -о́е; -ы́е young
молоко́ n milk
мо́лот m hammer
молото́к m hammer; молотка́ gen; молотки́ pl
моль f moth
моме́нт m moment
моне́та f coin
мо́ре n sea
морско́й, -а́я, -о́е; -и́е sea, ocean, naval
моро́з m frost
москви́ч m Moscovite
моско́вский, -ая, -ое; -ие Moscow
мост m bridge; мосты́ pl
мотоци́кл m motorcycle
мочь (могу́, мо́жешь) I can, to be able, may
мра́мор m marble
МТС (маши́нно-тра́кторная ста́нция) machine and tractor station
муж m husband; мужья́ pl
мужчи́на m man
музе́й m museum
му́зыка f music
мча́ться (мчусь, мчи́шься) II to speed (tear) along
мы pron we
мы́ло n soap
мысли́тель m thinker
мысль f thought
мя́со n meat
мяч m ball; мячи́ pl

Н

на pr (+ acc, + prep) on, at
наблюда́ть I to observe
наверху́ adv above, upstairs, on the top floor
над pr (+ instr) over, above
надева́ть I to put on
наде́яться (наде́юсь, наде́ешься) I to hope
на́до necessary
назнача́ть I to appoint, to give
называ́ть I to call, to name
называ́ться (называ́юсь, называ́ешься) I to be called, to be named
наконе́ц adv at last, finally

накрыва́ть *I* to cover
   накрыва́ть на сто́л to set the table
нале́во *adv* to (on) the left
напра́во *adv* to (on) the right
напра́сно *adv* in vain, to no purpose
наприме́р for example, for instance
наро́д *m* people
населе́ние *n* population
на́сморк *m* cold in the head; на́сморка *gen*
насто́ящий, -ая, -ее; -ие real, genuine; present
наступа́ть *I* to attack
насчи́тывать *I* to number, to count
нау́ка *f* science
нау́чно-популя́рный, -ая, -ое; -ые popular science
нау́чный, -ая, -ое; -ые scientific
находи́ть (нахожу́, нахо́дишь) *II* to find (+ *acc*)
находи́ться (нахожу́сь, нахо́дишься) *II* to be, to be found
на́ция *f* nation
нача́ло *n* beginning
начина́ть *I* to begin (*something* + *acc*)
начина́ться *I intrans.* to begin
наш, на́ша, на́ше; на́ши *pron* our, ours
не not
не́бо *n* sky, heaven; небеса́ *pl*
небольшо́й, -а́я, -о́е; -и́е not great, small
нёбо *n* palate
невысо́кий, -ая, -ое; -ие not tall, not high
неда́вно = не так давно́ recently
недалеко́ *adv* not far
неде́ля *f* week
незабу́дка *f* forget-me-not
нельзя́ it is impossible, one must not
нема́ло *adv* not a little, much
не́мец *m* German; не́мца *gen*; не́мцы *pl*
немно́го *adv* slightly, somewhat, a little
немно́жко *adv* = немно́го
необходи́мое *n* that which is necessary
необходи́мый, -ая, -ое; -ые necessary
неоднокра́тно repeatedly, often
непло́хо *adv* not bad, rather well
непреме́нно *adv* without fail; certainly
непреры́вно *adv* incessantly
не́сколько *pron* some, several, a few
нести́ (несу́, несёшь) *I* to carry, to bear
нет no, not
нефтено́сный, -ая, -ое; -ые oil-bearing
нефть *f* oil
ни not a

ни́же *adv* below, lower
ни ... ни neither ... nor
никогда́ never
никто́ *pron* nobody, no one
ни́тка *f* thread
ничего́ *pron* nothing, it's nothing; never mind
но *cj* but
нове́йший, -ая, -ее; -ие newest, latest, modern
но́вое *n* the new
но́вость *f* news
но́вый, -ая, -ое; -ые new
нога́ *f* foot; но́ги *pl*
нож *m* knife
но́жницы *pl* scissors
ноль *m* zero
но́мер *m* number
нос *m* nose; но́са *gen*; носы́ *pl*
носи́ть (ношу́, но́сишь) *II* to wear; to carry
но́та *f* note
ночева́ть (ночу́ю, ночу́ешь) *I* to stay, to spend (sleep) the night
ночле́г *m* a night's lodgings
   на ночле́г for the night
ночь *f* night
но́чью *adv* at night
нужда́ *f* need
ну́жно it is necessary, must, need, ought
ня́ня *f* nurse

О

о (об) *pr* (+ *prep*) about, of
о́ба, о́бе *num* both
обе́д *m* dinner
обе́дать *I* to have dinner, to dine
обезья́на *f* monkey, ape
обита́тель *m* inhabitant, inmate
о́блако *n* cloud; облака́ *pl*
обме́ниваться *I* to exchange
оборо́на *f* defence
обраба́тывать (обраба́тываю, обраба́тываешь) *I* to till; to process; to work up
образова́ть (образу́ю, образу́ешь) *I* to form
обсужда́ть *I* to discuss
обы́чно *adv* generally, usually
объявле́ние *n* announcement, notice
объясне́ние *n* explanation
объясня́ть *I* to explain
о́вощи *pl* vegetables
огиба́ть *I* to round, to skirt, to double
ого́нь *m* fire; огня́ *gen*; огни́ *pl*
огоро́д *m* kitchen garden

огро́мный, -ая, -ое; -ые huge, vast, immense, tremendous
одева́ть I to dress (*somebody*)
одева́ться (одева́юсь, одева́ешься) I to dress oneself
оди́н, одно́, одна́ one; одни́ *pl*
одна́жды *adv* once
оживле́ние *n* animation
оживлённо *adv* animatedly
ожида́ть I to expect; to wait (for)
о́зеро *n* lake; **озёра** *pl*
окно́ *n* window; **о́кна** *pl*
о́коло *pr* (+ *gen*) near
оле́нь *m* deer
он *pron* he
она́ *pron* she
оно́ *pron* it
опа́сно *adv* dangerous, dangerously
о́пера *f* opera
определённый, -ая, -ое; -ые definite
о́пытный, -ая, -ое; -ые experienced
опя́ть *adv* again
орке́стр *m* orchestra
ору́дие *n* instrument
освеща́ть (освеща́ю, освеща́ешь) I to light up, to illumine, to throw light on
о́сень *f* autumn
о́сенью *adv* in autumn
осма́тривать I to view, to examine
осо́бенно *adv* particularly, especially
остава́ться (остаю́сь, остаёшься) I to stay; to remain
остана́вливать I to stop
остана́вливаться I *intrans.* to stop (at), to halt
о́стров *m* island; **острова́** *pl*
остроу́мный, -ая, ое; -ые witty
о́стрый, -ая, -ое; -ые sharp, acute; keen
от *pr* (+ *gen*) from
отве́т *m* answer
отвеча́ть (отвеча́ю, отвеча́ешь) I to answer
отде́л *m* department, section
о́тдых *m* rest
отдыха́ть (отдыха́ю, отдыха́ешь) I to rest
оте́ц *m* father; **отца́** *gen*; **отцы́** *pl*
открыва́ть (открыва́ю, открыва́ешь) I to open
открыва́ться I *intrans.* to open
откры́тый, -ая, -ое; -ые open
отку́да from where, whence
отправля́ть I to despatch, to send
отправля́ться I *intrans.* to set off, to depart, to go
о́тпуск *m* holiday, vacation
отража́ться I to be reflected
отступа́ть I to retreat

отту́да *adv* from there
офице́р *m* officer
официа́нтка *f* waitress
о́чень *adv* very

П

па́дать (па́даю, па́даешь) I to fall
па́луба *f* deck
па́мятник *m* monument
папиро́са *f* cigarette
парашю́т *m* parachute
парашюти́ст *m* parachutist
парашю́тный, -ая, -ое; -ые parachute **парашю́тное де́ло** parachute jumping
парк *m* park **парк культу́ры и о́тдыха** park of culture and rest
парохо́д *m* steamer, ship
па́рта *f* school-desk
па́рус *m* sail
па́русный, -ая, -ое; -ые sail
пассажи́р *m* passenger
пассажи́рский, -ая, -ое; -ие passenger
паха́ть (пашу́, па́шешь) I to plough, to till
па́хнуть I to smell (of)
па́чка *f* package
пе́ние *n* singing
пе́рвый, -ая, -ое; -ые first
перево́д *m* translation
перевози́ть (перевожу́, перево́зишь) II to transport, to put (carry) across
пе́ред *pr* before
переда́ча *f* radio broadcast, transmission
пере́дняя *f* anteroom, entry
перепи́ска *f* correspondence
перераба́тывать I to work into, to manufacture; to work up; to process, to rework
перераба́тываться I to be worked into, to be manufactured; to be worked up; to be processed; to be reworked
переры́в *m* interval, recess, break
перо́ *n* pen; nib
пе́сня *f* song
петь (пою́, поёшь) I to sing
пешко́м *adv* by (on) foot
пиани́стка *f* pianist
пила́ *f* saw
пили́ть (пилю́, пи́лишь) II to saw
пионе́р *m* pioneer
пионе́рский, -ая, -ое; -ие pioneer
писа́тель *m* writer
писа́ть (пишу́, пи́шешь) I to write
пи́сьменный, -ая; -ое; -ые writing; written **пи́сьменный стол** writing table, desk

письмо́ *n* letter; writing; пи́сьма *pl* letters

пита́ние *n* food

пить (пью, пьёшь) *I* to drink

пла́вать *I* to swim

пла́вно *adv* smoothly

план *m* plan

плати́ть (плачу́, пла́тишь) *II* to pay

плодоро́дный, -ая, -ое; -ые fertile, rich

плот *m* raft

пло́тник *m* carpenter

плохо́й, -а́я, -о́е; -и́е bad

площа́дка *f* grounds

пло́щадь *f* square
   Кра́сная пло́щадь Red Square
   пло́щадь Свердло́ва Sverdlov Square

плуг *m* plough

плыть (плыву́, плывёшь) *I* to float

пляж *m* beach

по *pr* (+ *dat*) along
   по утра́м in the morning

по-англи́йски *adv* English, in English

побе́да *f* victory

«Победи́тели» "Victors" (*the name of a play*)

победи́тель *m* victor

поведе́ние *n* conduct, behaviour

по́весть *f* novel, story

повора́чивать *I* to turn

поворо́т *m* turn

повторя́ть *I* to repeat, to review

пого́да *f* weather

под *pr* (+ *acc*, + *instr*) under

подава́ть (подаю́, подаёшь) *I* to serve (*at table*)

подмоско́вный, -ая, -ое; -ые near Moscow, in Moscow's environs

поднима́ться *I* to get up, to rise, to go up

подо́лгу *adv* for a long time

подру́га *f* friend

подходи́ть (подхожу́, подхо́дишь) *II* to come (to), to approach

подъе́зд *m* entrance

пожа́луйста please

пожива́ть (пожива́ю, пожива́ешь) *I* to live, to get on

пожима́ть (ру́ки) *I* to shake hands with somebody; (плеча́ми) to shrug one's shoulders

позавчера́ *adv* the day before yesterday

пока́ *adv* while, as long as, for the time being

пока́зывать *I* to show; пока́зывать пье́су to present a play

покида́ть *I* to leave

по-кита́йски *adv* Chinese, in Chinese

поку́пка *f* purchase

покупа́тель *m* buyer; purchaser

покупа́ть *I* to buy

пол *m* floor; полы́ *pl*

по́ле *n* field; поля́ *pl*

поле́зный, -ая, -ое; -ые useful; healthy, wholesome

полёт *m* flight

полново́дный, -ая, -ое; -ые deep

полови́на *f* half

получа́ть *I* to receive

по́льза *f* use; в по́льзу in favour (of)

по́льзоваться *I* to use, to make use of

по́мнить (по́мню, по́мнишь) *II* to remember

помога́ть *I* to help

по́мощь *f* help

понеде́льник *m* Monday

по-неме́цки *adv* German, in German

понима́ть *I* to understand

по-но́вому *adv* in a new way

поправля́ть *I* to correct, to repair

попре́жнему *adv* as before, as usual

пора́ *adv* it's time

популя́рный, -ая, -ое; -ые popular

порт *m* port

портре́т *m* portrait, picture

портфе́ль *m* bag, brief-case

по-ру́сски *adv* Russian, in Russian

поря́док *m* order; поря́дка *gen*; поря́дки *pl*

посёлок *m* settlement; посёлка *gen*; посёлки *pl*

посереди́не *adv* in the middle (of)

посети́тель *m* visitor

посеща́ть *I* to visit, to attend

поско́льку *adv* so far as, so long as

по́сле *pr* (+ *gen*) after

после́дний, -яя, -ее; -ие last

послеза́втра *adv* the day after tomorrow

посло́вица *f* saying, proverb

поспева́ть *I* to be in time; to grow ripe, to ripen

посреди́ *pr* in the middle (of)

постепе́нно *adv* gradually

посыла́ть *I* to send

потоло́к *m* ceiling; потолка́ *gen*; потолки́ *pl*

пото́м *adv* later, then

по-францу́зски *adv* French, in French

похо́ж, -а, -е; -и like, alike, resembling

по́чта *f* post-office; mail, post

почтальо́н *m* postman

почти́ almost

поэ́т *m* poet

пра́вда *f* truth

«Пра́вда» "Pravda" *name of a newspaper*

пра́вило *n* rule

пра́вильно *adv* it is correct; correctly

предлага́ть *I* to offer, to propose

пре́жде *adv* before, formerly

прекра́сный, -ая, -ое; -ые beautiful

преподава́тель *m* teacher

при *pr* under, in the presence of, in the time of

приближа́ться *I* to come near, to approach

прибо́й *m* breakers

приве́т *m* regards, greetings, good-bye

приводи́ть (привожу́, приво́дишь) *II* to bring

привози́ть (привожу́, приво́зишь) *II* to bring; to deliver by transport

привы́чка *f* habit

приземля́ться *I* to land

прила́вок *m* counter; прила́вка *gen;* прила́вки *pl*

приме́р *m* example

принадлежа́ть (принадлежу́, принадлежи́шь) *II* to belong to

принима́ть *I* to receive, to accept, to take

приноси́ть (приношу́, прино́сишь) *II* to bring

приро́да *f* nature

при́стань *f* landing-stage, pier, quay

прису́тствовать *I* to be present

прито́к *m* tributary

приходи́ть (прихожу́, прихо́дишь) *II* to come

причёсываться *I* to comb (one's hair)

причу́дливый, -ая, -ое; -ые quaint, fantastic

прию́т *m* shelter, refuge; asylum

прия́тный, -ая, -ое; -ые pleasant

прия́тно *adv* it is pleasant

про *pr* (+ *acc*) about, of

про́бовать *I* to try; to taste

проводи́ть (провожу́, прово́дишь) *II* to see off

проводи́ть вре́мя to spend time

прогу́лка *f* walk

продава́ть (продаю́, продаёшь) *I* to sell

продаве́ц *m* shop assistant, salesman; продавца́ *gen;* продавцы́ *pl*

проде́лки *pl* antics, tricks

продолжа́ть *I* to continue, to go on, to last

продолжа́ться *I* to continue, to last, to go on

проду́кт *m* product

проезжа́ть *I* to pass (by), to drive (by), to go (by)

пролета́рский, -ая, -ое; -ие proletarian

промы́шленный, -ая, -ое; -ые industrial

проси́ть (прошу́, про́сишь) *II* to ask for

просыпа́ться *I* to awake, to wake up

про́тив *pr* (+ *gen*) opposite, against

профе́ссор *m* professor

профсою́з *m* trade union

профсою́зный, -ая, -ое; -ые trade union

проходи́ть (прохожу́, прохо́дишь) *II* to pass (by)

пры́гать *I* to jump

пруд *m* pond; пруды́ *pl*

прыжо́к *m* jump; прыжка́ *gen;* прыжки́ *pl*

пря́мо *adv* straight, straight on; in front, direct(ly)

прямо́й, -а́я, -о́е; -ы́е straight; frank

пти́ца *f* bird, fowl

путеше́ствовать (путеше́ствую, путеше́ствуешь) *I* to travel

путеше́ствие *n* trip, journey, travels, voyage

путь *m* way, path; пути́ *gen sing*

пшени́ца *f* wheat

пыль *f* dust

пы́льный, -ая, -ое; -ые dusty

пье́са *f* play

пя́тница *f* Friday

Р

рабо́та *f* work

рабо́тать *I* to work

рабо́тница *f* working woman

рабо́чий *m* worker

равни́на *f* plain

рад, -а, -о; -ы glad

ра́дио *n* radio

радиоприёмник *m* radio set

ра́достно *adv* joyfully

раз once, one

    ещё раз once more

    мно́го раз many times

разбива́ться *I* to break

разгово́р *m* conversation, talk

раздава́ть (раздаю́, раздаёшь) *I* to distribute, to give out

раздава́ться *I* to resound

раздева́ть *I* to undress (somebody + *acc*)

раздева́ться *I* to undress oneself

развива́ться *I* to develop

разлива́ться *I* to overflow

ра́зный, -ая, -ое; -ые different

райо́н *m* district

ра́ма *f* frame

ра́но *adv* early

ра́ньше *adv* earlier, formerly, before

раскрыва́ться *I* to open up

располо́жен, -а, -о; -ы situated, located

расска́зывать *I* to tell, to relate
расте́ние *n* plant
расти́ (расту́, растёшь) *I* to grow
расширя́ться *I* to expand, to widen
расцвета́ть *I* to flower, to bloom
ребя́та *pl* children
рёв *m* roar
револю́ция *f* revolution
революцио́нный, -ая, -ое; -ые revolutionary
регуля́рно *adv* regularly
ре́зать (ре́жу, ре́жешь) *I* to cut
река́ *f* river; ре́ки *pl*
реце́пт *m* prescription
реша́ть (реша́ю, реша́ешь) *I* to decide
реше́ние *n* decision
рисова́ние *n* drawing
рисова́ть (рису́ю, рису́ешь) *I* to draw
ро́вный, -ая, -ое; -ые even, smooth
ро́дина *f* motherland
роди́тели *pl* parents
рожь *f* rye; ржи *gen sing*
роди́ться *II* to be born
ро́за *f* rose
рома́н *m* novel
рома́шка *f* camomile
рост *m* growth
рот *m* mouth; рта *gen;* рты *pl*
руба́нок *m* plane; руба́нка *gen;* руба́нки *pl*
руби́ть (рублю́, ру́бишь) *II* to chop
рубль *m* rouble; рубли́ *pl*
руда́ *f* ore
рука́ *f* hand; arm; ру́ки *pl*
   пожима́ть ру́ку to shake hands
руководи́ть (руково́жу, руково́дишь) *II* to direct, to guide, to lead, to manage; to supervise
ру́сский, -ая, -ое; -ие Russian
ру́сско-англи́йский, -ая, -ое; -ие Russian-English
руче́й *m* brook, stream; ручья́ *gen;* ручьи́ *pl*
ру́чка *f* penholder, pen
ры́ба *f* fish
рыболо́вный, -ая, -ое; -ые fishing, piscatory
рыболо́вство *n* fishing
ры́нок *m* market; ры́нка *gen;* ры́нки *pl*
ря́дом *adv* beside, alongside, nearby, near, next, next to

С

с, со *pr* (+ *gen*) from; (+ *instr*) with
сад *m* garden; сады́ *pl*
сади́ться (сажу́сь, сади́шься) *II* to sit down
садо́вник *m* gardener
сажа́ть *I* to plant

сала́т *m* salad
самолёт *m* aeroplane
са́мый, -ая, -ое; -ые *pron* (*with an adj*) the most, the very
са́хар *m* sugar
све́жий, -ая, -ее; -ие fresh
свежо́ *adv* fresh, cool, chilly; it is fresh, etc.
свет *m* light
свети́ть (свечу́, све́тишь) *II* to shine
светло́ *adv* light; it is light
све́тлый, -ая, -ое; -ые light
светофо́р *m* traffic light
свисто́к *m* whistle; свистка́ *gen*
   дава́ть свисто́к to blow the whistle
свобо́дно *adv* freely, fluently
свобо́дный, -ая, -ое; -ые free; vacant
сда́ча *f* change
себя́ (*reflexive pron*) -self
се́вер *m* north
се́верный, -ая, -ое; -ые north, northern
се́веро-за́пад *m* north-west
сего́дня *adv* to-day
сейча́с *adv* now
се́льский, -ая, -ое; -ие village
сельскохозя́йственный, -ая, -ое; -ые agricultural
сельсове́т *m* Village Soviet
семья́ *f* family; се́мьи *pl*
се́рдце *n* heart; сердца́ *pl*
середи́на *f* middle
се́рый, -ая, -ое; -ые grey
серьёзный, -ая, -ое; -ые serious
сестра́ *f* sister; сёстры *pl*
се́ять *I* to sow
сиде́ть (сижу́, сиди́шь) *II* to sit
си́льный, -ая, -ое; -ые strong
си́ний, -яя, -ее; -ие blue
сказа́ть (скажу́, ска́жешь) *I* to tell
скамья́ *or* скаме́йка *f* bench
ска́терть *f* table-cloth
сквер *m* square, garden
скла́дывать *I* to fold
склон *m* slope, incline
ско́лько how much (many)
ско́ро *adv* soon
скоре́е sooner
сла́бо *adv* weak(ly)
сла́ва *f* fame
сла́вный, -ая, -ое; -ые famous, glorious
сла́дкий, -ая, -ое; -ые sweet
   на сла́дкое for dessert
сле́ва *adv* to (on) the left
слёт *m* rally, meeting
сли́ва *f* plum
слова́рь *m* vocabulary; dictionary
сло́во *n* word; слова́ *pl*
слон *m* elephant; слоны́ *pl*
служи́ть *II* to serve

слушать *I* to listen
слышать *II* to hear
слышен, слышна, -о; -ы is audible; are audible
смело *adv* boldly
смелый, -ая, -ое; -ые bold, courageous
смех *m* laughter
смеяться *I* to laugh
смотреть (смотрю, смотришь) *II* to look
сначала *adv* at first
снег *m* snow
снова *adv* again
собирать *I* to gather, to collect
собираться *I* to intend; to prepare; to be on the point of; to gather, to assemble
собор *m* cathedral, church
собрание *n* meeting, assembly
событие *n* event
совершать *I* to accomplish, to make, to perform, to commit
советовать *I* to advise, to give advice
совет *m* advice
советский, -ая, -ое; -ие Soviet
совсем *adv* quite, entirely
совхоз *m* state farm
согласно *pr* (+*dat*) according, in accordance with
соединять *I* to join
создаваться *I* to be created, to be built up, to be formed, to be set up
созданный, -ая, -ое; -ые created, set up, organized
солнце *n* sun
соль *f* salt
сон *m* sleep, slumber(s), dream
сооружение *n* building, construction
состав *m* composition, make-up
состав команды team
сотрудник *m* worker, employee, fellow-worker
спальня *f* bedroom
«Спартак» "Spartak" (*name of a Soviet sports' association*)
спартаковец *m* Spartakovite; спартаковца *gen*; спартаковцы *pl*
спасибо thank you
спать (сплю, спишь) *II* to sleep
специальность *f* profession, trade, speciality
спешить *II* to hurry
спокойно *adv* quiet, quietly
спокойный, -ая, -ое; -ые quiet, calm
спорт *m* sport
спортклуб *m* sports' club
спортивный -ая, -ое; -ые sport
спортсмен *m* sportsman
справа *adv* to (on) the right

спрашивать *I* to ask
спускаться *I* to descend, to sink, to lower, to go down, to drop down
среда *f* Wednesday
среди *pr* (+*gen*) among, between, amidst, in the middle of
средний, -яя, -ее; -ие middle
ставить (ставлю, ставишь) *II* to put, to place
стадион *m* stadium
стакан *m* glass
сталь *f* steel
стальной, -ая, -ое; -ые steel
становиться (становлюсь, становишься) *II* to become, to get, to grow
станок *m* lathe, machine-tool; станка *gen*; станки *pl*
станция *f* station
старательно *adv* assiduously, diligently, perseveringly
старейший, -ая, -ее; -ие (one of the) oldest
старинный, -ая, -ое; -ые ancient
старый, -ая, -ое; -ые old
статья *f* article
стая *f* flock
стекло *n* glass; стёкла *pl*
стена *f* wall; стены *pl*
стенд *m* book-stand, notice-board
степь *f* steppe
стоить *II* to cost
сколько стоит? how much does it cost?
стол *m* table; столы *pl*
столик *m* little table
столица *f* capital
столовая *f* dining-room, canteen
столяр *m* joiner
сторона *f* side; стороны *pl*
стоять *II* to stand
страдать *I* to suffer
страна *f* land; страны *pl*
строгать *I* to plane
строгий, -ая, -ое; -ие strict; severe
строить *II* to build
строиться *II* to be built
студент *m* student
студентка *f* student
стул *m* chair; стулья *pl*
стучать (стучу, стучишь) *II* to knock, to rattle
суббота *f* Saturday
судья *m* referee; judge
суп *m* soup, broth
сухо *adv* drily, coldly; it is dry
суша *f* land
сходить *II* to go; to get down, to alight
сходиться (схожусь, сходишься с + *instr*) *II* to meet

счастье *n* happiness
счёт *m* score, count; account
считать *I* to count
сын *m* son; сыновья́ *pl*
сыр *m* cheese
сы́ро *adv* damp; it is damp
съезд *m* congress, conference
сюда́ here

Т

«Таймс» The Times
так *pron* so, thus, like this, this way
такси́ *n* (*not declined*) taxi
тала́нт *m* talent
там *adv* there
та́нец *m* dance; та́нца *gen*; та́нцы *pl*
танцева́ть (танцу́ю, танцу́ешь) *I* to dance
таре́лка *f* plate
та́ять *I* to thaw, to melt
твой, твоя́, твоё; твои́ *pron* your, yours
теа́тр *m* theatre
тебя́ *pron* you
текст *m* text
телеви́зор *m* television set
телефо́н *m* telephone
те́ло *n* body; тела́ *pl*
те́ма *f* topic, subject, theme
темне́ть *I* to grow dark
тёмнозелёный, -ая, -ое; -ые dark green
тёмный, -ая, -ое; -ые dark
темно́ dark; it is dark
температу́ра *f* temperature, fever
те́ннис *m* tennis
тепе́рь *adv* now
тепло́ *adv* warmly, warm; it is warm
теплохо́д *m* steamer
тёплый, -ая, -ое; -ые warm
тетра́дь *f* copybook
тётя *f* aunt
те́хник *m* technician
те́хника *f* technique, technics
те́хникум *m* technical school, professional school, technicum
тече́ние *n* current
течь *I* to flow
тигр *m* tiger
ти́хий, -ая, -ое; -ие quiet
ти́хо *adv* quiet(ly), softly
тишина́ *f* quiet, silence
то и де́ло every now and then, now and again, without interruption
това́р *m* goods, provisions
това́рищ *m* comrade
тогда́ *adv* then
то́же *pron* also, too
то́лько only
том *m* volume

топо́р *m* axe; топоры́ *pl*
тот, та, то; те *pron* that; those
то́чка *f* full stop, period
трава́ *f* grass; тра́вы *pl*
тра́ктор *m* tractor
трамва́й *m* tramcar; трамва́и *pl*
тра́тить (тра́чу, тра́тишь) *II* to spend
тре́нер *m* trainer
трениро́ва́ться *I* to train, to practise
Третьяко́вская галере́я Tretiakov Gallery
треща́ть (трещу́, трещи́шь) *II* to crackle
трибу́на *f* stand
тролле́йбус *m* trolley-bus
труд *m* labour
тру́дно *adv* with difficulty; it is difficult
тру́дный, -ая, -ое; -ые difficult
туда́ *pron* there, thither
тума́н *m* fog, mist
тури́ст *m* tourist
тури́стский, -ая, -ое; -ие tourist
туркме́н *m* Turkmenian
туркме́нка *f* Turkmenian (woman)
тут *pron* here
ту́ча *f* cloud
ты *pron* you
ты́ква *f* pumpkin
ты́сяча *f* thousand
тюльпа́н *m* tulip

У

у *pr* (+ *gen*) at; by
убира́ть *I* to gather (harvest); to tidy up (room)
убо́рка *f* harvesting; tidying up, clearing
увели́чиваться *I* to increase, to grow in size
уве́ренно *adv* confidently
у́гол *m* corner; угла́ *gen;* углы́ *pl*
у́голь *m* coal; у́гля *gen;* у́гли *pl*
уда́р *m* kick, blow, stroke
удо́бный, -ая, -ое; -ые convenient, comfortable
уже́ already
у́жин *m* supper
у́жинать *I* to have supper
украша́ть *I* to adorn, to beautify
украше́ние *n* ornament, decoration, adornment
у́лица *f* street
уме́ть *I* to know how, to be able, can
у́мный, -ая, -ое; -ые clever; intelligent
умыва́ть *I* (*trans.*) to wash (*somebody*)
умыва́ться *I* (*intrans.*) to wash oneself
университе́т *m* university
управля́ть *I* to manage, to direct, to run, to operate

упражне́ние *n* exercise
урожа́й *m* harvest
уро́к *m* lesson
успе́х *m* success; progress
успе́шно *adv* successfully
уста́ть *I* to be tired
  я уста́л I am tired
устремля́ться *I* to turn, to direct; to aspire
устро́йство *n* arrangement, make, system
у́тро *n* morning
у́тром *adv* in the morning
уходи́ть (ухожу́, ухо́дишь) *II* to leave
уче́бник *m* text-book
учени́к *m* pupil; ученики́ *pl*
учени́ца *f* pupil
учёный, -ая, -ое; -ые scientific
учи́тель *m* schoolmaster
учи́тельница *f* schoolteacher, schoolmistress
учи́ться (учу́сь, у́чишься) *II* to study
учи́ть (учу́, у́чишь) *II* to teach
учрежде́ние *n* institution, establishment, office

Ф

фа́брика *f* factory
фа́за *f* phase
фаза́н *m* pheasant
фами́лия *f* surname
фе́рма *f* farm
фиа́лка *f* violet
фи́зик *m* physicist
физкульту́ра (= физи́ческая культу́ра) *f* physical culture
фило́лог *m* philologist
фильм *m* film
флаг *m* flag
флот *m* fleet, navy
фонта́н *m* fountain
фо́рма *f* form; uniform
фосфори́т *m* phosphorite
фотогра́фия *f* photograph
фоторепортёр *m* cameraman
фра́за *f* phrase; sentence
францу́з *m* Frenchman
фру́кты *pl* fruit, fruits
футбо́л *m* football
футбо́льный, -ая, -ое; -ые football

Х

хала́т *m* smock, overall; dressing-gown
хи́мик *m* chemist
хлеб *m* bread; хле́бы *pl*
хло́пковый, -ая, -ое; -ые cotton
хло́пок *m* (*only sing*) cotton; хло́пка *gen*
ходи́ть (хожу́, хо́дишь) *II* to go (on foot), to walk

хозя́йка *f* mistress, hostess
хозя́йство *n* economy
холм *m* hill
хо́лодно *adv* cold
холо́дный, -ая, -ое; -ые cold
хор *m* chorus
хоро́ший, -ая, -ее; -ие good, fine
хорошо́ *adv* well, nice, good
хоте́ть (хочу́, хо́чешь) to wish, to want
худо́жник *m* artist, painter

Ц

цвести́ (цвету́, цветёшь) *I* to bloom
цвето́к *m* flower; цветы́ *pl*
цель *f* aim
це́лый, -ая, -ое; -ые whole, entire
центр *m* centre
центра́льный, -ая, -ое; -ые central
цех *m* shop
цирк *m* circus
ци́фра *f* figure
цыга́н *m* Gipsy

Ч

чай *m* tea
ча́йка *f* sea-gull
час *m* hour; часы́ *pl*
ча́сто *adv* often
часы́ *pl* clock, watch
ча́шка *f* cup
чей, чья, чьё; чьи *pron* whose
челове́к *m* person; лю́ди *pl*
че́рез *pr* (+ *acc*) through, via; across
чёрный, -ая, -ое; -ые black
черти́ть (черчу́, че́ртишь) *II* to draw
четве́рг *m* Thursday
честь *f* honour
число́ *n* number; чи́сла *pl*
чи́стить (чи́щу, чи́стишь) *II* to clean, to scrub, to brush
чи́стый, -ая, -ое; -ые clean
чита́льня *f* reading-room
чита́ть *I* to read
член *m* member; member of the sentence; article
член профсою́за trade-union member
член па́ртии party member
чо́порный, -ая, -ое; -ые stiff, prim
чте́ние *n* reading
что *pron*, *cj* what, that
что́ же well, what of it?
что́-нибудь something, anything
чу́вство *n* feeling
чу́вствовать *I* to feel; чу́вствовать себя́ to feel (oneself)
чугу́н *m* cast iron
чужо́й, -а́я, -бе; -и́е strange, alien, foreign

Ш

шар *m* globe; ball; **шары́** *pl*
швея́ *f* seamstress
ша́хматы *pl* chess
шахтёр *m* miner
ша́хта *f* mine
шёлк *m* silk
широ́кий, -ая, -ое; -ие wide, broad
шить (шью, шьёшь) *I* to sew
шитьё *n* sewing, needlework
шкаф *m* cupboard
шко́ла *f* school
шко́льник *m* schoolboy
шёпот *m* whisper, murmur
шоссе́ *n* highway
шофёр *m* driver
штрафно́й, -а́я, -о́е; -ы́е penalty
шум *m* noise
шуме́ть (шумлю́, шуми́шь) *II* to make noise, to rustle
шурша́ть (шуршу́, шурши́шь) *II* to rustle
шути́ть (шучу́, шу́тишь) *II* to joke

Щ

ще́пка *f* plank, chip
щётка *f* brush
щи *pl* cabbage soup

Э

экза́мен *m* examination
  держа́ть экза́мен to take an examination

экра́н *m* screen
экску́рсия *f* excursion, outing
элева́тор *m* elevator
электри́ческий, -ая, -ое; -ие electric(al)
электри́чество *n* electricity
энерги́чный, -ая, -ое; -ые energetic
эпо́ха *f* epoch
э́тот, э́та, э́то; э́ти *pron* this; these

Ю

юг *m* south
юго-восто́к *m* south-east
ю́жный, -ая, -ое; -ые south, southern
ю́ность *f* youth
ю́нга *m* (ship's) boy

Я

я *pron* I
я́блоко *n* apple
явля́ться *I* to appear
я́года *f* berry
язы́к *m* tongue, language
яйцо́ *n* egg; **яи́ц** *gen*; **я́йца** *pl*
я́ркий, -ая, -ое; -ие bright
я́рко *adv* brightly
я́сно *adv* clear, clearly
я́сный, -ая, -ое; -ые clear
я́хта *f* yacht

LIST OF GEOGRAPHICAL NAMES

Абра́мцево *n* Abramtsevo *(a place near Moscow)*
Алта́й *m* Altai
А́нглия *f* England
Арте́к *m* Artek *(a health resort in the Crimea where a Young Pioneers' camp is located)*
Арха́нгельск *m* Arkhangelsk, Archangel

Байка́л *m* Lake Baikal
Баку́ *n* Baku *(a city)*
Балти́йское мо́ре Baltic Sea
Бе́лое мо́ре White Sea
Во́лга *f* Volga

Де́ли Delhi
Дон *m* Don *(a river)*
Донба́сс *m* (= **Доне́цкий Бассе́йн**) Donbas (Donets Basin)

Евро́па *f* Europe

Жигули́ Zhiguli Mts.

И́ндия *f* India
Ирку́тск *m* Irkutsk *(a city)*

Кавка́з *m* Caucasus
Каза́нь *f* Kazan
Ка́ма *f* Kama *(tributary of the Volga)*
Каспи́йское мо́ре *n* Caspian Sea
Ки́ев *m* Kiev
Ку́йбышев *m* Kuibyshev

Ленингра́д *m* Leningrad
Ло́ндон *m* London

Москва́ *f* Moscow
Москва́-река́ *f* Moskva River

Нева́ *f* Neva
Нью-Йо́рк *m* New York
Оде́сса *f* Odessa
Ока́ *f* Oka *(tributary of the Volga)*
Сара́тов *m* Saratov *(a city)*
Селиге́р Seliger *(a lake)*
СССР (= Сою́з Сове́тских Социали-
  сти́ческих Респу́блик) USSR.
Сталингра́д *m* Stalingrad
Ста́линск *m* Stalinsk *(a city)*

США (= Соединённые Шта́ты Аме́-
  рики) USA
Ташке́нт *m* Tashkent
Тбили́си *m* Tbilisi
Туркме́ния *f* Turkmenia
Улья́новск *m* Ulyanovsk *(a city)*
Ура́л *m* Urals
Чёрное мо́ре Black Sea
Эльбру́с *m* Elbrus Mt.
Ялта *f* Yalta *(a town)*

CONTENTS

PART III
УРОК 23а